GRAU 26

GRAU 26

A ORIGEM

ANTHONY E. ZUIKER

COM DUANE SWIERCZYNSKI

Tradução de
S. DUARTE

7ª edição

EDITORA RECORD
RIO DE JANEIRO • SÃO PAULO
2024

CIP-BRASIL. CATALOGAÇÃO NA FONTE
SINDICATO NACIONAL DOS EDITORES DE LIVROS, RJ

Zuiker, Anthony E., 1968-
Z86g Grau 26: a origem do mal / Anthony E. Zuiker, Duane Swierczynski;
7ª ed. tradução de S. Duarte. – 7ª ed. – Rio de Janeiro: Record, 2024. –(Grau 26; 1)

Tradução de: Level 26: dark origins
ISBN 978-85-01-08883-3

1. Ficção americana. I. Swierczynski, Duane, 1972-.
II. Duarte, S. III. Título. IV. Título: Grau vinte e seis. V. Série.

CDD: 813
09-4271 CDU: 821.111.(73)-3

Título original em inglês:
LEVEL 26: DARK ORIGINS

Ilustrações: Marc Ecko

Texto revisado segundo o Acordo Ortográfico da Língua Portuguesa de 1990.

Impresso no Brasil

ISBN 978-85-01-08883-3

Seja um leitor preferencial Record.
Cadastre-se no site www.record.com.br e receba informações sobre nossos lançamentos e nossas promoções.

Atendimento e venda direta ao leitor:
sac@record.com.br

Para Susan Kennedy, minha nova parceira no mundo do crime

Sumário

Quem trabalha com temas policiais conhece a classificação de homicidas em 25 graus de perversidade, desde o oportunista ingênuo do primeiro grau até os assassinos torturadores, premeditados e metódicos, que povoam o vigésimo quinto.

Poucos, no entanto, com exceção dos membros do grupo anônimo de investigadores encarregados de perseguir os matadores mais perigosos deste mundo — uma equipe de homens e mulheres que não figuram nos registros oficiais —, sabem que está sendo definida uma nova categoria de assassino, à qual somente um homem pertence.

Vítima:
qualquer pessoa.
Métodos:
qualquer um.
Nome:
Sqweegel.
Categoria:
grau 26.

PRÓLOGO

O dom

Roma, Itália

O monstro havia se escondido em algum lugar da igreja e o agente compreendeu que finalmente o havia encontrado. Tirou os sapatos tão silenciosamente quanto possível e os colocou sob a mesa de madeira do vestíbulo. As solas eram de borracha, mas mesmo assim poderiam fazer ruído sobre o piso de mármore. Até aquele momento, o monstro não sabia que estava sendo seguido, ao menos pelo que o agente podia perceber.

A caçada já durava três anos. Não havia fotografias do monstro e nenhuma prova física de qualquer tipo. Capturá-lo era o mesmo que tentar pegar fumaça com as mãos. A energia da tentativa faria com que ela se dissipasse, voltando a integrar-se em algum outro lugar.

A perseguição o levara a percorrer o mundo: Alemanha, Israel, Japão, Estados Unidos. E agora ali, em Roma, numa igreja barroca do século XVII dedicada a *Mater Dolorosa*, ou Nossa Senhora das Dores.

O nome era adequado. O interior da igreja estava sombrio. Empunhando o revólver com as duas mãos, o agente avançava, evitando fazer barulho ao longo das paredes amareladas.

Na porta da igreja havia um letreiro informando que o templo estava fechado para reforma. O agente conhecia o suficiente a língua italiana para compreender que estavam em curso obras de restauração do afresco de quatrocentos anos da cúpula interna.

Andaimes. Penumbra. Sombras. Era um habitat natural para o monstro. Não é de surpreender que o tivesse escolhido, apesar de se tratar de um espaço sagrado de culto.

O agente chegara à conclusão de que o monstro não respeitava limite algum. Mesmo em tempos de guerra, as igrejas e templos eram considerados santuários, lugares seguros de refúgio para quem buscasse o consolo divino nas horas mais sombrias.

Passando pelos suportes metálicos da base dos andaimes, o agente tinha certeza de que o monstro estava ali. Era capaz de *sentir* na própria pele.

Não acreditava no sobrenatural e não se dizia possuidor de capacidade mediúnica. Porém, quanto mais perseguia o monstro, mais se sentia em sintonia com sua onda maléfica. Esse dom lhe dera uma vantagem sobre qualquer outro investigador na caçada ao monstro, mas isso tinha um preço. Quanto mais seu cérebro sintonizava a insanidade do outro, mais ele perdia o contato com a normalidade. Havia começado a suspeitar de que aquela perseguição obstinada poderia vir a causar sua própria morte, mas tratara de descartar essa ideia.

Ao ver a vítima mais recente, a poucos quarteirões dali, o agente recuperara a concentração. O espetáculo do sangue, da pele dilacerada, das vísceras fumegantes ao ar frio da noite e das gotas de gordura, como pingentes pendentes dos músculos expostos, mais tarde causariam vômitos aos primeiros observadores. Não ao agente, que se ajoelhara e sentira o fluxo estimulante da adrenalina quando tocou o cadáver com as grossas luvas de látex e percebeu que ainda estava morno.

Era sinal de que o monstro estava próximo.

O agente tinha certeza de que ele não podia estar longe; o monstro adorava esconder-se e divertir-se com as consequências de seus atos. Era sabido que chegara a aproximar-se disfarçadamente da cena do crime enquanto os policiais o amaldiçoavam.

Por isso, o agente se postou no pequeno pátio perto do cadáver e deu rédea livre aos pensamentos. Não usou lógica dedutiva, nem raciocínio inquisitivo, nem instinto, nem palpites. Em vez disso, pensou: *Se eu fosse o monstro, para onde iria?*

Relanceou o olhar pelos telhados, e ao ver a cúpula brilhante teve imediata certeza. *Para lá. Iria para lá.* Não havia a mínima dúvida em sua mente. Tudo terminaria naquela noite.

Movia-se agora silenciosamente por entre os bancos de madeira da igreja e as barras de metal dos andaimes, empunhando a pistola, com todos os sentidos em agudo estado de alerta. O monstro podia ser como a fumaça, mas até mesmo a fumaça tinha aparência, aroma e gosto.

O monstro fitava o alto da cabeça de seu perseguidor. Estava agarrado a uma das tábuas manchadas de tinta do andaime, segurando-se nas frestas entre as placas de madeira com os dedos longos e fortes das mãos e dos pés.

Quase desejava que o caçador olhasse para cima.

Muitos o haviam perseguido ao longo dos anos, porém nenhum como aquele. Aquele era especial. Diferente.

De certa forma, ele o conhecia bem.

Por isso queria olhar novamente seu rosto, em carne e osso. Não porque não conhecesse os traços de seus perseguidores. O monstro possuía muitas fotografias e filmagens de todos eles em ação, nos quintais de suas casas, abastecendo seus carros em postos de gasolina, levando os filhos a espetáculos esportivos, comprando bebidas alcoólicas. Tinha estado suficientemente perto para registrar seus cheiros, o tipo de loção que usavam após barbear-se, a marca de tequila que preferiam. Isso fazia parte de seu jogo.

Até pouco antes achava que aquele era simplesmente mais um. Aos poucos, no entanto, o perseguidor começou a surpreendê-lo, avançando como nenhum outro antes, chegando mais próximo do que todos os demais. Tão próximo que o monstro deixara de se preocupar com os outros, concentrando-se nas fotos que tinha daquele, observando-as e procurando descobrir quais seriam seus pontos vulneráveis. Uma foto, no entanto, não era o mesmo que uma figura da vida real. O monstro queria estudar o rosto daquele agente enquanto ainda respirava, perscrutava o ambiente e enchia as narinas com os aromas a seu redor.

Depois, ele o mataria.

O agente olhou para cima. Era capaz de jurar que tinha visto algo movendo-se lá no alto, nas sombras dos andaimes.

A cúpula acima dele representava um estranho capricho da arquitetura do século XVII. Era adornada com dezenas de janelas de vidro colorido que recolhiam toda a luz externa e a lançavam ao ponto mais alto da cúpula, como se exaltassem Deus com seu próprio fulgor. À plena luz do sol seria fascinante. Naquela noite, a lua cheia conferia às vidraças um brilho fantasmagórico, mas tudo o que ficava abaixo da cúpula, a partir da abóbada, estava envolto em sombras dramáticas. Era um lembrete perfeito do lugar que o homem ocupa no universo — embaixo, na penumbra do desconhecido.

A cúpula ostentava como adorno um panorama celestial, com querubins flutuantes, arautos e nuvens, como uma tentação ainda maior para os seres humanos.

Espere.

Com o canto do olho, o agente percebeu um fio de luz branca perpassando e o leve ruído de algo que parecia borracha.

Lá. Próximo ao altar.

Esse caçador é bom de verdade, pensou o monstro em seu novo esconderijo. Venha me buscar. *Venha, deixe-me ver seu rosto antes que eu o arranque de seu crânio.*

*

O silêncio era tão absoluto, que parecia a pulsação, algo vivo, que envolvia a igreja. O agente se movia com rapidez, tateando com as mãos, subindo pelo andaime tão silenciosamente quanto possível, com a arma enfiada na cartucheira aberta a tiracolo, pronta para ser empunhada em um segundo. A madeira era áspera e cheia de farpas sob seus dedos que apalpavam; sentia os restos de poeira e aço sobre as traves.

Lentamente ele se esgueirou subindo mais uma plataforma, cada vez mais alto, procurando algum reflexo ou indício do monstro, mas havia muito pouca luz. Respirando com rapidez ergueu o corpo até mais um nível, procurando desesperadamente espreitar além do limite da tábua, expondo a cabeça e o pescoço ao desconhecido. Se pudesse enxergar...

Estou vendo você, pensou o monstro. *Você me vê*?

Foi então que ele o viu.

Pela primeira vez o agente viu o rosto do monstro. Dois olhos que pareciam contas o miravam em uma face sem expressão, como se alguém tivesse apagado com um ferro quente as características de sua fisionomia... exceto os olhos.

Em seguida o vulto desapareceu, escalando rapidamente a extremidade do andaime, como uma aranha que subisse por um fio de sua teia.

O agente deixou de lado a prudência. Perseguiu o monstro com uma rapidez que o surpreendeu, erguendo-se pelas traves do andaime e as extremidades das tábuas como se estivesse se exercitando em algum curso do FBI na Virgínia.

Lá estava ele novamente — um membro pálido passando pelo lado externo de uma plataforma, dois níveis acima do dele.

O agente subiu com mais vigor, mais depressa, mais freneticamente. O monstro se aproximava da cúpula celeste. Ali, porém, não havia saída. Não havia por onde escapar, a não ser ao nível do chão.

Pela primeira vez em muitas décadas o monstro sentiu medo de verdade. De que maneira o caçador o havia descoberto? Como podia ser tão destemido a ponto de segui-lo até aquela altura?

A expressão fisionômica do caçador era diferente agora. Não era um simples policial encarregado de assegurar o respeito à lei que seguira seu instinto e aproveitava um lance de sorte. O monstro teria estremecido de excitação caso não houvesse reduzido a velocidade de sua subida.

Durante um momento de glória o monstro ficou sem saber o que aconteceria em seguida. Recordou-se dos tempos de infância. Bastavam alguns gramas de pressão no gatilho do caçador e a trajetória correta poderia significar o fim. O monstro podia ter muitos recursos, mas não era imune às balas.

Vai acabar tudo aqui? Vai ser você o autor de minha morte?

O agente o encurralara.

Sentiu a tábua estremecer acima dele, no último degrau do andaime abaixo da cúpula. O agente passou pelas duas últimas traves horizontais. Empunhou a arma.

Ali estava ele, deitado na plataforma mais alta. Passou-se um momento em que o agente fitou na penumbra os olhos do monstro e este por sua vez o encarou. O que passou entre eles durou o tempo de uma pulsação do coração, impossivelmente curto e no entanto inconfundível — o reconhecimento primitivo entre o caçador e sua presa no momento do clímax, quando um dos dois canta vitória e o outro se deixa cair morto.

O agente disparou dois tiros, mas não saiu sangue. O monstro parecia ter explodido.

Bastou uma fração de segundo para que o policial reconhecesse o som do vidro estilhaçado e entendesse que tinha atirado contra um espelho, sem dúvida colocado ali para auxiliar os peritos nas tarefas de restauração. Aquele erro poderia ter sido fatal. Mas ao virar-se para atirar novamente já sabia que o monstro não estaria mais ali; ouviu-o quebrar uma das janelas de vidro e escapar para o telhado da igreja. Houve uma chuva de estilhaços coloridos, ferindo-o abaixo de um dos olhos, mas ele ergueu a arma e disparou a esmo pela abertura da janela. A bala se perdeu, subindo para o céu. Ouviu-se um ruído de passos rápidos correndo pela face externa da cúpula... e depois mais nada.

O agente desceu às pressas a estrutura do andaime, mas no íntimo sabia que era inútil. O monstro estava à solta nos telhados de Roma, uma nuvem invisível de fumaça subindo e desaparecendo, deixando somente um rastro leve e persistente para mostrar que estivera ali.

PRIMEIRA PARTE

O homem vestido de assassino

Dois anos depois

Capítulo 1

Algum lugar nos Estados Unidos / Quarto de costura
Sexta-feira / 21 horas.

O homem de rosto anguloso, esquálido como um fantasma, a quem o FBI dera o nome de "Sqweegel", trabalhava febrilmente na máquina de costura que tinha sido da avó. O farfalhar obsessivo trovejava no pequeno quarto do segundo andar.

*Tchac-tcha-tchac-tchac-tchac-tchac-*CHAC-CHAC.

TCHAC.

TCHAC.

TCHAC.

Com o pé descalço e pequeno, Sqweegel apertava o pedal. Tinha as unhas dos pés feitas, assim como as das mãos. Uma luminária de mesa lhe iluminava o rosto de expressão decidida. Com as mãos delicadas ele empurrava o tecido, dirigindo o pano em torno do zíper para a cabeça de metal que vibrava, aplicando as costuras. Tinha de fazer aquilo da maneira correta.

Não, nada disso.

Tinha de ser *perfeito*.

As peças esquentadas da máquina faziam com que o cômodo cheirasse a queimado; o sangue tinha odor de moedas de um centavo.

O tecido ainda tinha manchas escuras de sangue parcialmente seco. Era um pano resistente, mas não indestrutível. O zíper tinha se engastado em alguma aresta bem pontiaguda que produzira um rasgão no pano preto ligado ao restante da roupa de látex. Não houve perda de sangue; no máximo um arranhão em poucas camadas de epiderme. Mesmo assim, aquilo era demais. Ele retirara o isqueiro da bolsa de instrumentos e aproximara a chama ao metal até desaparecerem quaisquer células de pele ainda presas ali. Não devia deixar nada seu. Depois voltaria para casa.

Agora estava consertando o rasgão.

Aquilo o havia preocupado durante todo o trajeto até sua casa, ao vir do apartamento da prostituta nos arredores da cidade. Antes de guardá-lo em seu estojo, Sqweegel tinha tentado recolocar o pedaço de pano em seu lugar, mas sem sucesso. Fechou o estojo e procurou esquecer aquilo. Impossível. Via em sua imaginação o pequeno trapo desfiado pendente da roupa, como uma bandeira negra congelada em uma lua sem atmosfera. Pensando naquilo quase encostou o carro na margem da estrada para poder abrir a mala e ajustar o pano.

Resistiu ao impulso de fazê-lo. Sabia que era uma tolice e sabia que em breve estaria em casa.

Tão logo fechou a porta da frente atrás de si, Sqweegel levou a roupa para o quarto de costura. Era preciso tratar daquilo imediatamente.

Sqweegel usou a máquina da avó porque ela funcionava perfeitamente, tal como no dia em que fora encomendada pelo catálogo da Sears Roebuck de 1956. Era marca Kenmore, modelo 58, e tinha custado 89,95 dólares. Costurava para a frente e para trás, com uma lâmpada embutida. Era apenas necessário azeitar as partes móveis do maquinismo e limpar bem o exterior de vez em quando. Tendo cuidado, tudo podia durar para sempre.

Como a roupa.

O pé pequeno fez parar a máquina. A cabeça metálica se imobilizou completamente ao fim do ciclo. Ele se curvou até aproximar bem os olhos do tecido, admirando o resultado de seu trabalho.

Muito bem.

O rasgão não existia mais.

Agora era hora de lavar todo aquele sangue sujo da prostituta.

Capítulo 2

Banheiro / Quarto de vestir

Sqweegel esfregou as mãos com o sabão em pó e ficou olhando a água rosada escoar pelo fundo da pia de porcelana branca. Outra vida triste escorrendo pelo ralo. Mas aquele sacrifício seria o prenúncio de algo novo. Alguma coisa maravilhosa. Ele se emocionava ao pensar.

Agora, no entanto, era o momento de coisas mais práticas, como a remoção dos pelos.

A lâmina de Sqweegel estava limpa, e a água, aquecida. A pele dele já estava umedecida com óleo vegetal — nada de creme de barbear. Seria como cortar a grama do jardim debaixo de uma camada de 15 centímetros de neve. Era preciso ver o que estava fazendo. Cada centímetro quadrado.

De cima para baixo. Primeiro as partes expostas: couro cabeludo. Rosto. Pescoço. Braços. Peito. Pernas.

A cada vez que passava a lâmina ele parava para limpá-la sob a água corrente. Pedacinhos de pelos pretos e flocos microscópicos de pele corriam em redemoinho pelo ralo até desaparecerem.

Depois, debaixo dos braços. As panturrilhas. Os tornozelos.

O roçar da lâmina sobre a pele. Uma pausa. Lavar a lâmina. Redemoinho.

Depois vinha a parte mais difícil — porém a mais gratificante — do processo: retirar os cabelos dos órgãos genitais e do ânus. Para fazer isso corretamente era preciso puxar os testículos até um ponto em que estivessem perfeitamente esticados, prontos para a passagem da lâmina. O posicionamento exigia tempo, às vezes mais do que cinco ou seis minutos. O percurso da lâmina, ao contrário, era sempre firme, estudado, cuidadoso.

Para depilar o ânus era necessária uma postura ainda mais elaborada. Os pés ficavam apoiados o mais alto possível na parede de ladrilhos do banheiro e o tórax curvado para a frente, a fim de facilitar o acesso. Com uma das mãos ele se mantinha firme e com a outra empunhava a lâmina. Era como se a base da espinha tivesse uma dobradiça e ele fosse capaz de dobrar-se ao meio. O ritual era sempre o mesmo: roçar a lâmina sobre a pele, fazer uma pausa, agitar a lâmina em uma bacia de água morna. Trabalhava calmamente, às vezes mantendo a posição por alguns minutos antes de passar novamente a lâmina.

Quanto mais pelos retirava, mas calmo se sentia, mais fácil lhe parecia manter a posição e mais próximo se sentia da pureza.

Mais perto chegava da salvação.

Em outro cômodo, Sqweegel inseriu a combinação do cadeado da geladeira, que ficava sempre na temperatura mais elevada possível, abriu-a e retirou quatro barras e meia de manteiga. Tinha procurado economizar e reduzir a quatro, mas a metade extra era realmente necessária. Cinco seriam demais e de qualquer forma não era uma solução.

Quatro barras seriam o ideal, pois cada pacote continha dois pares. O que queria dizer que cada grupo de oito pacotes exigia mais um, para ser usado em forma de meias barras.

Ele abriu cuidadosamente o envoltório de papel da primeira barra, partiu-a em dois pedaços e começou a esfregar com as mãos o peito e os ombros — primeiro a parte maior do corpo — antes de passar às extremidades. Cada membro gastava meia barra, assim como os órgãos genitais e o ânus. A manteiga tinha de ser distribuída de forma homogênea por todo o corpo. Nada de montes nem de vales.

A derradeira porção de manteiga, aproximadamente um quarto da última barra, era espalhada na parte da roupa que cobriria as solas dos pés. Era preciso muita prática para separar a quantidade exata necessária.

Agora, a roupa.

Fez uma pausa para uma última inspeção. A roupa estava colocada sobre um pedaço de plástico industrial no assoalho do quarto limpo, que durante os dias anteriores ele vinha mantendo imaculadamente higienizado.

Não havia orifícios e nem partes mais gastas no tecido. As peças dos três zíperes — as trilhas, os dentes, a parte móvel, as fitas e os engastes das extremidades — estavam todas em perfeito estado de funcionamento.

A roupa estava pronta, e ele também.

Começou a vestir a roupa, operação ensaiada, lenta e precisa. Um observador poderia compará-lo a um louva-a-deus de 1,65 de altura e 57 quilos tentando entrar em uma crisálida fina e branca feita sob medida para seu corpo de inseto. Bem, isso se o observador tivesse paciência para presenciar todo o procedimento, que levava quase duas horas. Ele não se preocupava com o tempo, concentrando-se na tarefa que tinha diante de si. Aquela meia barra na verdade não fazia grande diferença. A limpeza, o plástico, a remoção dos pelos, a manteiga e a roupa.

Tudo isso levava àquele momento.

Voltou-se devagar para o espelho, retardando a satisfação o máximo possível, mas era difícil, muito difícil. Ergueu os braços finos para o ar, como se saudasse alguma coisa no espaço.

Virava-se, virava-se, *virava-se*, sem nada ouvir a não ser o leve bater de seu coração no tórax.

Finalmente, o espelho captou-lhe a imagem.

Ah, *lá* estava ele.

Ninguém.

Capítulo 3

Filmoteca / Sala de exibição

Sqweegel desceu dois lances de escadas até o porão escuro e úmido. A pintura das paredes havia se desgastado em certas partes, revelando a madeira. Sempre lhe lembrava as costelas da carcaça de um animal de grande porte. Um animal despedaçado por outro, maior e mais selvagem.

Tinha vontade de passar os dedos sobre as ripas de madeira, como fazia quando criança, mas alguma farpa naquele momento poderia fazê-lo voltar ao quarto de costura, e ele estava ansioso demais para assistir ao filme que tinha em mente. Já tinham se passado mais de dez anos, mas desde cedo ele vinha pensando naquilo. Aquele filme invadira sua imaginação, sem pedir licença.

Somente mais tarde compreenderia por que aquilo era um sinal.

Assim funcionava a mente de Sqweegel, por meio de conexões subconscientes que mais adiante o ajudariam em sua missão.

A missão mais importante de sua vida mortal.

Abaixo do nível do pavimento térreo, o ar tinha um odor não apenas de morte, mas também de muitas mortes em disputa entre si. Era um doce perfume de sofrimento, com notas aromáticas pacientemente colecionadas ao longo das últimas quatro décadas. Nenhum outro lugar do mundo tinha aquele odor; isso não era possível em lugar algum. Inebriava instantaneamente.

Entrou em um pequeno quarto, no primeiro patamar. A alcova era forrada de prateleiras de madeira feitas sob medida, com quase todo o espaço ocupado por embalagens de filmes.

O polegar ossudo, coberto de látex, percorreu os rótulos.

Vagabunda ruiva antes do casamento
17/4/92

Bastava o texto do rótulo para despertar lembranças parciais: o vestido branco, rasgado e embolado em um canto da masmorra. A pálida noiva tremendo, perguntando que mal tinha feito, debatendo-se contra os laços que a amarravam. Sqweegel dizendo a ela: *Você não sabe nada sobre pureza. Usar aquele vestido é uma afronta, e agora eu vou mostrar a você o que é estar nua diante de Deus...*

Depois, outro rótulo e outras lembranças.

Puta vaidosa do noticiário de TV
11/9/95

Ah, Sqweegel lembrava-se *daquela* com vívidos detalhes. Ela tinha achado que a série sangrenta de assassinatos iria ser sua grande oportunidade. Crescimento da audiência. Um contrato para um livro. Vangloriara-se diante dos colegas que seria ela quem resolveria o caso, que aquilo se tornaria sua *marca* pessoal. Precisava de uma lição de humildade e Sqweegel ficou contente em poder proporcioná-la: a própria câmera de vídeo dela explorando partes do corpo que ela jamais vira antes. As partes úmidas, sujas, ocultas, iluminadas e filmadas com perícia e em seguida enviadas pelo correio à emissora para que os telespectadores as vissem...

Mãe orgulhosa que desprezava o filho
30/3/97

Você traz com esforço uma vida ao mundo e depois lhe dá as costas? Vou lhe mostrar o que acontece quando Deus vira as costas para você, minha filha...

O polegar finalmente parou diante do filme que ele desejava ver.

Vadia amante do senador
28/7/98

Sqweegel tirou a caixa da prateleira e levou-a à sala de exibição no pavimento inferior. Era uma sala de home-theater à prova de som, construída muito antes que essas coisas se tornassem moda. Não havia CD, nem mesmo vídeo; nada era melhor do que as imagens cruas dos filmes, passando à velocidade de 24 quadros por segundo.

Depois de colocar o rolo do filme no projetor e ajustá-lo, Sqweegel sentou-se em uma poltrona de couro já bastante gasta no centro da sala e deixou-se inundar com as imagens da tela.

Sqweegel ofegava, excitado. Tirou o membro viril da roupa de assassino e começou a acariciá-lo, inicialmente devagar.

À medida que o filme ia passando, a mão se movia mais rápida, mais violentamente, sem que seus olhos se desviassem da tela.

Há algum tempo não via aquele. Tinha se esquecido de que era muito bom.

Tinha se esquecido de como eram as *entranhas* dela.

Sqweegel reenrolou o filme e assistiu de novo. Sabia que iria repetir dezenas de vezes até a madrugada. Estivera vendo tantos filmes sobre segurança nos dias anteriores que precisava de uma pequena diversão — uma espécie de limpeza mental. Um lembrete de quem era e do que era capaz de fazer em nome do Senhor.

A contagem regressiva do filme surgiu na tela: 10, 9, 8...

Para assistir ao filme acesse grau26.com.br e digite o código: assassinato

“Casos Especiais”

Capítulo 4

Base de Fuzileiros Navais de Quantico / Divisão de Casos Especiais
Centro de Comando
Segunda-feira / 7h30 – Costa Leste

O filme de 8mm rodou solto em volta do carretel antes de parar completamente, deixando a tela branca vazia . Ninguém falou, mesmo depois de passados alguns momentos. Um silêncio mortal encheu a sala.

Era perfeitamente compreensível.

Tom Riggins examinou os rostos à sua volta. Poucos minutos antes, mostravam entusiasmo. Estavam alvoroçados por terem sido chamados à famosa Divisão de Casos Especiais em Quantico para aquela reunião confidencial, com todas as despesas pagas. Alguns não queriam demonstrar o que sentiam, mas Riggins sabia. Estavam mortos de curiosidade. Ele contava com isso.

Poucos minutos antes eram como meninos de escola diante de um teste. Concentrados. Decididos a fazer bonito.

Mas agora...

Não eram apenas policiais ou peritos criminais. As pessoas reunidas ali eram a nata da nata, e tinham sido convocadas pela agência de investigações mais prestigiosa do país. No entanto, para Riggins — homem de pouco mais de 50 anos, com músculos esbeltos e rijos de ex-campeão de pesos médios —, eram um grupo de jovens imberbes, alguns ainda mostrando leves traços de acne. Isso não era novidade. Todos os membros da Divisão tinham começado ridiculamente jovens no início da década de 1990, quando o grupo tomou impulso e Riggins percebeu que estaria ligado a ele pelo resto da vida.

— Vocês acabaram de conhecer a obra de Sqweegel — disse Riggins. — É um psicopata que matou a tiros, estuprou, feriu, envenenou, queimou, estrangulou e torturou mais de cinquenta pessoas em um período de mais de vinte anos.

Duas décadas, pensou Riggins. O monstro tinha começado a agir quando alguns dos que estavam na sala ainda estavam arrumando as merendas para o primeiro dia de escola.

— Sqweegel é um assassino muito paciente — ele continuou. — Deixa transcorrer bastante tempo entre uma vítima e outra e passa horas intermináveis na preparação. Só vemos os resultados depois que ele age. Em alguns casos, o trabalho preliminar dura vários *meses*.

Riggins olhou em volta. Todos pareciam estar prestando atenção, ou pelo menos assentiam com as cabeças nos momentos adequados. Era claro, no entanto, que ainda estavam pensando no trecho do filme a que tinham acabado de assistir.

Alguns deles piscavam repetidamente os olhos, como se as pálpebras fossem capazes de apagar as imagens nas retinas.

Boa sorte com a missão, rapazes.

A Divisão de Casos Especiais tinha surgido em meados da década de 1980, no Programa de Captura de Criminosos Violentos, do Departamento de Justiça — conhecido como ViCap. O público conhecia o ViCap, um sistema computadorizado que procurava investigar e comparar assassinatos em série. Os policiais e investigadores de qualquer parte do país podiam utilizá-lo como base de dados. Havia, no entanto, certos casos dos quais nenhuma polícia municipal gostaria de tratar e nem mesmo o FBI queria ocupar-se deles.

Nessas ocasiões, a Divisão entrava em cena. Riggins sabia melhor do que ninguém que a taxa de saturação na Divisão era extraordinária: os agentes duravam de 48 horas a seis meses, no máximo. Um ano ou dois de permanência era considerado um feito espetacular, mas geralmente acabava em suicídio, solidão ou tratamento médico. Quem saía da Divisão não prosseguia a carreira: entrava em fase de sobrevivência.

Casos Especiais era uma divisão pouco conhecida, que funcionava sem o conhecimento do público norte-americano. Poucos jornais noticiavam casos entregues a ela. Não se faziam programas de TV a respeito. Os casos não eram comentados nas recepções em Los Angeles e na vizinhança elegante de Washington ou de Manhattan. As coisas de que tratavam não chegavam ao conhecimento dos cidadãos, que não *quereriam* saber delas e que sem dúvida não acreditariam que fossem possíveis.

Se acreditassem, nunca sairiam de suas casas.

Não que estivessem em segurança nelas. Uma elevada proporção dos casos realmente escabrosos acontecia no recesso dos lares de todo o país. Por exemplo, o do marido que descobriu que a mulher o traía com um antigo colega de universidade e a empalou com um taco de golfe, do ânus até a boca. O pessoal do laboratório ficara impressionado com a força que aquele homem teve de empregar para empurrar a haste de aço através de todo o corpo dela, passando por músculos e ossos.

Houve também o caso do viciado em drogas de 15 anos que procurou pela casa inteira o CD de *Homicídio no veículo,* o videogame que ele rodava durante horas seguidas para amenizar a crise de tiques nervosos. O rapaz procurou por toda a parte e nada do jogo. Os avós *intervieram*, dizendo que tinham jogado fora o horrível disco para seu próprio bem, que iam mandá-lo para um lugar especial perto da praia e que isso seria bom para ele. O jovem saiu do quarto, voltou com uma broca elétrica e começou a furar os canais auditivos deles, um de cada vez; no caso do avô, veterano da Guerra do Vietnã, perfurando também o aparelho auditivo. *Vocês nunca prestam atenção no que eu digo, nunca me escutam*, gritava ele, enquanto sangue e tecido cerebral esguichavam em volta.

Riggins era capaz de recitar casos durante toda a noite. Órgãos em jarros de conserva de fruta. Escravas grávidas aprisionadas em um poço. Sêmen em fraldas de bebê.

Eram coisas em que nenhuma pessoa normal gostaria de pensar durante mais do que alguns segundos.

Coisas em que ele pensava o tempo todo.

Sua vida era tratar do lado sombrio do ser humano. Mas naquele caso, e no daquele filme de crime sexual a que tinham acabado de assistir... bem, ele quase era capaz de entender o silêncio.

Capítulo 5

Tom Riggins nunca gostara do Centro de Comando da Divisão. Dava a impressão de um anfiteatro de faculdade: comprida, carteiras cobertas de fórmica, com quatro pernas. Riggins ficou na parte mais baixa, diante de três telões. Eram telas em cores, de alta definição, de última geração, capazes de trocar arquivos, ampliar fotos e atualizar os agentes de campo com um simples toque.

Isso o fazia parecer um professor falando aos alunos.

Aos 53 anos, Riggins quase preenchia esse papel. Vestia-se com cores escuras e sóbrias, de acordo com seu comportamento normal. A única exceção era o branco do crachá constantemente pendente do bolso do paletó. Riggins estava na Divisão há mais tempo do que qualquer outro funcionário. O que tinha conseguido? Três ex-mulheres e dois filhos que o odiavam. Um apartamento aonde nunca ia, cheio de livros que nunca lia e um punhado de CDs que nunca escutava. Além disso, tinha um problema incipiente de bebida.

Riggins pigarreou para limpar a garganta.

— Sqweegel é um assassino de grau 26, a mais elevada classificação reconhecida hoje em dia, quatro níveis acima da que é usada no restante do mundo.

Isso atraiu a atenção de todos. Os peritos criminais conheciam perfeitamente a chamada Escala da Perversidade, que classificava os assassinos desde as categorias mais baixas (casos de homicídios justificáveis, amantes ciumentos, jovens vítimas que reagiam a abusos) até os mais elevados (homicidas torturadores, terroristas, maníacos sexuais). Mark David Chapman, o homem que matou John Lennon, estava apenas no grau 7 — basicamente um narcisista assassino. Ed Gein, que matava, cozinhava e comia suas vítimas, e em seguida usava as peles para fazer abajures, alcançou o grau 13. Ted Bundy foi classificado no grau 17, enquanto Gary Heidnik e John Wayne Gacy atingiram o topo, no 22. Esse foi o máximo em termos de crueldade que chegou ao conhecimento do público.

Mas ao longo dos últimos vinte anos, a Divisão de Casos Especiais encontrara assassinos tão extremados que fora preciso acrescentar três novas classificações a fim de reconhecer que suas modalidades e métodos iam muito além dos de Heidnik e Gacy. As predileções homicidas daqueles ultrapassavam a tortura e o estupro, pois estavam convencidos de que eram deuses vingadores que visitavam a Terra e possuíam uma capacidade quase sobre-humana para perseguir e punir suas vítimas, a quem consideravam seres inferiores.

A maioria dos jovens agentes era capaz apenas de imaginar como seriam os assassinos do grau 25. Eram de tal forma raros e recentes que nem sequer tinham chegado aos livros didáticos.

Agora, porém, Riggins lhes dizia que havia surgido algo ainda *pior*: alguém cuja capacidade podia ser considerada *realmente* sobre-humana.

Calou-se por alguns momentos para que o número 26 penetrasse seus cérebros e continuou:

— Equipes de Israel, Egito, Alemanha e Japão tentaram prendê-lo. A base de Quantico mandou nada menos de vinte investigadores para capturá-lo. Todos fracassaram. A inteligência dele é excepcional e jamais deixou uma única pista material.

Os ouvintes finalmente demonstraram a reação que Riggins esperava — ceticismo. Afinal, todos eles se alimentavam de pistas materiais, que eram o alicerce de suas vidas profissionais. Dizer-lhes que não havia pistas era o mesmo que dizer a um contador que não existiam algarismos.

Uma jovem perita criminal — Riggins achou que ela vinha de São Francisco — perguntou:

— Nem uma pista sequer em mais de duas décadas? Como isso é possível?

— Achamos que Sqweegel usa uma roupa, uma espécie de camisinha que cobre todo o corpo e impede a detecção de provas.

— Uma *camisinha* para todo o corpo? — repetiu a moça de São Francisco. — Mesmo assim, deve haver alguns traços de...

— Nada — disse Riggins. — Cada vez que surge um caso cujo suspeito é Sqweegel, mandamos um batalhão que recolhe tudo em plásticos. Não conseguimos encontrar nada dele. Nada de sangue nem qualquer tipo de secreções corporais, nem cabelos. Nem mesmo uma célula da pele.

Outro investigador — de Chicago — perguntou:

— Como sabemos que as vítimas são dele, se ele não deixa pistas? Parece ser uma invenção de alguém para explicar muitos casos sem solução.

— Gostaria que fosse assim — disse Riggins. — Não. Nós sabemos das atividades de Sqweegel porque ele gosta de contá-las. E de vez em quando manda provas.

— Ele tem orgulho do que faz — disse a moça de São Francisco. — É vaidoso.

— Isso mesmo. E ao contrário de outros assassinos em série, Sqweegel não procura a atenção dos meios de comunicação. Contenta-se em fazer com que nós saibamos o que faz. É a obra de sua vida, e eles nos considera — especificamente nós da Divisão de Casos Especiais — como seus cronistas.

— Sqweegel — repetiu um investigador da Filadélfia, com certo tom de riso. — De onde veio esse nome? É alguma piada da Divisão?

— Não — respondeu Riggins. — O nome veio de um de seus primeiros crimes, lá por 1990, quando ele ainda estava fazendo experiências. Não há nada que ele goste mais do que uma cena não convencional para seus crimes. Ataca onde menos se espera. Por exemplo, um local de lavagem de carros na área residencial, num dia claro de verão.

Todos os olhos estavam cravados nele, como crianças esperando uma história para dormir. *Uma lavadora de carros*?

— Uma mãe trouxe o carro para lavar — continuou Riggins — com o filho de 4 anos no banco da frente. O menino gostava de ficar olhando os limpadores de para-brisa, as grandes escovas e tudo o mais. Bem, lá pelo meio do serviço os empregados ouviram gritos. Gritos horríveis, angustiados, mais altos do que o barulho das máquinas. Ninguém sabia de onde vinham. Pararam outros carros que iam entrar e desligaram a máquina. Mas naquela altura mãe e filho já tinham chegado quase ao fim do túnel, a porta do lado do motorista estava aberta e havia sabão líquido e sangue saindo por ela. O gerente entrou em pânico e mandou fechar a entrada e a saída — o monstro que fizera aquilo devia ainda estar lá dentro. Chamaram a polícia.

“A mãe tinha praticamente desaparecido. Retalhada de tal forma que semanas depois ainda encontrávamos pedaços dela no carro. O menino ficou ileso. Continuou no banco da frente e viu tudo. Naquela altura, ele era o único ser humano que havia visto Sqweegel e continuava vivo. Fizemos perguntas a ele, pedindo que dissesse como era o homem da lavadora de carros. Ele somente dizia “sqweegel”, *sqweeeegel*, imitando os sons que ouvia enquanto via a mãe ser assassinada.

Riggins olhou em volta e completou:

— Parece que o nome pegou.

Depois de alguns momentos a moça de São Francisco perguntou:

— Você disse que os empregados vigiaram as duas saídas. Como foi que ele saiu do local sem ser visto?

— Ele não saiu.

— Sqweegel ficou lá dentro?

— Descobrimos que ele tinha se escondido lá na noite anterior. Deve ter entrado logo antes de fechar e se esgueirado entre os tubos e mangueiras. Conseguiu evitar as células elétricas que normalmente fazem com que a mangueira ou escova seguinte comece a se mover e também o sistema de segurança da lavadora. Em seguida torceu o corpo no espaço apertado da estrutura de metal que sustenta as mangueiras de espuma de sabão e as escovas. Quase não há lugar para um gato, mas de alguma maneira ele conseguiu entrar. Ali ficou durante pelo menos 18 horas, completamente imóvel, mesmo com um milhão de peças movendo-se e fazendo ruído à sua volta.

Riggins fez uma pausa para causar efeito e prosseguiu:

— Quando a mãe foi atacada já era o meio da tarde. O que podemos supor é que Sqweegel esperou uma vítima adequada aparecer na esteira que transporta os carros.

— Você ainda não disse como ele saiu.

Riggins começava a sentir-se melhor naquela situação. Alguns dos mais jovens — a de São Francisco e o da Filadélfia — pareciam estar genuinamente curiosos.

— Sqweegel se escondeu na mala do carro, embaixo do piso falso, onde geralmente fica um pneu sobressalente. Enroscou-se ali, como um feto no ventre, os joelhos encostados ao queixo, as coxas apertadas contra o peito, os pés torcidos numa posição antinatural, e esperou. Achamos que pelo menos um dia se passou até que ele saiu, ali mesmo, no meio da nossa garagem. E somente sabemos disso porque ele deixou um bilhete.

As expressões deles denotavam completo desânimo.

O que Riggins não disse é que o bilhete tinha sido deixado *na escrivaninha dele*. Aquilo o desnorteou. Para ser perfeitamente sincero, ainda o desnorteava.

O que acontecera em seguida também o havia desnorteado, e ele o revelou ao grupo.

— Ontem de manhã recebemos nova mensagem de Sqweegel.

Capítulo 6

Riggins havia aberto pessoalmente o pacote. Um rolo de filme de 8mm em uma caixa da empresa de entregas FedEx. O rótulo dizia: "Puta Amante do Senador — 28/7/98", que era o filme mostrado ao grupo alguns minutos antes. Era a descrição do brutal assassinato e tortura de Lisa Summers, mulher de quem se dizia ter tido uma ligação sentimental com certo senador norte-americano no final da década de 1990. Uma história antiga mas ainda comentada.

Era assim também que Sqweegel operava. Contava seus feitos sem se preocupar com a ordem cronológica. Os bilhetes, provas e fitas de áudio, e neste caso um filme, eram escolhidos e enviados em uma sequência que fazia sentido para ele, embora ninguém em Quantico pudesse atinar qual era. O que sabiam com certeza era que a chegada de um novo rolo de filme significava que Sqweegel estava anunciando o início de alguma outra coisa.

— A nova remessa trazia o filme que vocês acabaram de ver — explicou Riggins. — O que nos preocupa é a oportunidade. Ele mandou um bilhete há uma semana e outro na semana anterior. Em geral, espera meses, às vezes anos. Por algum motivo, está se apressando.

— É uma escalada — disse a moça de São Francisco.

— Isso mesmo — disse Riggins. — Achamos que ele voltou aos Estados Unidos depois de passar alguns anos no exterior. Todas as vítimas foram na Costa Leste, três delas em Manhattan. Bem perto de onde vocês estão agora. Ele está batendo à nossa porta, procurando atrair nossa atenção. Bem, o que queremos é pegá-lo antes que ele volte a matar. Temos de estar muito atentos.

Riggins não podia revelar a seus ouvintes que a repercussão tinha chegado rapidamente aos círculos mais elevados do Departamento de Justiça. Estranhamente, chegara a outras unidades do governo também.

Em poucas horas o secretário de Defesa em pessoa pressionou as diversas Divisões de Casos Especiais para que resolvessem aquele caso — imediatamente. Riggins ficou impressionado com a insistência. Claro, era uma ameaça grave. A ideia de um assassino do grau 26 à solta no mundo era aterradora. E Sqweegel parecia disposto a fazer alguma coisa mais importante e mais ousada do que antes. No entanto, ele já vinha matando há muito tempo, e a nova mensagem não explicava a oferta que Riggins tinha sido autorizado a fazer aos agentes reunidos na sala.

Fosse como fosse, tinha de fazê-la.

Esse era o principal motivo daquela reunião.

— Vocês são a elite — disse ele. — São os mais competentes do país em sua atividade. Pois aqui está a oferta, que vem dos mais altos círculos. Quem pegar esse monstro receberá um prêmio especial. Vinte e cinco milhões de dólares. A verdadeira identidade completamente ocultada. Um novo começo e o tipo de vida com o qual a maioria de nós somente pode sonhar. É uma oportunidade única em uma carreira e ao mesmo tempo um paraquedas dourado.

Fez uma pausa para que a imagem fosse bem compreendida.

— Então, quem aceita?

Riggins esperou, ansiosamente.

Fez-se novamente um silêncio ensurdecedor. Todos ainda pareciam estupefatos pelo filme e pelas palavras de Riggins. Olharam uns para os outros sem saber o que dizer.

Todos tentaram esquivar-se como meninos de escola que rezavam para que um deles, ao menos *um deles*, achasse a solução do problema de álgebra. Ou talvez rezando para que um deles, pelo menos *um deles*, não se sentisse aterrorizado e fora de si com o que tinha acabado de ver e ouvir.

Riggins esperou, mas sabia o que provavelmente tinha acontecido. Tinha havido algum vazamento. Ao serem convocados em suas unidades para aquela reunião, deviam ter começado a falar entre si, embora tivessem recebido ordens estritas para não dizer uma só palavra a respeito.

Talvez até mesmo o nome "Sqweegel" tivesse surgido, pois era perfeitamente possível que colegas ou chefes houvessem participado de tentativas anteriores de caça ao monstro. Estavam ali por serem jovens e competentes; alguns dentre eles poderiam ter juntado as peças do quebra-cabeça.

E em algum momento durante as doze horas anteriores, algum deles teria percebido que todos os agentes anteriormente encarregados do caso Sqweegel tinham acabado mortos ou em asilos, em forma dificilmente reconhecível como humana. Assim, dessa maneira, Riggins teve o resultado que já previa, embora seus superiores o tivessem instruído a tentar.

Ninguém se adiantou.

Riggins teve vontade de gritar com eles, atirar-lhes a caneca de café, quebrá-la em alguma daquelas cabeças de alunos brilhantes. Perguntar por que tinham escolhido essa profissão, já que não pareciam interessados nela.

Não. Isso não resolveria nada.

Até mesmo Riggins tinha de reconhecer que a oferta era um tanto absurda, típica de um governo que destina montanhas de dinheiro para resolver problemas que simplesmente fingia compreender. Que diabo, todo o dinheiro do mundo não interessava para quem poderia acabar morto, ou pior. E isso era o que acontecia quando se tratava de Sqweegel.

Ele era um predador de seres humanos, diferente de todos os demais. Tão mortífero quanto uma faca enterrada no crânio, porém invisível como um fantasma.

Havia somente um homem remotamente qualificado para aquele caso. O único que havia encarado Sqweegel e conseguido escapar vivo.

O mesmo homem que nunca, *jamais*, aceitaria o encargo.

Capítulo 7

A sala já estava vazia; fazia tempo que os alunos tinham voltado a seus lugares de origem. Riggins ficou pensando se o resultado tinha sido destruir de um só golpe a autoconfiança dos melhores peritos criminais em todo o país. Ninguém gosta de confessar que é incapaz de algo, que determinado caso é demasiadamente assustador.

Desde o início ele tinha achado que aquela ideia não era boa. Preferia ter obedecido a seus instintos em vez de a seus superiores. Tampouco era culpa deles, pois estavam reagindo a ordens vindas de níveis ainda mais elevados.

Constance Brielle se aproximou e pôs a mão no ombro de Riggins, com ligeira pressão.

— Eles já estão pontos, na outra sala.

— Ótimo — disse Riggins. — Genial. Não é isso o que vocês, jovens, costumam dizer?

— Não posso saber, Tom. Faz 15 anos que não sou mais jovem.

— Bobagem. Você ainda é uma criança.

Ela tentou retribuir com um sorriso, e Riggins se sentiu agradecido. Gostava de Constance porque ela lhe recordava Dark, antes que toda aquela merda acontecesse. Constance era esperta. Durona. O fogo a atraía, mas ela era suficientemente ágil para evitar ser consumida por ele. Escapava por meio do reconhecimento de sua capacidade. Bastava uma palavra amável, até mesmo um ligeiro "muito bem" para abastecê-la durante meses.

Era também extraordinariamente bonita, de lábios carnudos cor de rubi e mãos pequenas e hábeis, que atraíam a atenção. Usava os cabelos negros puxados para trás e presos com um grampo discreto, o que acentuava os ângulos elegantes do rosto. Riggins não deixava de imaginar a possibilidade de uma tentativa. Já tinha feito isso antes e o resultado fora o ódio de uma das ex-esposas.

— Vamos — disse ele. — Vamos acabar com isso.

Uma conferência internacional estava marcada para as oito e meia naquela manhã.

Um grupo de psiquiatras criminais das principais forças policiais do mundo — incluindo Itália, Japão e França — havia recentemente definido os critérios para a caracterização dos assassinos de grau 26 e recomendado vigorosamente ação imediata. Aqueles países tinham oferecido apoio financeiro e esperavam agora o nome e o currículo do agente da Divisão de Casos Especiais que deveria dirigir a nova força-tarefa, com poderes ilimitados, encarregada da captura de Sqweegel.

O próprio secretário de Defesa, Norman Wycoff, compareceria a pedido de nada menos que do presidente dos Estados Unidos. Aparentemente, Sqweegel fazia parte da reduzida lista de ameaças à segurança nacional.

Em poucos minutos Riggins seria o centro das atenções. Nunca estivera tão em evidência quanto naquele momento. Sentia o início da transpiração na nuca e sabia que não iria demorar muito para que o suor tomasse o terno escuro.

Constance caminhou diante dele pelo corredor e em seguida sentou-se à mesa de controle, e colocou o fone de ouvidos.

Riggins se colocou de pé atrás dela, tenso.

O mundo esperava uma resposta, mas ele não tinha nenhuma. Não ouvia nada exceto o trovejar das passadas vigorosas de Norman Wycoff que se aproximavam pelo corredor.

Para ouvir a convocação da conferência das Nações Unidas, acesse grau26.com.br e digite o código: dark

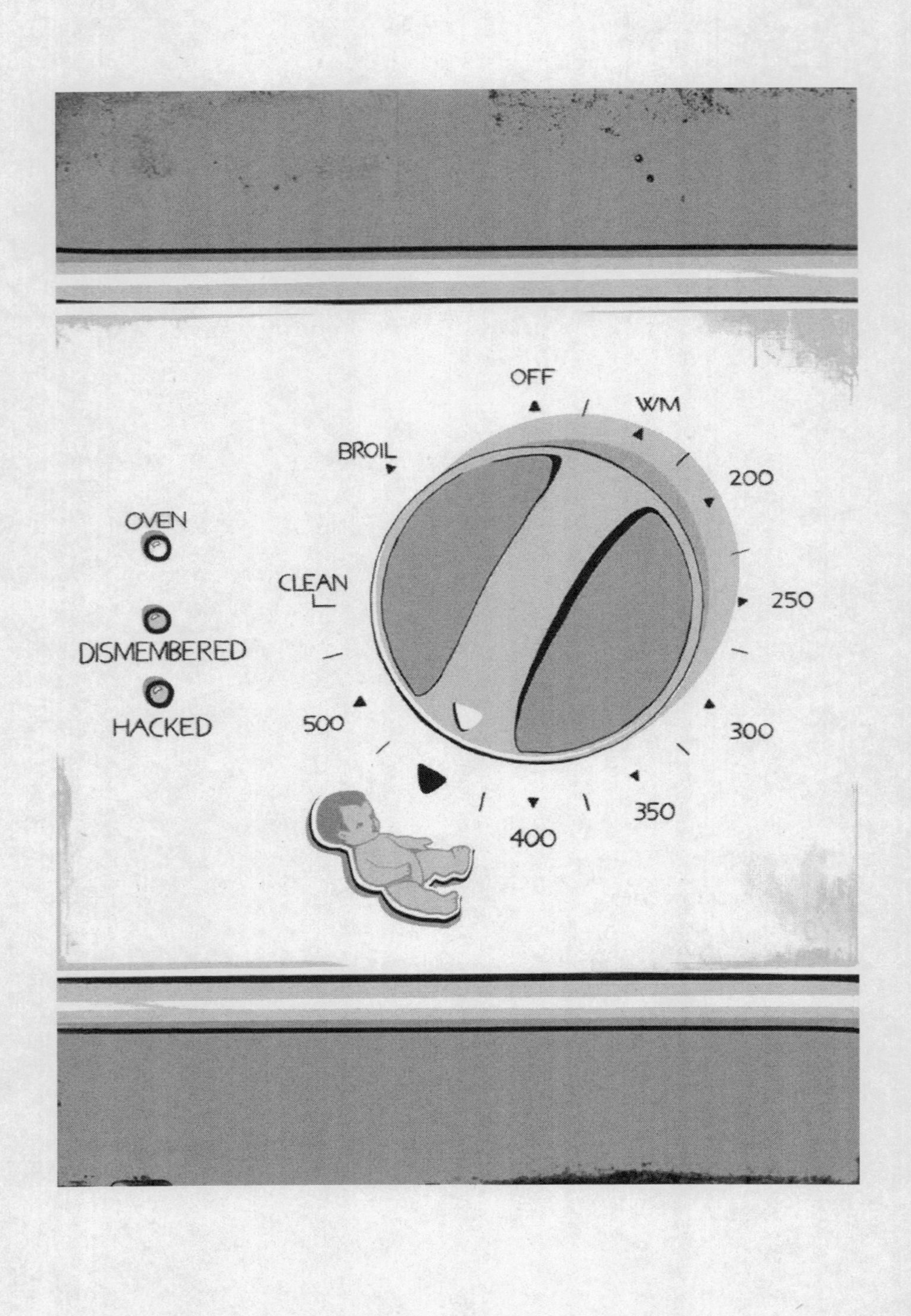
OFF
WM
BROIL
200
OVEN
CLEAN
250
DISMEMBERED
HACKED
500
300
350
400

Capítulo 8

Aeroporto Internacional de Dulles
9h17

A conferência tinha sido curta, e exatamente o completo e absoluto fracasso que Riggins esperava.

Isso porque ele não disse, e nem poderia, o que os participantes esperavam ouvir. Ninguém desejava a missão de perseguir Sqweegel.

O secretário de Defesa, porém, piorou as coisas ao repreender Riggins diante de todos: de Constance e dos funcionários da Divisão, assim como do general Costanza, da Itália, do general St. Pierre, da França, e do ministro Yako, do Japão. Eram o alto escalão dos representantes da lei de seus respectivos países. Era como passar-lhe um carão diante do mundo inteiro.

Em consequência, a oferta de 25 milhões de dólares, resultado da soma de contribuições da Itália, França e Japão, tinha sido rapidamente retirada.

Agora, Robert Dohman, braço direito do secretário de Defesa, acompanhava Riggins pela pista a caminho do Boeing C-32, que cumpria as funções de segundo avião da Presidência, o Air Force 2.

Das duas uma: ou Dohman não conseguia manter uma conversa descontraída ou mostrava grande competência em aborrecer Riggins.

— Então, ninguém aceitou a oferta, hein? — disse Dohman.

Riggins sorriu um sorriso tenso.

— Tenho certeza de que você sabe o que aconteceu na teleconferência, Dohman. Seu chefe não esconde essas coisas de você.

— Você mencionou o prêmio suplementar?

— Claro, pois fazia parte da oferta.

— E ninguém mordeu a isca? Nenhum de seus agentes precisa de 25 milhões de dólares?

Dohman tinha sobrancelhas espessas, cabelos mal penteados para cobrir a parte calva da cabeça e pele manchada de melanomas. Levava uma pasta de documentos presa com algema ao grosso pulso direito.

Aquele safado sabia exatamente o que tinha acontecido na teleconferência. Riggins reconhecera que ninguém tinha aceitado a oferta. As intervenções foram rudes e todos saíram zangados da sala, inclusive ele.

Naturalmente, o general Costanza, máxima autoridade do combate ao crime da Itália, fizera questão de mencionar o nome de Dark, o que enfureceu o secretário da Defesa. Quantas vezes teria de dizer que ele já não estava nos planos? Para as Divisões de Casos Especiais, Dark estava morto e acabado.

Riggins chegara a imaginar que Dark tivesse de ser preso, tendo em vista o que suspeitava que ele fizera depois de demitir-se da Divisão.

Isso pouco importava; o secretário não tinha acreditado em Riggins, porque pouco depois Dohman apareceu em pessoa para acompanhá-lo ao aeroporto Dulles. O secretário de Defesa ia fazer uma viagem à Costa Oeste e sugerira que Riggins se juntasse a ele.

Uma sugestão como a de um juiz de futebol que *sugere* a marcação de um pênalti.

Capítulo 9

9h22

O Air Force 2 não é o que se poderia imaginar — Não tem acabamento em madeira de lei, assentos de couro, uísque em copos de cristal e o aroma constante de charutos Macanudo.

Parece mais uma flutuante sala de conferências de alguma empresa ligeiramente desorganizada, com pilhas de papéis e pastas, copos de plástico com café e pacotinhos usados de açúcar, além de uma equipe de homens de olhos turvos em mangas de camisa e gravata, com hálito de café e axilas suadas.

E como em qualquer outro escritório do mundo, notou Riggins com indiferença, é proibido fumar dentro do avião.

No entanto, a maioria das outras empresas permitem pelo menos uma saída para uma dose de nicotina. Quem quiser sair do avião, no entanto, enfrentará uma viagem de 12 mil metros para a morte, com a ponta acesa do cigarro assinalando a queda.

Além disso, não havia tempo para um cigarro. O secretário de Defesa continuava a irritá-lo.

— Que merda você fez lá para acabar com a melhor chance de capturar esse psicopata filho da puta?

Raramente o país tomava conhecimento daquele aspecto da personalidade de Norman Wycoff, o mais passional dos protetores dos Estados Unidos, e às vezes seu vingador. Claro que de vez em quando surgiam alusões na mídia a seu mau humor, mas isso era considerado parte de seu encanto pessoal. O secretário Wycoff não era vingativo, e sim apaixonadamente dedicado a manter seu país a salvo dos terroristas. Não tinha acessos de fúria: o que fazia era defender seus pontos de vista.

Mas era preciso que o vissem naquele momento, com veias azuis saltadas na testa normalmente tranquila e círculos escuros incipientes por baixo dos olhos castanhos e vivazes. O secretário era famoso por assumir atitude de absoluta confiança em qualquer situação, diante de um único interlocutor ou de uma plateia de um milhão de pessoas. Naquele instante, parecia que a corda esticada que mantinha sob controle aquela parte de suas faculdades tivesse se rompido de repente, e ele começasse a perder a coerência.

Ali estava Riggins, no confuso coração do império norte-americano, ouvindo impropérios do homem cuja função era manter a segurança do país.

— Com todo o respeito — disse Riggins —, creio que esse tópico já foi tratado na reunião, senhor secretário.

— Todas as pessoas com quem falei nas diversas Divisões de Casos Especiais acham que ele é o homem para essa missão — disse Wycoff. — Por quê? E por que você está sendo tão teimoso?

Riggins suspirou.

— Dark não é uma opção.

— Pelo que sei, vocês dois eram muito amigos. Se você quiser, pode trazê-lo de volta — retrucou Wycoff.

Riggins teve vontade de gritar: *Como? Colocando a mão na cabeça dele para exorcizar seus fantasmas? Ressuscitando a família dele?*

Aquele era o motivo exato pelo qual ele não quisera mencionar Dark na teleconferência. Se o nome dele fosse trazido à baila, seria necessária uma explicação, e quando aquela gente ouvisse falar nele, certamente ia querer que se ocupasse do caso. Quem não pensaria assim? Dark era sem dúvida o homem adequado para ocupar-se da missão, mas isso não ia acontecer.

Riggins tentou novamente explicar, de uma forma que penetrasse na cabeça dura do secretário de Defesa. Sim, pensou ele, está na hora de esclarecer as coisas.

— Há dois anos, em Roma — disse Riggins —, Dark era o principal encarregado do caso Sqweegel. Achamos que ele chegou mais perto de capturá-lo do que qualquer outro ao longo de vinte anos.

— Vocês *acham* — disse Dohman.

— Não temos provas concretas, mas logo ficou claro que Dark preocupou Sqweegel, porque Sqweegel revidou.

— Eu sei, eu sei — disse Wycoff, com enfado. — Outra vez a questão da família adotiva dele. Foi uma perda trágica. Mas não acha que isso faria com que Dark estivesse ansioso por vingar-se?

— O senhor não compreende — retorquiu Riggins. — Ele teve uma infância muito traumática. Felizmente, não se lembra de muita coisa. — Riggins recordava tudo o que conseguira saber muitos anos antes a respeito da infância de Dark, quando este começara a trabalhar com ele. Coisas que o próprio Dark não sabia e nem saberia, se Riggins não tivesse procurado se informar. — O que ele se lembra é de que foi criado por uma família de gente boa e afetuosa na Califórnia. Uma história comum, na verdade: o casal achava que era infértil e o adotou, e logo sobreveio uma gravidez, um menino, e em seguida, uma menina. Mas o amor por Dark era incondicional, e ele sentia o mesmo. O casal era tudo para ele. Era uma história feliz, o sonho de todo menino adotado. E então...

Riggins abriu a pasta e tirou um envelope pardo, entregando-o a Wycoff.

— É melhor o senhor mesmo ver.

"De uma olhada no que aconteceu à família adotiva de Dark. Sua mãe, Laura, tinha 54 anos, e o pai, Victor, 59. Rose, mãe de Victor, estava com 83. O irmão mais novo, Evan, 32, e a irmã caçula, Callie, 29. E a filha dela, Emma, com oito meses.

"Olhe bem e veja por que Dark jamais voltará a chegar perto deste caso.

Wycoff abriu o envelope e folheou as fotos da cena do crime. Riggins o observava atentamente. Estaria ele compreendendo tudo? Os filhos, mortos com um tiro no rosto? O bebê, encontrado no forno? Riggins teve uma surpresa ao ver Wycoff enxugar os olhos, suspirar e devolver o envelope. Meu Deus. Estaria o secretário de Defesa chorando?

— Entendo a situação — disse Wycoff, com a voz um tanto sumida. — Mas aconteceu um fato novo. Bob?

Dohman curvou-se para a frente. Ainda tinha no rosto um resto de um sorriso que queria dizer "bem feito".

— Ontem à noite o Departamento de Comunicações da Casa Branca recebeu uma gravação de vídeo em código. A Agência de Segurança Nacional a decifrou para nós e enviou-a imediatamente, com a classificação "estritamente confidencial".

Dohman olhou para o chefe, que fez um sinal com a cabeça. Dohman colocou o polegar na célula da fechadura da pasta. O polegar de Wycoff se encostou ao dele um segundo depois. Alguma coisa fez um *bip*. A fechadura se abriu. Dentro, em um estojo feito sob medida, havia um pen drive. Dohman retirou-o do estojo e entregou-o a Riggins.

— A mensagem foi feita para ser reproduzida apenas uma vez. Uma vez colocada em um computador, poderá ser lida e em seguida se apagará para sempre. Não pode ser copiada.

Ah, claro. Esta mensagem se autodestruirá, e blá-blá-blá..., Riggins pensou.

Mas isso ainda não explicava o motivo pelo qual ele tinha sido convocado ao *Air Force 2*.

— Bem... tem laptop à mão?

Dohman franziu a testa.

— A mensagem não é para você. É para Dark.

Capítulo 10

Riggins teve vontade de gritar.

Não lhe *importava* estar diante do secretário de Defesa. Uma das coisas mais frustrantes de sua profissão, pensou ele, era ter de lidar com idiotas que tinham a capacidade de ouvir somente o que desejavam ouvir, por mais que se gritasse. Em vez disso, respirou profundamente.

— Eu já disse: Dark não existe. Para nós, ele está morto.

— Bem, então parece que você vai ter de fazê-lo ressuscitar — disse Wycoff.

Riggins baixou a cabeça. O secretário ainda achava que era uma questão de escolha, mas Riggins tinha outra opinião. Depois que Sqweegel havia assassinado sozinho toda a família adotiva de Dark, *e* ainda incendiara a casa como uma espécie de macabro insulto final, o agente pedira demissão e desaparecera. Sumira completamente do mapa. Inicialmente Riggins pensou que ele tinha fugido para ficar incógnito, e até mesmo tivesse se suicidado.

Depois, no entanto, ele começou a ser visto. Dark em Tel-Aviv, Dark em Glasgow. Dark em Pequim, Dark correndo o mundo, perseguindo as pistas de Sqweegel por conta própria. Sempre perto da cena de algum horrendo assassinato que poderia ter sido obra de Sqweegel

— *poderia ter sido*, mas nenhum deles confirmado como tal. Pelo menos por enquanto. Somente Dark sabia até onde havia chegado na segunda vez, pelo que, ele não estava disposto a revelar. Se Riggins ganhasse um centavo a cada vez em que dissera a um agente estrangeiro naquele ano que não, *Dark não faz parte de nossa Divisão; deve ser outra pessoa...* talvez já tivesse largado a profissão. Sem dúvida Dark não fazia parte da Divisão. Nem na lista de agentes e nem em espírito. Riggins ouvira dizer que ele desprezava completamente os procedimentos policiais, subornando e torturando gente no submundo internacional em busca de alguém que pudesse ter auxiliado Sqweegel em algum momento. Achava que ele não tinha conseguido nada, porque há um ano deixara de ser visto. Dark tinha desistido. Nesse caso, por que motivo voltaria ao caso? Simplesmente não havia maneira.

— Senhor secretário — começou a dizer Riggins. Queria continuar dizendo *vá se foder*. Em vez disso, mais uma vez refreou-se e respirou fundo. Quem tem 35 anos de serviço não explode em dois segundos.

Dohman interveio.

— Tom, há uma coisa que você não sabe. O que vou dizer é confidencial.

Claro que há. Por isso ele não tinha sido autorizado a trazer Constance naquela viagem, e Riggins confiava cegamente nela.

— Está bem — disse ele, quando a tensão daquela noite finalmente foi tomando conta de seus nervos. Já era o suficiente para um dia. Será que não havia ninguém para servir um drinque?

— O vídeo que aparece naquele pen drive é um assassinato sangrento — disse Dohman. — Segundo por segundo, em alta resolução.

— Sqweegel já fez isso antes — disse Riggins. — Ele gosta de...

— Não, Tom. Você não está entendendo. Isso *não* se compara com o que esse monstro já fez antes.

Riggins percebeu que o outro o chamava pelo primeiro nome, como se fossem velhos colegas de escola.

Enquanto isso, Wycoff olhava pela janela, com uma das mãos na boca. O céu noturno parecia ter sido pintado com os tons de azul mais escuros possíveis. Somente apareciam alguns pontos de estrelas.

Dohman olhou para o chefe, como se precisasse de apoio moral, mas Wycoff não reagiu. Bobby D'oh!,* como o chamavam na Divisão, teria de se virar sozinho naquela questão.

— A vítima era alguém próximo ao presidente.

— O quê? Quem? — perguntou Riggins, mas sua cabeça já estava rodando. Meu Deus; aquele filho da puta tinha burlado a segurança da Casa Branca e estuprado a primeira dama? Ou talvez alguém da família do presidente, na casa de Illinois? — Pode me dizer alguma coisa mais?

— Não posso.

Riggins suspirou. Precisava mesmo de um litro de uísque, com gelo. Em vez disso, ali estava encurralado no Air Force 2, tentando adivinhar coisas com alguém que sabia mais do que ele.

— Você deve saber — disse ele — o quanto isso prejudica qualquer investigação potencial. Se está preocupado com vazamento de informações, deixe-me assegurar...

— Não estamos preocupados com vazamentos — respondeu Dohman.

— Então, com o quê?

— Basta que você leve o pen drive a Dark. Achamos que ele aceitará a missão quando vir o que está dentro.

— Com todo o respeito, meus senhores, senhor secretário — disse ele —, porra, vamos esquecer Dark! Já disse isso uma dúzia de vezes e vou continuar a repetir até que vocês entendam.

— Isso não é uma opção — disso Dohman. — Precisamos de Dar...

Wycoff voltou-se de repente, interrompendo o subordinado no meio da frase.

---

*Famosa interjeição utilizada por Homer Simpson quando sua estupidez estraga seus planos. (*N. do E.*)

— Chega! — berrou ele. — Já ouvi o que você disse, Riggins. Agora escute: você não tem escolha. Chega de rodeios. Estamos num ano eleitoral. Se isso vazar, se uma fração disso chegar aos blogs e jornais, o presidente pode dar adeus à reeleição. Além disso, é um recado terrível para o país. Sabe qual, Riggins? Em letras grandes de neon: *Vocês estão fodidos*. Não está vendo? Nós aparecemos com essa espantosa escala de maldade e esse monstro é pior do que Bundy, Gacy, Heidnik, Gein, o Filho de Sam, e todos os outros que usamos para amedrontar nossos filhos quando querem chegar tarde em casa. Esse filho da mãe é capaz de matar quem quiser, a qualquer momento, até mesmo pessoas próximas do líder de nosso país.

Riggins estava agora ansioso por saber o que tinha acontecido. Quem seria aquela pessoa, para que não o deixassem ver a gravação?

Pensou naquela história antiga da fita que Sqweegel tinha mandado na véspera — "A Puta do Senador". A identidade *daquela* vítima era conhecida: a mulher que diziam ter sido durante muito tempo amante do antigo líder da minoria Thom Jensen, cujo corpo tinha sido encontrado havia mais de dez anos. A nova fita faria com que os investigadores iniciais, caso algum ainda estivesse em serviço, voltassem a esquadrinhar os arquivos do caso, revivendo um relato macabro que conheciam muito bem.

Mas isso não os ajudava naquele novo homicídio, que atingira diretamente o gabinete presidencial. Se ambas as vítimas tinham conexões em Washington, estaria Sqweegel mandando uma pista para a Divisão?

— Seja como for — disse Wycoff —, tudo isso até agora é oficial. Extraoficialmente, Dark aceita a missão ou ordenaremos que você seja eliminado.

A cabine do avião ficou em silêncio.

Capítulo 11

Não se enganem: O secretário de Defesa *tem* autoridade para fazer desaparecer qualquer funcionário nacional, qualquer civil norte-americano ou residente dentro das fronteiras dos Estados Unidos. Não é estritamente permitido pela Constituição, mas na verdade o que é constitucional muitas vezes é questão de interpretação. Os acontecimentos do 11 de Setembro tornaram isso evidente, e fizeram com que ficasse mais fácil ocultar missões, agências e operações que vinham sendo realizadas durante anos. Existe uma unidade específica, sob a direção pessoal do secretário, para a eliminação dessas pessoas indesejáveis. Diz-se que seu nome é *Artes Negras*.

A Artes Negras jamais surgiu em livros ou em arquivos oficiais. Não usa cheques bancários. Em vez disso, há milhões de dólares em dinheiro vivo, escondidos nas profundezas do Pentágono e destinados a livrar o país de tais dores de cabeça. A unidade Artes Negras foi concebida no espírito da "segurança nacional". Autorização para matar qualquer pessoa, a qualquer momento, por qualquer motivo, desde que seja do interesse da República.

Riggins tinha ouvido falar dela ao longo dos anos. Tinha se deparado com crimes originalmente atribuídos a algum novo assassino em série de grande capacidade, mas depois vinha a palavra oficial: "Não são necessárias novas investigações. Obrigado pela cooperação."

E ponto final.

Agora, o secretário de Defesa Wycoff confirmava na prática a existência dessa unidade.

Riggins ficou sentado, num silêncio perplexo. Era preciso muito para causar estupefação a um homem como Riggins, que já tinha visto de tudo durante seu tempo na Divisão de Casos Especiais. Mas aquilo... bem, aquilo era irreal. Como se tivesse adivinhado, uma mulher de ombros largos, vestida de smoking e gravata-borboleta, apareceu para servir outro uísque com gelo a Riggins.

— Creio que estamos entendidos? — perguntou Wycoff.

— Sim — respondeu Riggins, ainda parcialmente insensível.

— Ótimo.

Dohman ajustou as algemas, prendendo a pasta ao pulso de Riggins, e em seguida pressionou o polegar dele no leitor digital. Um breve apito. Pronto. O problema agora era dele.

Riggins tinha de fazer com que Dark aceitasse... ou sofrer as consequências.

— Boa sorte — disse Dohman.

Sempre pensei que minha carreira terminaria com a morte, pensou Riggins. *Mas nunca pensei que seriam meus próprios colegas. Nunca imaginei isso dessa forma.* Era uma escolha terrível: trazer Dark, a pessoa que mais se parecia com um amigo ou um filho para ele, de volta ao rebanho, contra seus mais fortes instintos, ou decretar sua própria morte.

Riggins tomou um bocado de uísque, desprezando os cubos de gelo a cada gole. Já precisava de mais uma dose.

Doses infinitas.

O secretário de Defesa retirou-se para seus aposentos no avião, presumivelmente emprestado pelo vice-presidente, seguido por diversos assessores, como ratos. Dois homens de expressão séria permaneceram na cabine. Olharam para Riggins, que sustentou o olhar. Ele já os havia notado e achara que eram do Serviço Secreto.

— Alô, rapazes — disse Riggins.

Um deles, de cabelos cortados à escovinha, com fios brancos que pareciam brilhar, encarou Riggins. Não estendeu a mão e nem ele estendeu a sua.

— Meu nome é agente Nellis — disse o homem de cabelos curtos. — Vou ser o seu elemento de ligação com o Departamento de Defesa.

— Nellis, OK — disse Riggins, esperando um momento. Depois continuou: — Quem é o seu amiguinho?

O outro homem se apresentou como McGuire. Não disse o primeiro nome e nem seu grau hierárquico exato. Informou simplesmente que estaria assessorando Nellis durante toda a missão. Riggins olhou para baixo e notou que faltavam dois dedos da mão direita; o anular e o mínimo. Ficou imaginando qual seria a missão deles, mas depois percebeu que já sabia a resposta.

Em poucas horas o avião começou a preparar-se para a aterrissagem em Los Angeles. Nellis e McGuire permaneceram em silêncio, apesar das tentativas esporádicas de Riggins para iniciar uma conversa inócua. Nem mesmo o tema de esportes deu certo. Aqueles dois armários pareciam jogadores de futebol americano de gerações diferentes. Riggins desistiu e preferiu uma longa sessão de bebida. Conseguiu até mesmo convencer a mulher de smoking a deixar com ele o resto da garrafa e também o balde de gelo.

Por fim, minutos antes da aproximação final, Nellis curvou-se para a frente a fim de dar uma informação a Riggins.

— Dark tem 48 horas para aceitar — explicou. — Se ele não se decidir até o fim desse prazo, será o seu fim. Compreendeu?

— Claro — disse Riggins. — Compreendi.

E tinha compreendido mesmo. Nellis e McGuire não eram agentes do Serviço Secreto e nem funcionários do Departamento de Defesa. *Não,* pensou Riggins, *creio que acabei de conhecer dois agentes da Artes Negras.*

Acomodou-se na poltrona da aeronave, ampla e confortável. Presente dos contribuintes. Depois recostou a cabeça e fechou os olhos. Sqweegel tinha seus filmes? Riggins também. Na verdade, tinha uma cadeira na primeira fila para o filme de sua própria vida, que passava dentro de suas pálpebras.

Não sabia se teria possibilidade de convencer Dark. Tampouco sabia se *queria* fazê-lo.

Aquela gente da Artes Negras, com nomes evidentemente fictícios — nomes de bases aéreas, notou Riggins, indiferente — deviam ser imunes a qualquer argumentação. Não se pode negociar com profissionais empedernidos. Não se pode tentar apelar para seus sentimentos. Estavam ali para cumprir suas missões e não para aperfeiçoar suas almas. Normalmente, Riggins teria afeto genuíno por gente assim. Gente que não se deixa distrair, gente que atira no alvo.

Ficou pensando se atirariam no alvo certo.

Riggins olhou o relógio digital impermeável que trazia no pulso. Tinha sido presente de sua filha, quando — seis anos antes? Ela tinha dito que não sabia do que ele gostava e comprara o presente num shopping. Riggins respondera que era perfeito. Ela retrucara: *tanto faz.* Riggins manipulou o relógio na função de contagem regressiva, marcou o tempo para 48 horas e apertou o botão de iniciar.

Engraçado, ver a própria vida esgotar-se segundo por segundo.

48:00...

47:59...

47:58...

Queria se enfurnar num hotel barato com uma prostituta barata e beber uísque barato até transpirar a bebida através de cada poro. Queria esquecer sua profissão, porque ela ia em breve causar sua morte. Em vez disso, deixou que as pálpebras se fechassem, sem procurar mais lutar contra a necessidade de dormir, porque sabia que era inútil.

Para verificar o destino de Riggins, acesse grau26.com.br e digite o código: esquecer

Capítulo 12

Praia de Malibu, Califórnia
Terça-feira / 6 horas – Costa Oeste

As ondas se quebravam na praia de Malibu. Dark as observou e tomou mais um gole da cerveja.

Ele nunca se cansava de olhar o mar e sentir a umidade salgada no rosto. Era um gosto de para sempre, ali mesmo na areia.

A cerveja também ajudava.

Dark tinha o rosto bronzeado, com linhas firmes que marcavam os anos, especialmente sob os olhos. Era possível tomá-lo por subnutrido, mas ele era feito somente de músculos sem gordura, num corpo largo e alto. Parecia ter sido esculpido em granito. Usava uma barba à marinheira, mais espessa sob o nariz e a boca e talhada ao longo da linha do queixo. Os cabelos já não eram cortados há meses. Em geral, Dark preferia amarrá-los atrás da nuca e esquecer-se deles.

Costumava ir todas as manhãs àquele lugar específico do litoral. Piscou os olhos lentamente, de propósito, não ao mesmo ritmo das ondas, e sim ao das batidas de seu próprio coração. Não queria ser parte do grandioso espetáculo que tinha diante de si: as ondas que caíam como trovões, espalhando espuma na praia pedregosa, os caranguejos eremitas que corriam, escavavam e se escondiam. Queria apenas observar.

Tomou mais um gole. Sempre começava com cerveja, nenhuma bebida mais forte. Quem se aposenta entre os trinta e os quarenta gosta de começar o dia devagar. Além disso, o importante não era entrar diretamente no esquecimento, e sim manter a fronteira entre a realidade e o esquecimento. Ele vivia na névoa úmida e salgada entre o mar e a costa.

De repente notou que alguém se aproximava às suas costas.

Não se considerava possuidor de um radar, como os morcegos, mas depois de ir àquela colina na praia durante 136 dias consecutivos, Dark havia desenvolvido um catálogo específico de panoramas, sons e odores. Quando algum detalhe se modificava, tornava-se visível como uma mancha vermelha numa foto em preto e branco. Sempre tinha sido assim, capaz de perceber a mudança de pequenos detalhes em qualquer situação. Por isso era o melhor. Isto é, tinha sido.

Dark ouviu o som de passos — sapatos de couro na areia.

A pessoa que os usava caminhava resolutamente, mas sem pressa. Ao subir a colina, começou a respirar com mais dificuldade. Um homem mais idoso.

Dark se endireitou, levantando-se, e voltou-se lentamente para o visitante, iluminado pelo sol matinal.

Meu Deus.

Era Riggins.

Dark tomou mais um gole da cerveja e não chegou a depositar a garrafa no chão, enquanto Riggins estendia a mão. Dark entregou-lhe a garrafa. Riggins olhou o rótulo e fez um sinal silencioso de aprovação, bebendo depois, longamente. Devolveu a garrafa.

Dark fitou o ex-chefe, à espera. Mentalmente foi separando os motivos da presença dele ali. Uma visita social? Não. Riggins não era exatamente um animal social. Entre os dois não tinha havido qualquer espécie de comunicação que não fosse ligada ao trabalho da

Divisão. Se Riggins lhe desejasse feliz aniversário, isso seria acompanhado pela entrega de um envelope cheio de fotos de atrocidades, e não um cartão de felicitações.

Também não poderia estar ali para convencê-lo a aceitar um caso, porque ele sabia que *Riggins sabia* que isso seria impossível. Ao demitir-se, Dark deixara bem claro que qualquer coisa que o chefe pudesse dizer — que qualquer pessoa pudesse dizer — não seria capaz de trazê-lo de volta. Além disso, o próprio Dark já tinha violado demasiadamente as regras para que fosse recebido de volta no bastião do cumprimento da lei. Era como uma mercadoria danificada.

E também já estava aposentado. Aos 36 anos.

Dark tomou mais um gole da cerveja. Talvez, se bebesse bastante, o gênio entrasse outra vez na garrafa.

Mas não.

Ainda estava ali. Riggins sorriu e depois olhou para as ondas. Dark era capaz de imaginar o que passava pela cabeça dele: *É. Agradável. Meio aborrecido. Mas agradável.*

— A cerveja está ótima — disse Riggins —, mas andei como um demônio por todo o sul da Califórnia procurando seu novo endereço, o que não foi nada fácil. Onde podemos tomar uma boa xícara de café forte?

Capítulo 13

Santa Monica Pier

Riggins pediu café preto. Dark preferiu água mineral, à qual a garçonete resolveu acrescentar uma fatia de limão. Dark não queria limão; pretendia apenas beber alguma coisa que não entrasse em conflito com a cerveja que já tinha no estômago.

Sentaram-se a uma mesinha junto à janela de um restaurante simples na beira do cais de Santa Monica. Da mesa em que estavam não se podia ver o mar. A escolha fora de Riggins.

— Quando você saiu — disse ele —, a conta de Sqweegel era de 29 assassinatos confirmados. Como sabe, ele chegou a 35. Somados aos que podem ter ocorrido nos últimos anos... — Riggins fez uma pausa e lançou um olhar direto para Dark, sem obter reação. — Nesta altura ele já deve ter cometido cerca de 48 ou 50. Ninguém foi capaz de pegar esse filho da puta, e nem chegar perto. Mas esta última série de crimes nos deixou muito preocupados. Há muito interesse das altas esferas.

Essa deveria ser a deixa para que Dark perguntasse: *que altas esferas*? Ou erguesse as sobrancelhas, ou algum outro gesto. Em vez disso, usou o canudo para empurrar o limão até o fundo do copo.

Não olhou para Riggins. Não era preciso. Já sabia qual era a expressão em seu rosto.

— Já bolaram uma nova categoria para ele — continuou Riggins. — Você sabe que eram 25, mas agora Sqweegel é o titular do grau 26.

Dark não respondeu. Continuou a observar a fatia de limão espetada no canudo de plástico.

— E tem mais — disse Riggins.

Dark ouviu o ruído da pasta sendo colocada sobre a mesa. Os dois cliques da fechaduras se abrindo. E embora se mantivesse atento à fatia de limão que procurava afogar, não pôde deixar de ver o pen drive prateado que Riggins empurrava por cima da mesa.

— Isto é só para seus olhos. Eles nem sequer me deixaram ver o que está dentro.

Dark olhou o pen drive, mas não o tocou. Tomou outro gole de água.

— Isso não é muito comum, não acha? — prosseguiu Riggins.

Dark não reagiu.

— Quer saber de onde veio isto? Vou dar uma pista. Alguém está se candidatando a repetir o emprego, e se for eleito ficará lá por mais quatro anos.

Ainda nada.

— Escute — disse Riggins, exasperado —, para mim significa fazer ou morrer. É meu último caso, qualquer que seja o resultado.

O tom de voz agora era diferente. Dark levantou os olhos.

— O que quer dizer com isso?

— Olhe para trás. Três mesas para o fundo, junto da amurada.

Dark não se virou. Não era preciso. Havia dois homens de terno a poucas mesas de distância, comendo ovos com torradas. Os ternos não eram pretos — afinal, não estavam um filme noir dos anos 1950 —, mas as roupas de executivos do Sul da Califórnia e a atitude de quem estava apenas tomando o café da manhã antes de uma reunião comercial não enganaram Dark. Podia notar o volume onde escondiam pistolas e facas. Tratava-se de agentes de alguma espécie.

Nellis ouviu a voz áspera no ouvido.

— E então? — perguntou Wycoff. — Dark está conosco ou não?

O secretário estava telefonando mais ou menos de hora em hora desde que o grupo saíra do Air Force 2. Depois da aterrissagem, Riggins percebera que os endereços que tinha de Dark já não eram mais válidos. Fez algumas chamadas telefônicas e percorreu Los Angeles de carro durante a noite. Wycoff perguntava: "Que merda ele está fazendo agora?" Nellis era obrigado a responder: "Está subindo e descendo a costa do Pacífico, senhor secretário."

De manhã, no entanto, Riggins finalmente localizara o novo endereço de Dark e o encontrara na praia. Estavam agora no café. Já tinham decorrido cerca de 18 horas, e parecia que finalmente Riggins obteria a resposta, de uma forma ou de outra.

— Esperando confirmação — disse Nellis no pequeno transmissor do relógio de pulso.

— Eu vi quando eles entraram — disse Dark. — Imaginei que estivessem com você.

— Isso mesmo — respondeu Riggins, com uma meia risada. — Estão comigo. Estão me cobrindo.

— O que você quer dizer com isso?

Riggins se curvou para a frente.

— Tenho cerca de trinta horas para chegar a um resultado.

— Muito bem — disse Dark. — Eu já quase acabei minha água e preciso levar meus cachorros para passear. Diga logo o que quer.

— Estou dizendo. E digo que *tenho trinta horas.*

Dark olhou os dois agentes pelo reflexo de uma das janelas do café. Um dos dois fingia comer, mas o outro, o que perdera dois dedos da mão direita, fixou os olhos em Riggins durante um segundo a mais.

— Qual a alternativa? — perguntou Dark.

Riggins não respondeu, mas Dark entendeu imediatamente.

Ou ele o convencia a retomar o caso de Sqweegel ou estaria morto.

Capítulo 14

Para Dark, nada daquilo fazia sentido — a presença de Riggins, os capangas que o seguiam, aquele prazo que ia se esgotando. Claro, quem fazia trapalhadas na Divisão acabava de uma destas três maneiras: rebaixado, demitido ou morto.

Mas a morte em geral ocorria pela mão dos monstros perseguidos, e não pela dos perseguidores.

Dark recostou-se na cadeira, olhando o antigo chefe. Que resposta poderia dar? Não havia possibilidade de voltar à Divisão. Nem em um milhão de anos. Mas se Riggins falara a verdade — se sua vida dependesse daquilo —, nesse caso, como poderia negar-se?

Finalmente, Dark falou.

— Escute, Riggins, não sei do que se trata, mas não posso. Você sabe que não posso. Você sabe mais do que ninguém.

— Eu sei o que você passou. Acredite, penso em sua família todos os dias.

— Então como pode esperar que eu mude de ideia? Por que veio até aqui?

— Vim aqui por *sua* causa...

— Ah, é mesmo? Como assim?

— Vamos supor que você diga não — disse Riggins — e eles me apaguem. Acha que simplesmente desistirão para sempre? Nada disso. Voltarão e falarão diretamente com você. E vão ser mais duros. Talvez até envolvam sua mulher. Sua família. Tudo o que for preciso.

Dark abaixou a cabeça e apertou os punhos fechados. Aquilo era uma loucura. Uma hora antes estava na praia, tomando sua cerveja, olhando as ondas. Agora parecia que alguém passara um laço em seu pescoço e o arrastava ao mar para afogá-lo.

— Não estou pedindo que você me salve — disse Riggins. — Promovam-me, rebaixem-me, matem-me, ponham na minha bunda; não me importa. Minha época já passou. Mas pense no que digo, por um instante. Se concordar em me ajudar, poderemos agir a nosso modo. Você nem precisará envolver-se ativamente; basta que dê conselhos. Mas se recusar, e eles acabarem comigo, não deixarão você em paz, porque todo mundo sabe que você é o único que tem uma chance de pegar aquele filho da mãe.

— Mas eu não consegui, lembra-se disso?

Riggins fez uma pausa.

— Só porque parou de tentar.

Dark se levantou da cadeira, curvou-se sobre a mesa e apoiou as palmas das mãos no tampo engordurado, encarando Riggins. Ficou pensando no ano que perdera, nos ossos que tinha quebrado e no sangue que derramara, procurando resistir à tentação de estender os braços e esganar seu ex-chefe.

Em vez disso, falou:

— Não me acuse de não ter tentado.

Em seguida retirou-se, enterrando as mãos nos bolsos e caminhando pelo cais em direção à Ocean Avenue. Olhou as crianças correndo em volta das mães, que bebiam grandes copos de café gelado como se fossem a única coisa que as impedisse de enlouquecer. O sol já estava alto, dissipando a névoa.

Ao chegar ao fim do cais, Dark apalpou o pen drive que tinha no bolso, pensando no tempo que Riggins levaria para perceber que ele o carregara consigo.

Capítulo 15

Malibu, Califórnia

Sibby Dark tomava um banho de chuveiro, deixando a água quente cair sobre as costas nuas e pensando na mensagem de texto que recebera naquela manhã.

Já havia passado algum tempo desde que recebera a anterior. Talvez algumas semanas? Tinha parado de prestar atenção, na esperança de que aquilo acabasse.

Mas naquela manhã, minutos depois que Steve saltara da cama para ir tomar sua cerveja na praia, o celular dela tinha tocado os primeiros acordes de "Personal Jesus",* da banda Depeche Mode. O som fez disparar-lhe o coração, embora ainda estivesse sonolenta. Pegou o telefone na mesinha de cabeceira e leu a mensagem na tela:

EM BREVE O SENHOR ESTARÁ CONTIGO

Era típico.

Por algum motivo, o intruso telefônico gostava de mandar mensagens que pareciam ter sido retiradas da Bíblia. Por isso ela tinha li-

---

*Meu Jesus Particular. (*N. do T.*)

gado a elas a música da Depeche Mode, mais por brincadeira do que por outro motivo. O intruso era seu Jesus Particular, pensava ela, tentando assustá-la. O pai de Sibby a tinha ensinado a melhor maneira de lidar com importunos: ignorá-los ou ridicularizá-los. Eles querem uma reação ou uma confirmação, e o silêncio ou o ridículo neutraliza essas duas opções.

Mesmo assim, os textos eram irritantes.

O primeiro tinha chegado... há oito meses? Inicialmente, Sibby respondera: É ENGANO. Mas o Jesus Particular se recusara a desistir, às vezes mandando até doze textos em um dia, outras vezes apenas um ou dois:

EU VENHO A VOCÊ COMO UM ANJO

ESTÁ SENTINDO MINHA VINDA, MÃE ABENÇOADA?

Também tinha tentado bloquear as mensagens, que chegavam de um "número desconhecido". Em poucos minutos, porém, os textos reapareciam vindos de um número diferente, e ela acabou desistindo e passou a não lhes dar atenção, apagando-os à medida que chegavam.

Todas as mensagens entravam quando Steve não estava por perto, como se o Jesus Particular soubesse que ela estava sozinha. E isso era bastante perturbador.

No entanto, ela não estava disposta a deixá-lo penetrar em sua vida, e não pretendia perturbar Steve com aquela bobagem. O marido é ex-policial, e não descansaria enquanto não localizasse aquele infeliz e ameaçasse quebrar todos os dedos que digitavam os textos. Sabia também qual poderia ser o preço de uma missão como aquela: Steve poderia nunca mais voltar.

Finalmente ele começava a se curar. A última coisa que Sibby desejava era que o marido voltasse a entrar em seu casulo mortal, especialmente porque ela se esforçara muito para fazê-lo sair.

Sibby fechou o chuveiro justamente quando ouviu o ruído familiar do Yukon de Steve estacionando. Ouviu o cachorro latir. Finalmente ele chegara. Ela ficou imaginando onde poderia ter ido aquele tempo todo. Em geral não passava tanto tempo na praia.

Capítulo 16

Dark chegou diante da porta da frente de sua casa à beira-mar, com as chaves na mão. Fez uma pausa. Respirou profundamente, como para purificar-se, inspirando pelo nariz e expirando pela boca.

Em seguida meteu a chave na fechadura, provocando a explosão.

A explosão eram Max e Henry.

Eram dois cachorros grandes, que saíram correndo da casa e rodearam Dark, agitando o rabo. Max se enroscou na perna dele, o que para o cão equivalia a um abraço.

— Ei — disse Dark, baixinho. — Tudo bem, meninos.

Ouviu o ruído da água no ralo do banheiro do andar de cima. Sibby devia estar se preparando para as tarefas do dia.

— OK — disse ele, procurando adiantar-se. Os cachorros não permitiram, até que ele se deitasse no chão, rolando com eles durante algum tempo. Era o mesmo ritual de todas as manhãs, mas daquela vez ele tinha demorado mais do que de costume, e Max e Henry pareciam saber disso. Por isso os saltos e lambidas eram ainda mais vigorosos.

Estar em casa o fazia pensar em quanto havia progredido nos últimos anos. Depois do massacre, tinha passado vários meses num quarto sombrio de hospital, às vezes amarrado e fortemente sedado. A maior parte daquele período era obscura. Depois chegou o momento de sair do hospital. Recebeu ofertas generosas de amigos, mas não podia aceitá-las. Seu sofrimento e angústia lhe martirizavam o corpo como uma dose mortal de radiação, e ele não tinha coragem de expor nenhum deles a isso. Por que motivo eles haveriam de *querer* expor-se?

Portanto, alugou um bangalô em Venice e mobiliou-a com o que trouxe de uma única visita a uma loja de móveis e objetos usados: colchão, mesa, cadeira, panela, colher, toalhas. A única remanescente de sua vida anterior era uma mala cheia de roupas que alguém tinha recolhido em seu antigo apartamento. Ele não teve coragem de voltar a usá-las. A comida e as bebidas eram entregues semanalmente. Comia simplesmente o necessário para se sustentar; a bebida era uma série constantemente alternante de garrafas em busca de algo que o ajudasse a encontrar o esquecimento o mais rapidamente possível. O metabolismo de Dark parecia adaptar-se com facilidade e, portanto, após alguns dias, o efeito do uísque, por exemplo, se dissipava e ele passava à vodca de destilação tripla, e assim por diante. Tentou caminhadas. Em geral, no entanto, ficava simplesmente olhando para as coisas: para o teto, para a rua, para a grama crescida no quintal da casa.

Seu único objetivo naqueles primeiros dias era localizar o monstro que tinha feito aquilo a sua família. Toda a sua vida era nada mais do que um sistema de sustentação da vida em prol da vingança. Nas horas em que permanecia acordado estudava os arquivos que copiara ilegalmente da Divisão, em busca de detalhes que pudesse haver deixado de lado, o mágico fio condutor que passava de um cadáver a outro até a família adotiva. O fio que ele descobriria e que utilizaria para estrangular o filho da mãe, que estremeceria até que os olhos lhe saltassem das órbitas.

Fantasiava sobre como encontraria Sqweegel e como o mataria lentamente. Quebraria os ossos até que as pontas saíssem de sob a pele. Cortaria as veias ao longo de seus braços e pernas, cauterizando-as à medida que avançava. Trabalharia devagar. Uma semana de dor para cada membro da família que perdera... Não, uma semana seria pouco. Queria que a vingança demorasse anos...

Mas após um ano de busca infrutífera, Dark compreendeu que não havia esquecido nenhum detalhe; não existia um fio mágico. Um prisioneiro poderia passar anos explorando com os dedos as paredes da cela, esperando encontrar o botão secreto que abriria a porta, mas isso não significava que poderia achá-lo.

Em vez de exorcizar seus demônios, aquele ano pareceu apenas amplificá-los. Ao chegar ao fim, quando atingiu o fundo do poço, compreendeu que tudo terminara para ele e procurou um lugar onde ficaria esperando pelo fim da vida. Se Deus quisesse, pensou na época, isso não demoraria muito.

Apesar do que Riggins achava, ele havia tentado. Ora, tinha tentado de verdade. E no fim, fracassara.

Dark voltou à simples sustentação da vida. Bebida. Sono. Comida, somente se absolutamente necessária.

Depois de algum tempo, já não tinha certeza do tipo de vida que estava mantendo.

Essa tinha sido sua vida até que por acaso encontrara Sibby.

E agora vejam onde ele estava.

Uma casa de um milhão de dólares com vista para o mar. Cômodos amplos com mobília de qualidade, assinada por Thomas Moser. Cozinha projetada por Nicole Sassaman. Cada vez que Dark pegava uma colher — desenhada por Doriana O. Mandrelli e Massimiliano Fuksas — não podia deixar de pensar no único utensílio torto que tinha usado antes para a maioria de suas refeições.

Antes. Antes de Sibby.

Sua companheira, o amor de sua vida.

Capítulo 17

A casa de três quartos onde moravam Dark e Sibby não era mobiliada para impressionar os outros; era um casulo, arrumado com carinho. Era um retiro de tudo o mais, e cada peça tinha sido escolhida para agradar aos olhos e ao tato. Dark quase nunca dava opinião, mas Sibby parecia saber exatamente as cores e texturas que lhe trariam paz. Era quase uma presciência. Dark se admirava cada vez que voltava para casa vindo da caminhada matinal.

Enrolada em uma toalha, Sibby entrou no quarto e sorriu para ele.

— Você demorou mais do que o normal.

Ela nunca deixava de encantá-lo. Sibby Dark era uma beleza de pele cor de caramelo, cabelos muito negros e olhar tão intenso que era impossível desviar-se dele. O corpo tinha um infinito fascínio para Dark, mas a alma dela era o que o fazia sentir-se mais à vontade. Ele já não se preocupava em poluí-la com seu sofrimento. Há muito tempo já não o fazia, pois ela parecia imune. E parecia exercer sobre ele um efeito curativo.

Dark se esforçou por manter-se concentrado nela enquanto os cães lhe esfregavam o rosto com os focinhos. Ele adorava absorver todos os detalhes dela.

— Eu sei — disse ele. — Devo ter perdido a noção do tempo.

— Você perdeu o Show.

O "Show" fazia parte do ritual matinal: Dark voltava da praia, engatinhava pelo chão com os cachorros e depois subia ao andar de cima para ver Sibby despir-se, preparando-se para o chuveiro. No início era uma brincadeira, quando eles começaram a viver juntos. Sibby puxava sedutoramente o elástico das calcinhas antes de puxá-las pelas longas pernas. Dark sorria e dizia, brincando, que ia buscar um dólar para ela. O striptease evoluíra durante o ano e meio anterior até o ponto em que, na maior parte do tempo, Sibby não chegava até o chuveiro e Dark fechava a porta do quarto, com Max e Henry arranhando-a com as patas, ganindo para entrar.

Dark conseguiu libertar-se da pilha canina e levantou-se. Com as mãos nos ombros de Sibby, aspirou o aroma dos cabelos recém-lavados. Era um dos odores mais inebriantes do mundo.

— Alô, baby — disse Sibby, sorrindo.

Ele se curvou para beijá-la, com cuidado para não apertar a barriga dela.

A barriga de oito meses de gravidez.

Sim, vejam onde ele estava agora.

Capítulo 18

Terça-feira / 22 horas

Já era tarde. Sibby estava quase dormindo. Os cachorros também. Dark foi até o terraço a dois metros da cama e abriu cuidadosamente a porta de vidro. Lá fora, na escuridão, ouvia o Pacífico batendo na costa.

— Aonde você vai? — perguntou Sibby.

— Preciso de um pouco de ar — disse Dark.

— Volte para a cama. Quero dormir nos seus braços.

— Já volto.

O dia tinha sido perfeito. Uma sessão matinal de sexo rápido, seguida por um almoço leve e leitura no terraço. Vinho (para ele) no fim da tarde e um pouco de música na sala de estar; Sibby tinha uma coleção de antigos LPs de cool jazz, a maioria herdada do pai. Charlie Parker, Dexter Gordon. Em breve o sol se pôs e Dark massageou as têmporas, mãos e pés de Sibby. A gravidez até aquele momento tinha sido tranquila e Sibby se mantinha em boa forma, mas carregar um bebê no ventre exige muito, até mesmo dos corpos mais saudáveis.

Em pouco tempo ela dormiu no sofá e Dark levou-a carinhosamente para a cama. Terminou o dia como havia começado: sozinho.

Era o momento mais difícil.

A manhã era um desafio, uma bênção, uma preparação. Estar sozinho de manhã era tolerável porque sabia que Sibby estaria esperando por ele quando voltasse. Mas as noites, as horas intermináveis até a madrugada...

Eram horas ainda cheias de angústia, mais difíceis agora, com Sibby no oitavo mês. Ela estava exausta e precisava de muito repouso. Dark não poderia ser egoísta e pedir-lhe que ficasse acordada com ele.

Por isso tentava distrair-se como podia. Às vezes um jogo de basquete. De vez em quando um filme antigo, em preto e branco. Em geral, bebida.

Mas hoje era diferente.

Hoje ele tinha outra coisa.

Grau 26, hein?

Dark equilibrou o laptop nos joelhos e ligou-o. O pen drive estava no bolso de seu paletó, do lado esquerdo. Tinha estado ali o dia inteiro, sem ser tocado. Ele tinha feito o possível para esquecer, mergulhando na vida doméstica com Sibby, deixando-se perder nos toques dela, no perfume dela, no som de sua voz. Mesmo quando ela fazia uma coisa simples, como passar a ponta de um dedo no rosto dele, da testa ao queixo, tudo o mais desaparecia.

Mas não podia deixar de pensar naquilo. A visita surpresa de Riggins atormentou-lhe a mente o dia inteiro. Por isso não conseguira jogar o paletó na cesta de roupa suja e esquecer que o pen drive estava lá.

Dark ficou olhando para a tela, girando a aliança de ouro no dedo sem se dar conta do que fazia.

Como não poderia assistir?

Para abrir o pen drive, acesse grau26.com.br e digite o código: censurado

"Descansem em paz, Segundas Chances"

Capítulo 19

Motel 6, Redondo Beach, Califórnia
Madrugada de quarta-feira / Uma hora da manhã

O telefone celular começou a tocar e a vibrar sobre a superfície de vidro da mesa.

Riggins o colocara ali de propósito, para poder ouvir em qualquer circunstância, mesmo se estivesse urinando no pequeno banheiro do motel. E isso era exatamente o que estava fazendo quando o telefone começou a tocar.

Sacudiu, guardou, fechou as calças, atravessou o quarto tropeçando e agarrou o telefone, quase derrubando a garrafa de uísque que estava em cima da mesa. Na telinha apareceu: DARK.

Riggins ficou surpreso, mas encostou o aparelho ao ouvido.

— Ei.

O telefone ficou em silêncio, mas Riggins sabia que Dark estava do outro lado da linha. Devagar, sem pressa, sem agitação — como quiser. Dark não fazia nada depressa. Alguns agentes da Divisão costumavam gracejar dizendo que ele se movia tão devagar que o tempo para ele às vezes andava para trás.

Mas não se pode discutir com os resultados. Dark podia ser uma tartaruga, mas bastava ver a coleção de troféus que ele tinha. Quando se concentrava num caso, era como se nada mais existisse. Tudo o que era irrelevante desaparecia, e ele tecia uma narrativa criminal que invariavelmente levava ao culpado. A concentração dele era quase sobre-humana.

O que fazia toda a diferença era o fato de que levara consigo o pen drive naquela manhã (embora Riggins tivesse precisado de vinte minutos para perceber). Riggins podia ficar em seu quarto e ainda assim coordenar as ideias sem ter de olhar o relógio a cada trinta segundos. Naquela manhã ainda tinha cerca de trinta horas de vida; agora já eram mais ou menos 11. Enquanto Dark ainda estivesse pensando na proposta havia uma esperança de se sair bem daquela.

Por isso, Riggins esperou. Já tinha esperado 16 horas. Porque não mais alguns segundos?

Finalmente, Dark falou.

— Não posso fazer o que você quer, Riggins. Já dei tudo o que podia para achar esse monstro e fracassei. Não sei como desta vez seria diferente.

— Dark...

— Não. Desculpe. As coisas agora são... diferentes.

— Não. Eu entendo. Mais do que você pensa.

— Você não precisa de mim. Há gente boa na Divisão. Gente jovem, esperta. Um deles o pegará.

— Certo.

Depois daquilo, não havia muito mais a dizer.

Riggins fez um sinal com a cabeça para si mesmo e depois apertou a tecla FIM. Olhou para o copo vazio, apenas com dois cubos de gelo quase derretidos no fundo.

O mais engraçado é que ele não estava com medo. Não como imaginou que ficaria. Na verdade, surpreendia-se por sentir-se aliviado. Tinham-lhe oferecido uma escolha: *Faça uma coisa repulsiva, senão o mataremos*. Bem, ele tinha tentado fazer uma coisa repulsiva: trazer de volta o homem que mais parecia ser seu filho a um caso que quase o matara. Mas Dark havia acabado com aquela possibilidade. O assunto estava agora fora de seu alcance e portanto não eram necessários mais debates morais. Era apenas uma questão de estar condenado à morte.

Nellis e McGuire deveriam estar lá fora, fumando, talvez comparando cicatrizes de faca, para passar o tempo. Riggins tinha certeza de que seu telefone estava grampeado e que, por isso, alguém no gabinete de Wycoff já devia saber o que acontecera. De quanto tempo precisariam para chegar a suas babás e dar a ordem? Menos de um minuto, talvez?

Empurrou as cortinas baratas e empoeiradas e olhou para fora. Somente automóveis em um estacionamento deserto e lâmpadas de sódio abrindo buracos na noite escura da Califórnia. Não havia Nellis nem McGuire. Tampouco havia sinal do furgão preto deles.

Alguém bateu à porta do quarto no motel.

Riggins pensou por um instante no revólver pendurado junto ao paletó, no armário embutido. Mas aquilo não adiantaria. Nellis e McGuire eram basicamente gente como ele, cumprindo seu dever, sem considerações pessoais. Se tinha de dar um tiro em alguém, seria Wycoff. Bem no meio das sobrancelhas cabeludas.

Assim, Riggins não faria considerações pessoais. Tudo tinha de ser profissional.

Olhou para o relógio digital:

11:05:43...

11:05:42...

11:05:41...

11:05:40...

Como areia escorrendo pelo pescoço de vidro de uma ampulheta.

Riggins caminhou até a porta e abriu-a; na verdade, uma formalidade. Eles poderiam tê-la aberto com um pontapé. Até um menino seria capaz de fazê-lo.

Nellis o encarou. McGuire estava fora do campo de visão, provavelmente em posição de apoio.

Não. Nada de truques agora. Riggins seria profissional até o fim. Ainda tinha 11 horas para viver, e a única coisa sensata seria passá-las da melhor maneira possível.

— Entrem, rapazes — disse Riggins. — Vamos conversar.

Capítulo 20

Algum lugar nos Estados Unidos

Havia sombras nas paredes da masmorra. Sombras tortas, coleantes, como se um bando de serpentes tivesse resolvido reunir-se e imitar a forma de um ser humano. As sombras cresceram, aumentando de tamanho, até ficarem três vezes maiores. As serpentes estavam chegando mais perto.

De repente, o movimento cessou completamente. Sqweegel ficou olhando para sua forma imóvel na parede, pensando.

Estava pensando em como acompanhar os movimentos das pessoas. Ligá-las a um momento específico. Como seria possível manter alguém em determinado lugar e tempo?

Enquanto meditava sobre a questão, Sqweegel começou a mover-se novamente, apreciando as formas ondulantes de seu corpo projetadas na parede. Depois voltou-se e ficou rigidamente de pé, de costas para o muro de pedra. Imaginou um relógio gigantesco atrás de si, erguendo o cotovelo na posição das dez horas e a mão na das três. A lua estava alta no céu noturno e sua luz dava à roupa de Sqweegel um brilho etéreo, quase angelical. O coração dele batia os segundos.

Tic...

Tac...

Tic...

Tac...

A cada batida o fluxo do sangue crescia em suas veias, suspendendo o pênis. Cada bombeada dava mais vida ao membro viril, que se ergueu de seu corpo como um terceiro ponteiro que se levantasse do mostrador do franzino e branco relógio humano.

Tic...

Tac...

Tic...

Tac...

A resposta lhe chegou naquele instante.

Sqweegel atravessou o piso da masmorra até o grande baú de madeira, suficientemente grande para comportar um corpo humano.

Digitou com o polegar a combinação na tampa e puxou o ferrolho. Dentro havia várias miudezas que ele colecionara ao longo dos últimos trinta anos.

Após abrir a tampa, remexeu o conteúdo do baú com a mão enluvada. Era a única concessão que fazia a seus prazeres — sem falar nos filmes, naturalmente. Eram verdadeiras relíquias de suas conquistas sagradas, algumas ainda manchadas de sangue, sêmen, lágrimas, pó, pedacinhos de pele, bile, excremento, urina, saliva, ou combinações desses elementos. Aquele baú não poderia incriminá-lo, se fosse descoberto. Dentro não havia nenhum indício dele próprio, mas teria sido provavelmente mais seguro destruir tudo aquilo, ou ter deixado nas diversas cenas de seus crimes.

No entanto, ele não podia resistir.

Bastava olhar aquelas coisas.

Sqweegel estendeu a mão e retirou um pequeno dispositivo de aço inoxidável que parecia uma pequena harpa — um dilatador anal. Era relativamente novo e ainda estava pegajoso com algum lubrificante improvisado. Ele sorriu por trás da máscara e colocou-o de lado.

Havia um anel peniano com uma pequena trava que liberava um conjunto de lâminas afiadas, como barbatanas de tubarão. Apertado no anel, o pênis drenava completamente. Fazia tempo que ele não utilizava aquele instrumento.

Algemas negras de titânio, que uma vez fechadas não podiam mais ser abertas. Ele as havia escamoteado de um depósito de provas criminais, depois que a polícia as retirara de um cadáver carbonizado. (Sqweegel fazia questão de recuperá-las.)

Um *burdizzo* — alicate afiado, de 50 centímetros, originalmente destinado a castrar touros, mas utilizado pela comunidade de travestis como instrumento tipo "faça você mesmo".

Muita coisa. Muitos tesouros, troféus e dispositivos que posteriormente serviriam a seus biógrafos para exame e estudo.

Finalmente, Sqweegel encontrou a relíquia que buscava, um relógio de pulso parado. Estava sem funcionar há 15 anos.

Nem sequer era um relógio de preço muito elevado; apenas um Timex de 1967, modelo Silver Viscount. Pulseira prateada, vidro arranhado, com pequenos pontos de prata marcando as horas entre os algarismos doze, três, seis e nove. Corda automática. Estava parado quando Sqweegel o retirou da gaveta da escrivaninha de uma de suas vítimas.

Alguma coisa o fez desejar levá-lo consigo. Era o tipo de relógio que um pai deixa ao filho, o que provavelmente fora o que acontecera, a julgar pelo jovem de quem ele o havia levado. O relógio devia estar funcionando corretamente quando o rapaz o recebera, mas o deixara enferrujar em uma gaveta sem dar-lhe a atenção mínima necessária para restituir-lhe a vida.

Sqweegel levou o relógio à banca de trabalho, pegou uma bolsa plástica com ferramentas e começou a agir. Viu que abaixo do mostrador o rotor, o balancim, a mola e as rodas dentadas tinham acabado por se enferrujar.

Desmontou o relógio em uma série de peças individuais e depois dedicou-se à longa tarefa de limpá-las, primeiro com um chumaço de algodão embebido em fluido de isqueiro, e em seguida com óleo de máquina. Finalmente, as peças foram colocadas em um aparelho de ultras som e depois deixadas para secar.

A pulseira exigia cuidado especial. Era do tipo extensível, perfeita para capturar fios de cabelo do pulso e pedacinhos de pele. Cada elo precisava ser limpo separadamente e também tratado com ultrassom e solvente.

Um pouco mais tarde, Sqweegel montou de novo o Timex. Não era preciso baixar o manual de instruções da internet; era um mecanismo bastante simples, o que tornara aquele relógio incrivelmente popular em meados do século passado. Em breve ele já nem prestava atenção ao que faziam suas mãos.

Enquanto trabalhava, Sqweegel pensava no pai, no filho e no motivo pelo qual este não dera importância ao presente paterno. Sem dúvida o relógio barato tinha tido alguma significação para o pai. Talvez ele tivesse estado em alguma guerra, ou num campo de concentração. Talvez tivesse testemunhado uma decepção amorosa.

O filho simplesmente o metera em uma gaveta.

De que maneira seu caminho cruzara com o de Sqweegel era outro assunto, mas ele pensou em buscar o filme respectivo, a fim de reviver a experiência.

Olhou para baixo, vendo que o relógio estava pronto, funcionando novamente e com o motor girando suavemente, sem queixas.

Colocou-o em seu próprio pulso, por cima do látex branco.

Capítulo 21

Malibu, Califórnia

Dark apertou a tecla FIM e caminhou silenciosamente, descalço, atravessando o quarto, descendo a escada e passando por uma porta corrediça de vidro até o jardim dos fundos, cercado por um muro. Também ali era visível a mão de Sibby, desde as luminárias até os castiçais de vidro e a mobília do pátio; tudo era tranquilo e reconfortante. Era um lugar onde as preocupações não tinham acesso.

Dark sentou-se no sofá, deixando que o ar fino do oceano lhe enchesse os pulmões e ficou olhando os pequenos pontos de luz no céu noturno. Pareciam centenas de olhos flamejantes que o contemplavam.

Dark dizia a si mesmo que tinha feito o que devia. Sem dúvida o monstro iria encontrar outra vítima. Talvez na próxima semana, talvez amanhã. Quem sabe naquela mesma noite Sqweegel estivesse escondido em algum canto escuro, esperando passarem os segundos até o momento de atacar.

Talvez Dark pudesse ter feito alguma coisa...

Não. Não pense nisso. Nem sequer pense nisso. Já não é mais seu problema.

Não pense na moça de cabelos ruivos e camisola azul de algodão, com rios de sangue escorrendo pela barriga e pernas tão alvas.

Não pense no choro que vinha de um canto...

Será que ele iria sentir-se culpado a vida inteira? Era demais pedir isso a um homem.

Dark tinha tentado capturar Sqweegel. Este tinha retaliado... e tinha ganhado a parada. Tinha resistido ao que poucos resistiriam. Escondera seus traços. Tinha apagado quaisquer pistas que permitissem sua prisão. Talvez merecesse estar livre, em algum lugar. Dark havia tentado detê-lo, tinha violado praticamente todas as leis para isso e fracassara. Por que não se podia deixar tudo como estava?

E então, Sqweegel tinha sido promovido a um novo grau. Talvez fosse isso o que ele sempre quis.

Era impossível avaliar o que Dark sofrera durante os dois anos anteriores.

De repente, Dark atirou o celular contra as pedras do pátio, com tanta força que o aparelho se partiu em mil pedaços.

Dentro da casa, Max e Henry começaram a latir. O barulho os assustara. Houve outro ruído atrás de Dark: a porta corrediça do terraço se abrindo, no andar de cima.

Sibby olhou para ele da sacada.

— *Amor*? Tudo bem? Que barulho foi esse?

Diabos! Que burrice. Que burrice deixar que tudo voltasse.

Em poucos instantes Sibby já estava no pátio com Steve, sentada diante dele e da pequena lareira de tijolos brancos. Desde os primeiros dias em que se conheceram ela não o tinha mais visto daquele jeito — como nos tempos em que os demônios ainda o atormentavam e ele parecia completamente derrotado.

Sibby tinha aprendido a ser cuidadosa naquela época e agiu da mesma forma naquele momento. Não se deve empurrar um homem que já está à beira do abismo. É preciso trazê-lo de volta com jeito, antes de poder compreender.

— Quer conversar sobre isso? — perguntou ela.

— Não é nada — respondeu Steve. — Eu fiquei zangado. Na praia o telefone não funciona bem.

— Para quem você estava ligando?

— Nada de importante.

— Está bem. Já é tarde. Não quer vir para a cama?

— Daqui a pouquinho. Prometo.

Sibby lembrou-se dos primeiros dias que passaram juntos, quando ela aprendera que havia somente uma coisa capaz de aliviar a dor, ainda que por pouco tempo. A única coisa que espantava os demônios e o trazia de volta à vida.

Ela moveu lentamente a perna e notou que Steve a observava. A parte da frente da camisola de seda estava mais alta por causa da barriga, mas ele não conseguia tirar os olhos do corpo dela. A iniciativa era toda dela. Ele esperava que ela fizesse um gesto.

Sibby sabia que ele gostava daquilo, da sensação que lhe produzia. Era do que precisava naquele momento, para que sua mente esquecesse a dor.

Ainda que apenas temporariamente.

Para observar a tensão sexual, acesse grau26.com.br e digite o código: sibby

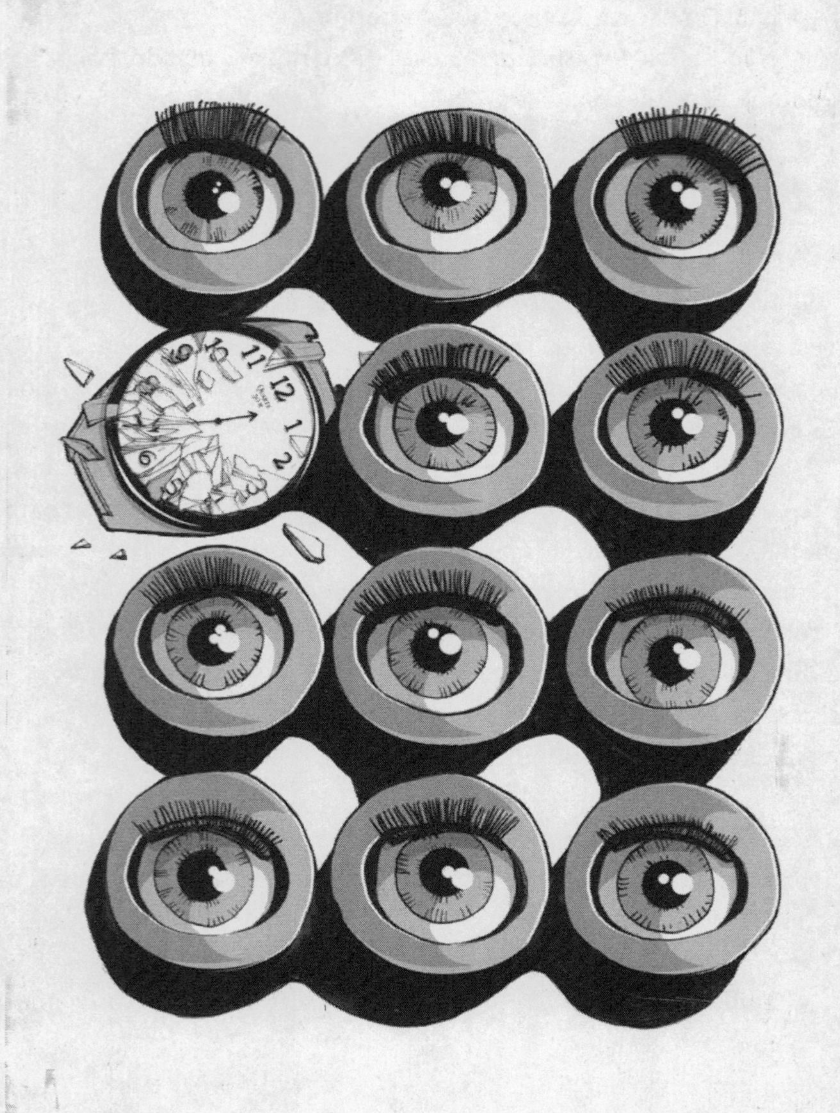

Capítulo 22

Tudo em Sibby — seu toque, seu sabor, seu aroma, a visão de seu corpo — era mais forte do que qualquer droga que Dark jamais tinha encontrado. Ela sabia exatamente como trazê-lo de volta à terra, e de alguma forma percebia o que ele precisava desesperadamente.

As respirações de ambos ainda estavam ofegantes. Não havia nada a dizer. Absolutamente nada.

Finalmente, Sibby murmurou ao ouvido dele:

— Venha para a cama.

Apesar de tudo, Dark não se sentia cansado. Estava inquieto. Ainda pensava na conversa anterior com Riggins. Ainda pensava em Sqweegel. Não conseguia tirar da mente aquelas imagens. O sangue espalhado naquelas pernas alvas. O tecido rasgado da camisola dela. O choro no canto do quarto...

Sibby tocou-lhe o rosto.

— Ei — disse ela. — Fale comigo.

Esse era o problema das drogas, não é verdade? Servem para o momento. E naquele momento especial seriam capazes de fazer desaparecer a dor. Mas apenas por um momento. Em seguida, a calma recém-descoberta seria substituída pelo desejo ardente de que aquele instante voltasse, por uma necessidade desesperada de retornar a ele, atormentando a mente para encontrar uma maneira de durar para sempre... ou pelo menos apenas mais alguns segundos.

Dark a beijou. Ela encostou a cabeça no ombro dele. Pouco depois ambos saíram do pátio e deitaram-se na cama, em cima dos lençóis, deixando que o ar fresco do mar envolvesse seus corpos, enxugando o suor. As mãos se tocaram, primeiro os nós dos dedos.

Então Sibby envolveu a mão de Dark com a sua e apertou-a suavemente. Era possível sentir o odor da maresia e das velas que Sibby tinha acendido antes.

Nesse momento o telefone tocou.

Era estranho tocar àquela hora; na verdade, era estranho que tocasse. A maioria das chamadas era feita aos celulares. Sibby quisera desistir do fixo, mas Dark preferiu conservá-lo. Os celulares perdem a carga das baterias. As torres de transmissão podem desabar a um simples tremor de terra.

O telefone tocou de novo.

— Deixe, eu atendo — disse Sibby.

— Não, deixe comigo.

Dark deu um suspiro, estendeu a mão por cima da mulher grávida e tirou o fone do gancho.

— Restam dez minutos — disse a voz de Riggins. — Dez minutos, e eu desaparecerei para sempre.

— Que diabo, Riggins.

— Eu não chamaria, se não fosse importante. Você levou o pen drive. Sei que provavelmente já viu o conteúdo.

Dark sentiu a mão de Sibby apertar a dele um pouco mais fortemente. Uma brisa fresca e agradável soprou sobre ambos. Seria bom ficar deitado ali sem se mover, durante semanas. Sem se mover até que o bebê nascesse. Depois eles poderiam trazê-lo para a cama e ficar deitados mais tempo. Talvez até a hora em que o bebê tivesse de ir para a universidade.

Seria ótimo, mas Dark sabia que isso não ia acontecer.

Ele perguntou:

— Onde?

— No mesmo lugar de antes.

— Aquele café já deve estar fechado.

— Podemos ficar do lado de fora e aproveitar a noite agradável da Califórnia.

— Já é quase de manhã.

— Não importa.

Dark virou a cabeça a fim de olhar para Sibby. Queria pedir a ela que desligasse o telefone e arrancasse o fio da parede. Não importava que houvesse um ligeiro tremor de terra, porque ambos não precisavam ligar para ninguém. Estavam ali juntos, e isso era tudo o que importava.

Em vez disso ele se viu respondendo a Riggins:

— Tudo bem. Estarei lá.

Capítulo 23

Finalmente, aconteceu.

O momento que ela receava desde que conhecera Steve.

Engraçado pensar que ela tinha levado na brincadeira durante os primeiros dias. *Seu sobrenome é Dark*, não é?*, perguntara ela. — *Então imagino que você seja uma dessas pessoas que vivem felizes, despreocupadas.*

Steve *Dark*. Ela não tinha ideia.

Tinha sido um encontro casual na seção de bebidas da loja Vons, em Santa Monica. O homem que iria se tornar seu marido empurrava o carrinho cheio de garrafas, a maioria de uísques norte-americanos e escoceses, além de algumas de vinho branco e tinto. Ela achara que ele estava preparando uma festa. Mais tarde viria a saber que eram as compras da semana.

O encontro na loja era mais do que um acaso. Durante os meses anteriores ele vinha fazendo as encomendas pelo telefone, para instalar-se no apartamento mal arrumado em Venice. Naquela noite, porém, sentira uma estranha vontade de ir pessoalmente. Há muito

---

*Em português: escuridão, trevas, sombrio, escuro. (N. *do* E.)

tempo não saía de casa. Mais tarde Sibby viu que o carro dele estava coberto por uma grossa camada de poeira.

Steve estava descabelado e maltratado, mas o que Sibby viu foi *Passei uma noite em claro,* e não *Há meses estou mergulhado em uma espiral depressiva.* Apesar dos cabelos em desalinho, da palidez e do descaso com a higiene pessoal, Steve ainda era um belo homem. Foi o suficiente para que ela fizesse uma pausa e arriscasse uma tentativa boba de conversa, coisa que não fazia desde os tempos da universidade. Dirigiu-lhe a palavra porque sabia que se arrependeria se não o fizesse.

— Então, a que horas quer que eu apareça?

Steve se voltou e apertou os olhos, sem saber se ela realmente estava falando com ele. Sem saber se era um fantasma. Mais tarde, ela viria a saber que havia semanas ninguém na verdade tinha falado com ele.

— Desculpe — disse Steve. — O que foi que você disse?

— Sua festa — respondeu Sibby, apontando as bebidas. — Quando vai começar? Vejo que você tem uma garrafa de Cakebread no carrinho, e acontece que esse é o meu Chardonnay preferido.

Ela se lembrava de que o momento seguinte fora o mais longo do mundo. Steve ficara ali parado, olhando para ela, como se se esforçasse para encontrar as palavras adequadas. Tentara sorrir, mas o sorriso saíra falso. Até mesmo um tanto assustador. Naquela curta eternidade, Sibby ficara imaginando em que estranho mundo ela teria entrado.

Que estaria fazendo, falando na loja com um homem bonitão e desconhecido, que parecia não tomar banho há vários dias? Tanto quanto ela sabia, poderia ser um assassino, como Charles Manson.

Em seguida ela agarrara com as duas mãos a barra de plástico do carrinho, preparando-se para empurrá-lo para qualquer outro corredor, desde que pudesse dar uma volta e escapar daquela loja antes que ele notasse...

— Às oito — dissera ele. — Amanhã à noite.

O sorriso de Steve dessa vez tinha sido genuíno. Sibby retribuíra, relaxando os punhos na barra. Ele escrevera o endereço na última página de um livro que ela trazia na bolsa: *Santuário*, de Faulkner.

Na noite seguinte ela aparecera e mostrara pouca surpresa ao encontrar no pequeno bangalô apenas um ocupante — o próprio Steve. Havia uma mesa posta para dois, com pratos diferentes, num arranjo improvisado sobre o que parecia ser um lençol de cama em vez de toalha.

— Não veio mais ninguém — dissera o futuro marido dela, com um sorriso tímido.

— Se o Cakebread também não veio, eu vou embora — respondera ela, com fingido ar de seriedade.

— Depois que nos encontramos na loja eu comprei mais três garrafas.

E isso era verdade.

Naquela noite o doce e lento mistério de Steve Dark começou a ser revelado a Sibby. Ele contou o essencial sem rodeios, logo no início — que tinha sido agente federal, que um caso em que trabalhara tivera um final horrível e que ele pedira demissão. Somente no quinto encontro mencionou que tinha sido adotado e que a família que o criara morrera num terrível acidente.

Mas só depois que um juiz de paz os casou é que Sibby ficou sabendo que o caso com final horrível e o acidente que matara a família tinham estreita relação.

Ficou sabendo que ele vivera em um inferno durante o ano seguinte àquele acontecimento.

O que ficou claro desde o começo é que Steve nunca falava em voltar à polícia, e tanto quanto ela imaginava, nem pensava nessa possibilidade. Mas agora ela percebia uma coisa diferente. Steve era uma pessoa torturada, mas não por causa disso. Havia uma coisa específica que o atormentava.

Pelo amor de Deus, que não seja a profissão, pensou ela. *Posso suportar tudo, menos isso. O que quer que aconteceu com ele quando estava na polícia quase o matou, e eu posso suportar qualquer coisa, menos perdê-lo.*

— Você hoje parece estar vivendo no passado. Pode me dizer o que está acontecendo?

Steve ficou em silêncio, mas ela se recusou a desistir.

— Estão querendo que você faça alguma coisa, não é?

— É.

— Seus antigos chefes.

— É.

— O que foi que você disse?

— Disse que não.

Sibby expirou. Não tinha percebido que prendera a respiração.

— Foi mesmo?

— Meu antigo chefe, Tom Riggins, apareceu hoje de manhã e pediu que eu voltasse. Ele sabe muito bem como insistir com uma pessoa até conseguir o que quer. Não é possível não dar atenção a eles. Eles nunca desistem. Portanto *eu* vou acabar com isso.

Sibby olhou-o, procurando algum sinal de mentira. Em geral ela percebia nas coisas pequenas, quando ele escondia um presente de aniversário, ou quando a protegia de algum dissabor. Steve dava certos sinais.

Desta vez, no entanto, ela não viu nada.

— Está bem — disse. — Cuide do assunto. Mas você vai voltar para mim?

— Claro que sim. Para onde mais poderia ir? — ele sorriu, mas Sibby sabia que era para tranquilizá-la.

Steve ficou olhando o teto por alguns instantes. Depois pegou as chaves que estavam sobre a mesa, conferiu a hora e saiu da casa.

Sibby olhou o celular, que estava em cima do cobertor. O dia terminara e ela estava novamente sozinha na casa. A única coisa que faltava, pensou ela, era que chegasse um texto.

Nesse momento, chegou um.

Capítulo 24

Santa Monica Pier
3h30

Riggins viu Dark estacionar o Yukon escuro ao lado do cais. Dark dirigia no ritmo em que vivia: em câmera lenta. Pausadamente. Metodicamente. Quem não soubesse, pensaria que se tratava de algum desocupado ao volante, passeando pela estrada da Costa do Pacífico como se estivesse em 1939, quando Santa Monica era uma cidadezinha litorânea sonolenta. Mas era assim que ele se movia. Não fazia nada apressadamente.

Pelo menos Riggins ficou satisfeito ao vê-lo caminhar devagar. Quanto mais tempo levasse, mais ele poderia aproveitar o cigarro.

Mais tempo teria antes de ser morto. Que horas eram agora? Verificou a contagem regressiva oficial de sua morte no relógio que tinha sido presente da filha.

8:24:08...

8:24:07...

8:24:06...

8:24:05...

Em algum lugar na escuridão, por trás de Riggins — talvez perto do parque de brinquedos infantis? talvez no carrossel? talvez embaixo do cais? — estariam Nellis e McGuire. Riggins tinha certeza de que também estariam conferindo seus relógios.

Mais cedo, no motel, os dois agentes da Artes Negras tinham recusado a bebida, como era de esperar. Mesmo assim, ouviram o que Riggins tinha a dizer. Afinal, eram profissionais.

— Suponho que saibam que Dark recusou — disse Riggins, sentado na beira da cama.

Nellis, o de cabelos cortados rente, concordou com a cabeça. McGuire não fez nenhum movimento. Talvez estivesse pensando nos dedos que lhe faltavam.

— Mas ainda tenho algum tempo e não usei meu melhor trunfo. Só preciso de um pouco de espaço. Dark foi um de nossos melhores agentes. Ele viu quem vocês eram em poucos segundos, e sempre desconfiou muito de quem não conhecia. Para que isso possa dar certo, tenho de fazer com que ele pense que estamos a sós, que isso é uma questão apenas entre mim e ele.

Nellis olhou para ele.

— Se você escapar, nós o encontraremos. E vai ser muito pior para você.

— Não estou pensando em fugir — disse Riggins. — Podem até ficar com as chaves do meu carro, se acharem melhor. Que posso fazer, ir até o mar e nadar para o Japão?

Nellis e McGuire concordaram em dar a ele o espaço que pedia, mas ficariam por perto, onde não pudessem ser vistos.

O que Riggins não disse às duas babás era que não tinha intenção de convencer Dark a aceitar a missão.

Em vez disso, o que queria era passar algumas horas ainda vivo, em companhia do amigo.

Dark se aproximava, subindo os degraus do cais, um de cada vez. Riggins deu mais uma tragada no cigarro e fez a fumaça sair pelo nariz, como um touro de desenho animado.

— Dark — disse Riggins.

Sem aviso prévio, Dark sorriu e tirou da boca dele a ponta de cigarro. Deu uma tragada antes de jogá-la pela amurada do cais.

— Câncer de pulmão — disse ele. — Principal causa de morte entre os homens.

Merda, pensou Riggins. Estava aguardando ansiosamente a última tragada. Ainda tinha onze cigarros no maço e recusava-se a morrer enquanto não fumasse todos.

— Agora diga.

— Você achou que o bebê que aparece no vídeo me convenceria, não é? Faria com que eu voltasse correndo para a Divisão.

Riggins olhou Dark com expressão de genuína surpresa no rosto.

— Bebê?

— Até parece que você não sabia.

— Juro que não assisti ao vídeo. Tinha ordens estritas para entregá-lo a você. Só para seus olhos.

— Pare de dizer besteira. Você é o principal agente neste caso. Como é possível não ter permissão para acessar informações?

— Agora você está começando a entender o que está em jogo aqui. Isso não é mais uma simples investigação criminal, Dark. Transformou-se em um caso político. Internacional. Washington está dando as ordens, nos apertam e querem que sejamos capazes de caminhar sobre a água ou distribuir pães e peixes.

— Isso é uma loucura. Não se pode pressionar e ameaçar o melhor agente para pegar um criminoso como Sqweegel. O que se deve fazer é fornecer recursos.

— Você quer ligar para Norman Wycoff e falar com ele? Acho que vai gostar de ouvir você dizer isso.

*

Dark ficou em silêncio. Sentia-se muito distante da Divisão, mas era capaz de compreender que estava sob a alçada do Departamento de Defesa. O mundo parecia ter adotado atitudes absurdas depois que ele voluntariamente se afastara dele.

— E então, o que aparece no vídeo? — perguntou Riggins.

Capítulo 25

Dark engoliu em seco, porque não desejava recordar as imagens que tinha visto poucas horas antes. Mesmo assim, começou a descrevê-las de maneira resumida.

— Uma moça ainda jovem, 17 ou 18 anos — disse ele. — Cabelos ruivos, pele clara, com sardas. Está adormecida. Não tem ideia de que Sqweegel está escondido debaixo da cama, esperando que ela caia em sono mais profundo. Depois, ele entra em ação. Sobe por cima dela.

Riggins sacudiu a cabeça.

— Porra.

— Ela acorda a tempo de sentir o primeiro corte, que rompe a camisola azul de algodão. Procura defender-se, mas cada vez que levanta a mão, ele ataca. Depois de algum tempo ela já não luta. Sqweegel a esfaqueia com mais fúria, mas olha constantemente para um canto do quarto.

— Por quê?

— Inicialmente não se percebe. Parece estar olhando para a filmadora, mas depois vi que o espetáculo é para outra pessoa no quarto.

Riggins entendeu imediatamente.

— Merda. Um bebê?

— Preso em uma cadeira alta, perfeito ponto de observação para ver a mãe ser retalhada. Sentado ali, só Deus sabe por quanto tempo, chorando, querendo ser afagado e alimentado. Aí termina o vídeo.

— Meu Deus.

Os dois homens ficaram em silêncio por algum tempo.

Dark pensou nos outros detalhes que observara no vídeo, os objetos cotidianos que agora faziam parte da macabra cena de sangue. O edredom estampado de flores, encharcado e manchado de vermelho. O ursinho de pelúcia com um laço no pescoço e pintas de um carmim escuro no focinho. Uma pequena escova de dentes, também manchada de sangue. De certa forma, era tão penoso olhar aquelas coisas quanto ver o corpo mutilado da jovem. Objetos retirados de um lugar normal, seguro, e atirados em meio a um espetáculo de horror.

— Eu não tinha ideia — disse Riggins.

— É verdade, tenho certeza de que você não assistiu — disse Dark. — Se tivesse visto, certamente teria vindo aqui para fazer com que eu visse também. Mas isso significa que algum de seus superiores achou que poderia me impressionar. Talvez até saibam que Sibby está grávida...

— Espere... O quê? Meus parabéns atrasados, papai, embora eu deva me sentir insultado porque você não me disse antes. Quantos meses?

— Faltam poucas semanas — respondeu Dark, um tanto contrafeito por ter deixado escapar aquela revelação. — O importante é que alguém está se metendo na minha vida. Há dois anos jurei que isso não iria acontecer outra vez. Estou fora, como estava hoje de manhã e como estou agora.

Riggins tirou outro Lucky Strike do maço.

— Você provavelmente acha que estou decepcionado.

Dark encolheu os ombros.

Riggins voltou-se e pôs a mão no ombro de Dark.

— Bem, não estou. Na verdade, estou com inveja. Sua vida está esperando por você naquela bela casinha em Malibu. E um filho... isso muda tudo. Acho que o que quero dizer é... que compreendo. Eu daria qualquer coisa para estar em seu lugar agora.

Houve um momento de silêncio embaraçoso, e depois Riggins estendeu a mão.

Dark franziu a testa e em seguida tomou a mão do outro e apertou-a rapidamente. Ainda estava segurando a mão de Riggins quando este se curvou para a frente.

— Só mais uma coisa. Não quero dar ainda uma alegria àqueles dois filhos da mãe. Por isso, dê um pouco de ânimo a este morto e caminhe comigo, está bem?

De dentro do furgão Nellis e McGuire observaram em um pequeno monitor o aperto de mão dos dois vigiados, que em seguida se encaminharam para o cais.

— Dark está caminhando com Riggins — disse Nellis em um pequeno microfone. — Ainda não temos confirmação.

O furgão estava equipado com câmeras de alta definição e microfones omnidirecionais, mas a distância era demasiadamente grande e Nellis e McGuire podiam captar apenas fragmentos da conversa. À medida que Riggins e Dark se afastassem, eles teriam de chegar mais perto, porém mantendo-se fora das vistas. Uma resposta negativa significaria uma noite trabalhosa para os dois agentes. Seringas, facas, ácidos e esponjas. Muitas esponjas.

E tendo em vista a demora de Riggins... bem, Nellis era obrigado a reconhecer que já começava a ver com interesse aquela parte do trabalho, quanto não fosse mais para aliviar o enfado.

Capítulo 26

Algum lugar nos Estados Unidos / Ao lado livre

Um ruído, como um leve guincho.

A lâmina afiada fez um sulco de quase um milímetro de profundidade na vidraça dupla. Descreveu um círculo e, em seguida a parte cortada foi retirada por meio de uma ventosa de sucção.

Um rosto branco surgiu na abertura, enfiando o nariz para dentro. Cheirou. Olhou para a direita e para a esquerda.

Uma vez satisfeito, a mão enluvada se estendeu para a fechadura.

Girou-a.

Clique.

Agora era mais fácil. A porta de vidro correu silenciosamente.

Sqweegel entrou.

Caminhou lentamente pela casa, sem fazer ruído. O tapete era macio e caro, com forro por baixo. As tábuas do assoalho não tinham frestas. Ele sabia que não teria problemas, porque a casa tinha sido construída poucos anos antes. Mesmo assim, tinha prática em distribuir o peso e evitar fazer barulho. Sabia como ser paciente, ficar imóvel e dar o passo seguinte.

Também sabia como evitar os cães. Passou por eles como um grão de poeira que flutuasse preguiçosamente no ar. Lentamente, sem ser notado.

Fez uma pausa no pé da escada. Próximo dali havia um console em cujo topo repousava uma bela bacia de estanho, cheia de miniaturas de automóveis. Uma estranha coleção, numa casa decorada com bom gosto. Sqweegel a tinha visto pela primeira vez meses antes, e se lembrava dela. Sentira-se tentado — e sentia-se tentado agora — a pegar um deles e levá-lo para seu baú de tesouros.

Numa prateleira havia um par de sapatilhas de balé. Pés delicados e fortes os haviam calçado para dançar. Ele também as queria.

Tais furtos, porém, seriam pistas perigosas. Muitas vozes que tornariam confusa a mensagem. Seu objetivo era Dark, e ele queria dar uma mensagem clara.

Queria que seu perseguidor o ouvisse com nitidez.

A mensagem seria colocada no andar de cima, no piso superior da casa.

Sqweegel esgueirou-se subindo a escada, com suas juntas e ossos agindo como pistões e engrenagens de uma locomotiva de borracha. Movia-se lentamente. Languidamente. Propositalmente. Não havia um ritmo específico em seus movimentos. Era como se deslizasse, serpenteando em direção ao primeiro andar.

Engatinhou sobre o último degrau e prosseguiu pelo corredor apoiando-se nas mãos e nos pés, com a espinha ondulando como se fosse feita de borracha. Os movimentos de Sqweegel em nada se pareciam com os de um ser humano. Ninguém imaginaria que fosse possível mover-se daquela maneira.

Ninguém jamais conseguira filmá-lo. Ninguém a não ser o próprio Sqweegel, que ensaiava repetidamente, filmando-se e corrigindo seus erros ao observar as fitas.

Um observador que estivesse assistindo ao filme acionaria o botão ADIANTE em menos de um minuto, porque nada pareceria estar acontecendo; no entanto, de repente perceberia que ele já avançara três metros.

Após uma breve eternidade, Sqweegel se viu diante da porta do quarto de casal. A decoração servia perfeitamente a seus propósitos. O corpo franzino e ossudo ficava camuflado pelas paredes brancas. Havia completo silêncio, a não ser a suave respiração que vinha da cama.

A cama onde ela dormia.

Para acompanhar o intruso, acesse grau26.com.br e digite o código: sqweegel

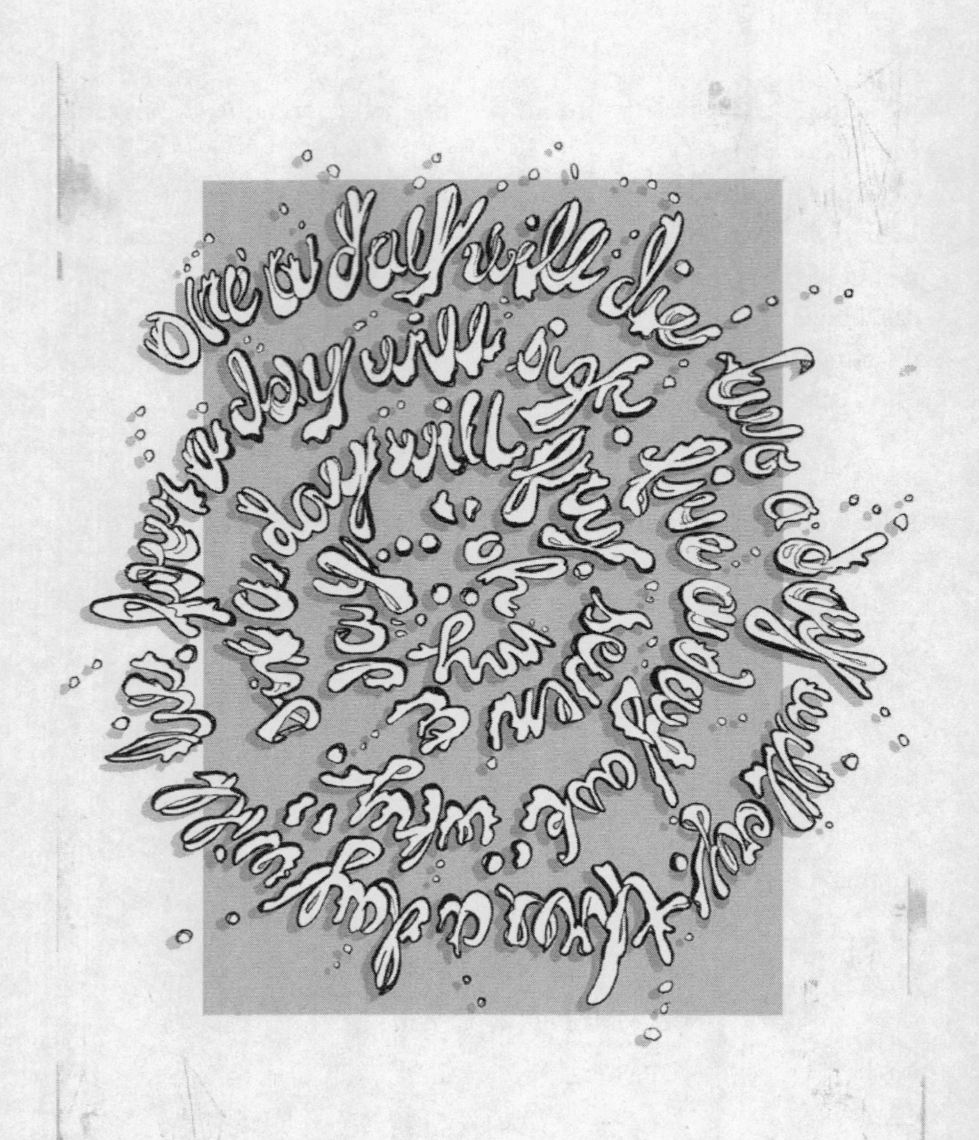

“Um por dia vai morrer/
Dois por dia vão chorar/
Três por dia vão mentir/
Quatro por dia vão suspirar/
Cinco por dia vão questionar/
Seis por dia vão fritar/
Sete por dia... o que será...”

Capítulo 27

Malibu, Califórnia
Quarta-feira / 6h30

Quando desponta o sol, bem cedo, o mundo parece mais irreal, banhado naqueles primeiros raios de luz que surgem por trás do horizonte. A escuridão é expulsa. Tudo fica perfeito novamente.

Dark estava exausto. Tinha passado as horas finais da noite caminhando pelas ruas de Santa Monica, conversando com Riggins até as cinco da manhã, quando finalmente encontraram um restaurante modesto aberto. Continuaram conversando e comendo batatas fritas, ovos mexidos, torradas e xícaras de café. Pelo menos Riggins comeu. Dark se absteve.

Riggins contou alguns mexericos da Divisão, ou pelo menos o que se poderia considerar como fofoca numa organização cujos membros não levavam vidas reais. Naturalmente esse assunto não durou muito; já não havia muitos agentes do tempo de Dark. Na verdade, dezenas de carreiras haviam começado e se extinguido nos dois anos que ele passara fora.

Por isso, Riggins desviou a conversa para as peripécias de seus filhos. Dark fingia estar interessado.

Para surpresa do companheiro, Riggins não voltou a falar no caso Sqweegel. Não falou no bebê, nem no presidente, nem no grau 26... nada.

Dark concordava com a cabeça, sorvendo seu café. A mesma xícara de líquido forte com a qual começara a refeição, horas antes. Estava agora frio e amargo, mas injetava cafeína suficiente em seu cérebro para mantê-lo desperto.

Quando os primeiros raios do sol coloriram os céus com um tom profundo de rosa, Dark compreendeu que era hora de se despedir. Tinha proporcionado algumas horas a Riggins; era tempo de voltar para Sibby e acomodar-se no ritmo tranquilo de sua nova vida.

Trancaria o Yukon e caminharia para a porta da frente. Os cachorros o derrubariam no chão com toneladas de afeto e saliva canina. Sibby estaria à sua espera. Ele acariciaria a pele dela, suave e branca como leite. Curvando-se, beijaria o ponto macio sob seu queixo...

Curvando-se...

Espere.

Dark não o teria visto se não tivesse se curvado, olhando o chão sob seus pés. O relógio quebrado, a poucos centímetros do meio-fio.

Era um Timex barato, banhado a prata. O mostrador estava amassado. Dark tirou uma caneta do bolso e usou-a para erguer o relógio do chão. Tinha parado de funcionar às 3h14 da manhã. Olhou para os dois lados do quarteirão. Passarinhos cantavam. Dispositivos de regar a grama estavam ligados. Por trás de tudo, podiam-se ouvir os estrondos das ondas quebrando-se contra a praia.

Nada diferente do comum.

No porta-luvas do Yukon havia uma bolsa de couro onde ficava o manual do veículo. Dark tirou o manual e cuidadosamente depositou no interior da bolsa as peças do relógio quebrado, voltando a fechá-la.

Inseriu a chave na fechadura da porta da frente, girou-a, abriu. Tão logo entrou, os cães começaram a latir. Ele procurou acalmá-los enquanto se encaminhava para a escada.

— Sibby?

Não houve resposta.

A pulsação de Dark começou a explodir em seu pescoço. Subiu correndo a escada, dois degraus de uma vez, apoiando-se nas paredes.

— Sibby!

Abriu bruscamente a porta do quarto, encontrando-a perfeitamente bem. Sonolenta, mas viva.

— Meu bem? Tudo OK? Alguma coisa errada?

Dark não quis responder. Que estava errado, na verdade? Ter encontrado um relógio quebrado diante da casa? Não fazia sentido para ele. Do ponto de vista técnico, nada havia de errado.

Mas ele não conseguia fazer parar o tremor que começara em seu estômago e mandava ondas de choque por todo o sistema nervoso. Dark fechou o punho direito com tanta força que as unhas se enterraram na palma da mão. Precisava daquela dor para descarregar a eletricidade sob a pele.

Não havia sentido aquele tipo de pânico, aquele tipo de terror, desde...

Não.

Não podia estar acontecendo novamente.

Ou estaria?

Não foi isso o que você disse a si mesmo da última vez, Dark? Que era tolice, que não tinha motivos para temer, que a família adotiva estava bem, perfeitamente bem, no mundo real nenhum mal acontece às famílias...

Mamãe. Papai. Vovó. Evan. Callie. Emma.

Sibby apoiou o corpo e a barriga volumosa nos braços fatigados, que pareciam de borracha. Sem dúvida tinha dormido um sono profundo, um sono de morte.

— Steve! Por favor, diga que diabo está acontecendo!

Mas Steve já estava ocupado abrindo uma gaveta, afastando suéteres dobrados e pegando uma Glock 0.9mm. Colocou um cartucho.

— Fique aqui — disse ele.

Capítulo 28

Dark examinou primeiro os armários embutidos — os dois do andar térreo. Afastou paletós, bateu com o pé no chão forrado de carpete, experimentou o teto com o cano da Glock, prestando atenção em qualquer oco que denunciasse um compartimento secreto ou lugar de esconderijo. Já estava na metade da sala quando lembrou-se de alguma coisa e voltou aos armários. De joelhos, arrancou o carpete para verificar o assoalho; podia haver um alçapão. Nada, porém.

Correu os dedos pela superfície das paredes, especialmente os cantos. Uma fenda poderia revelar uma porta... ou apenas um vão na parede feita de placas de gesso.

Com o canto do olho Dark viu que as cortinas ondulavam, próximo à porta do pátio. Atravessou cuidadosamente a sala, segurando a arma com as duas mãos. Observava as cortinas como se fossem o peito de um animal caído e ele esperasse o mínimo indício de respiração.

Enfiou a Glock entre as cortinas, puxou-as para a direita e...

Nada.

A casa não era grande como a média em Malibu, mas mesmo assim foram necessários trinta minutos para que ele se sentisse satisfeito com a busca. Nenhum cômodo, depósito, armário embutido, prateleira, exaustor ou passagem ficou sem ser revistado.

No entanto, ele sabia que poderia estar esquecendo alguma coisa óbvia. Algo que Sqweegel descobriria em um instante, e que utilizaria.

Também procurava qualquer coisa — como o relógio quebrado — que estivesse fora do lugar. Que tivesse sido deixada ali, propositalmente ou não.

Ele sentia que havia alguma coisa diferente. Algum pequeno detalhe que já vira mil vezes na casa e que estava de alguma forma mudado. Porém, se realmente havia algo, Dark estava tendo dificuldade em descobrir.

Sentia-se profundamente exausto. O choque da visita de Riggins, o sexo, o café de má qualidade, o relógio... tudo aquilo se misturava em sua mente. Ficou pensando se não seria apenas um pesadelo, e que em breve ele rolaria na cama sentindo o perfume forte do xampu de Sibby, sabendo que tudo estava bem.

Dark guardou a arma no bolso de trás do jeans e encostou-se na parede do quarto.

Sibby estava sentada no meio da cama, de pernas cruzadas, com as mãos nos joelhos, como se a posição plácida de ioga pudesse ajudá-la a lidar com a insanidade que invadira seu lar.

— Querido — disse ela, calmamente —, quero que saiba que você está me assustando muito.

— Desculpe — respondeu ele, após um momento.

— Que está acontecendo?

Dark ficou olhando para ela por um longo instante, como para recordar-se de que era Sibby, e não sua mãe adotiva. Não havia recuado no tempo. Não estava em meio a uma reprise macabra. Estava ali, e era agora.

Foi até a cômoda e pegou a bolsa de couro que tinha trazido para dentro de casa. Depois de abri-la, entregou-a a Sibby.

— Encontrei isto na entrada. Não é meu.

Sibby olhou para dentro da bolsa.

— De quem é?

— Não sei. Alguém pode ter deixado cair. Às vezes se faz isso para indicar a hora em que um alvo sai de casa.

— Alvo? — repetiu Sibby. — Alguém está seguindo você?

— Não alguém profissional. É um velho truque. Quase uma brincadeira.

Sibby ficou pensando.

— A pessoa que o deixou não o recolheu novamente.

— Exatamente — respondeu ele. — Alguém está fazendo uma brincadeira. Ou está tentando me despistar.

Dark a fitou, mas sem calor nos olhos. Olhava-a clinicamente, da cabeça aos pés. Examinava a pele dela em busca de marcas fora do comum, sem causar-lhe alarme.

— O que é? — perguntou Sibby, sentindo-se perturbada de repente.

— Você não ouviu nada enquanto estive fora?

— Se alguém tivesse chegado perto da casa, Max e Henry teriam me acordado.

— É verdade — disse Dark, caminhando para a janela do quarto.

— Além disso, por que você seria o alvo de alguém?

Realmente, de quem?

Riggins tinha mencionado o nome de Sqweegel 24 horas antes, e Dark já o estava vendo em cada canto escuro.

Talvez os babás de Riggins pudessem explicar o relógio quebrado lá fora. Talvez fossem mesmo das antigas. Talvez os orçamentos deles tivessem sido reduzidos e somente tivessem recursos para um saco de Timex barato a fim de localizar os bandidos mais perigosos dos Estados Unidos.

Podia ser.

Não, era alguém mandando uma mensagem.

Mas quem?

E o que queria dizer?

Capítulo 29

Para ser perfeitamente franca, Sibby sentia-se *realmente* um tanto estranha. Tinha a cabeça leve, como se tivesse deixado de fazer uma refeição na noite passada. O corpo parecia endurecido em lugares diferentes do que sentira no dia anterior. As articulações lhe doíam. A boca estava seca.

Mas ela não queria dizer isso a Steve. Ainda mais quando ele andava revistando a casa, levando um relógio quebrado e uma arma carregada.

Não admira que não tivesse falado no Jesus Particular. Se um relógio quebrado na rua era capaz de perturbá-lo tanto, imagine o que aconteceria se falasse nas mensagens obsessivas que recebia pelo celular.

Além disso, as juntas doloridas provavelmente eram mais uma das surpresas da gravidez, que já havia mexido com seu corpo durante os oito meses anteriores. As amigas lhe diziam que o pior ainda estava por vir, quando ela sofresse transformações físicas a fim de dar à luz. As articulações seriam inundadas por um relaxante químico que alargaria os ossos da bacia, como num brinquedo do tipo *Transformer* ou coisa parecida.

Talvez fosse isso o que estava acontecendo. Alguém parecia ter puxado os ossos de sua bacia.

Isso não era motivo para preocupar Steve mais ainda. Ele já estava bastante alterado, embora fizesse o possível para ocultar.

Ele estava sentado na beira da cama, perto de Sibby, mas não de frente para ela.

Sibby se esforçava para não chorar. Durante toda a gravidez suas emoções tinham sido uma mistura volátil, e quanto mais se aproximava o prazo de nove meses, mais ela piorava. De repente se sentia profundamente triste, e no minuto seguinte ficava furiosa.

Sibby tentou afastar de si os maus pensamentos.

— Se você não falar comigo, não posso ajudá-lo.

— Eu acabei com muita gente — disse Steve, calmamente. — Muita gente que poderia querer retribuir a visita.

— Existe uma pessoa específica, Steve? Alguém que você acha que o está perseguindo?

Ele não respondeu.

— Foi por isso que você esteve com seu antigo chefe ontem à noite?

Ainda nada.

Max e Henry estavam sentados, em posição de sentido. Arfando, esperando a hora do passeio na praia. Não entendiam por que ainda não tinham saído. Já não era a hora do passeio?

Sibby era extremamente paciente em relação a Steve. Era necessário. Ele era lento, metódico, prudente, discreto. Às vezes isso podia fazê-la enlouquecer, mas era também o que a atraía nele.

Steve era a síntese do homem de pedra, e Sibby sempre se admirava com sua própria capacidade de romper o exterior rígido e sentir o calor que vinha de dentro.

Os pequenos fragmentos que ele revelara sobre seu passado — que fora agente federal, que a família adotiva morrera, que ele se sentia culpado pelas mortes — tinham sido suficientes para ela. Sibby não queria atacar a pedra com picareta e desnudar todos os segredos dele. Para que valessem a pena, quaisquer revelações teriam de ser feitas voluntariamente.

— Você não está me contando tudo — disse Sibby, tão calmamente quanto possível.

Steve parecia lutar com as palavras.

— Eu me livrei de muita gente ruim, Sibby. Gente que não hesitaria em fazer mal a mim ou a você, se tivesse oportunidade. Eu me apavorei, está bem? Desculpe....

Ficaram abraçados por algum tempo. Ela sentiu os lábios dele em sua testa. Tudo estava calmo. Seguro.

De repente alguma coisa estilhaçou uma janela do andar térreo. Steve e Sibby se sobressaltaram, como se uma corrente elétrica tivesse passado por seus corpos.

Capítulo 30

Dark pegou a Glock nas costas e disse a Sibby:

— Ligue para a polícia.

Desceu as escadas, com o revólver preparado.

No pátio próximo ao mar viu as cortinas balançando. O coração batia acelerado novamente a cada passo. O cérebro gritava um único nome: *Sqweegel.*

Mas aquele não era o estilo de Sqweegel. Ele não perdia tempo amassando relógios embaixo de pneus e nem quebrando janelas. Não costumava anunciar-se. Para ele, a emoção da caçada era se esconder no lugar menos provável que se poderia esperar, e somente nos últimos instantes você veria os olhos negros dele. E aí já seria tarde demais.

Finalmente Dark viu o que tinha estilhaçado a janela: uma pedra do tamanho de uma bola de beisebol. Os cacos de vidro estavam em volta dela, no assoalho de madeira.

Dark passou por cima dos cacos, tendo cuidado para não deslocar nenhum dos fragmentos, e olhou para a praia nos dois sentidos. Ninguém.

Tirou do bolso o telefone celular e mandou uma mensagem de texto para Riggins.

A mensagem era simples: seu endereço, e em seguida VENHA AGORA.

Se aquilo tivesse a ver com Sqweegel, a melhor pessoa para estar a seu lado era Riggins.

Depois de mandar o texto, Dark olhou novamente pela janela quebrada. Do outro lado da rua havia um carro da polícia de Los Angeles, com as luzes vermelhas piscando. Dois policiais conversavam com o vizinho.

Ao que se sabia, o vizinho era um milionário do Bronx. Uma oportunidade no setor de plásticos havia transformado sua vida e o trouxera à parte mais bela da Costa Oeste como aposentado, mas ele nunca deixava de se queixar. Flertava abertamente com Sibby, mesmo depois que ela engravidara. Ela o achava simpático.

— Quero que esses moleques sejam executados na hora — dizia o vizinho. — Vocês não podem fazer isso? Trazê-los para cá para que eu assista à execução?

— Está tudo bem? — perguntou Dark.

O vizinho ergueu a mão, segurando uma pedra, muito parecida em forma e tamanho com a que Dark tinha encontrado em casa. Sacudiu-a na direção dele, zangado.

— Também atiraram pedras em você? — perguntou.

Dark fez que não com a cabeça.

— Ora, perfeito. Só eu então. — O vizinho voltou a atenção para os policiais. — Vocês são capazes de fazer alguma coisa com isto? Quer dizer, colocar em uma máquina e verificar o DNA, como fazem na televisão?

Dark desejou que pegassem os culpados e voltou caminhando para sua casa. Sibby já estava na sacada da frente, procurando-o. Tinha uma expressão de *que aconteceu?* no rosto. Dark sacudiu a cabeça.

— Foram apenas meninos — disse ele, logo que entrou em casa. — Atirando pedras nas janelas das casas.

— Inacreditável — disse ela. — Moramos numa casa de um milhão de dólares, num bairro excelente, e ainda temos de aguentar essas coisas. E se o bebê já estivesse aqui, brincando debaixo daquela janela?

— Eu sei — disse Dark, baixinho.

Sibby correu até o armário da cozinha e pegou uma vassoura.

— Eu vou limpar aquilo — disse Dark.

— Não. Eu mesma vou limpar. Preciso fazer alguma coisa, senão vou sair procurando esses moleques. Eles não sabem o que é raiva enquanto não virem uma mulher grávida com os hormônios em polvorosa.

Alguém bateu à porta.

Era Riggins.

— Ei — disse ele. — Vim o mais depressa possível. Está tudo bem?

— Sim — disse Dark. — Estamos bem.

Enquanto isso Riggins caminhava pela sala, examinando o chão, as paredes, os objetos nas paredes, o teto, antes de finalmente tratar da janela quebrada.

— E que aconteceu aqui?

— Alguns meninos atirando pedras.

— Deixam meninos vadios virem aqui a Malibu?

— Aparentemente. — Dark olhou para Riggins. — Onde estão seus amigos?

— Os homens de preto? Lá fora. Ainda acham que estou prestes a convencer você a aceitar o caso. Acho que eles vão me deixar vivo até o último minuto.

Sibby apareceu por trás de Dark.

— Olá. Você deve ser Tom — disse, estendendo a mão. — Dark fala em você...

— *Nunca*, sei disso. Prazer em conhecê-la finalmente, Sibby.

Dark havia mencionado Sibby apenas uma vez na noite anterior, quando deixara escapar a notícia da gravidez. Apesar de tudo, Riggins sabia ser gentil.

Era um momento estranho para Dark — dois mundos diferentes entrando em colisão. Riggins era o passado, um personagem de uma série há muito cancelada. Sibby era o presente, o foco, a razão de ser de toda a sua vida. Não deviam estar se cumprimentando. Nem mesmo deviam estar na mesma sala. O universo poderia explodir.

Sibby rompeu a tensão.

— Vou fazer café. Aceita, Tom?

— Sim, por favor.

— Para mim, nada — disse Dark. — Vou limpar esses cacos de vidro do chão.

Riggins olhou os cacos espalhados no assoalho e depois encarou Dark.

— Acha que pode ter sido ele?

Capítulo 31

— Não sei — respondeu Dark. — Esse tipo de comportamento juvenil não faz parte do perfil dele, não é?

— Não — disse Riggins. — Não, em nenhum dos casos que estudamos.

— Mesmo que tenha sido ele — continuou Dark —, por que motivo quebraria a janela de meu vizinho? Sqweegel não costuma errar endereços.

— Bem, é verdade.

— E ele não anuncia. Só ataca.

— Claro.

Riggins juntou as mãos e apertou os lábios, como se fosse assobiar, mas não emitiu nenhum som. Uma parte dele estava se divertindo ao ouvir Dark. Ele parecia estar com vontade de conversar.

Finalmente, Dark perguntou:

— Claro, o quê?

— Nada — disse Riggins. — Só que nada disso parece estar correto.

— Passamos a noite em claro e você só tem algumas horas. Claro que nada parece estar nos eixos.

Riggins nem precisou olhar o relógio. Devia ser meio-dia.

— Touché — disse ele. — Mas olhe as coisas de meu ponto de vista. De repente apareço em sua vida e poucas horas depois alguém estilhaça sua janela. Diga-me: quantos atos de vandalismo acontecem em Malibu por semana? Você e Sibby estão sempre levando pedradas?

Dark não deu atenção. Varreu os cacos para uma pá de borracha e começou a levar os pedaços para a lata de lixo de plástico da cozinha. De repente alguma coisa entre os cacos pontiagudos atraiu seu olhar. Parou, pegou cuidadosamente um caco e ergueu-o contra a luz.

— O que é? — perguntou Riggins.

Girando lentamente o caco à luz brilhante do sol, Dark examinava a peça como se tivesse uma inscrição em sânscrito.

— E então? Pelo amor de Deus, não me deixe esperando aqui, Dark. Pode ser que eu já esteja morto quando você resolver me contar.

— Esta aresta. Foi perfeitamente cortada. Veja.

Riggins viu que ele tinha razão. A borda do caco parecia uma perfeita meia-lua, coisa que não ocorreria normalmente quando se joga uma pedra numa vidraça.

— Banner ainda está trabalhando na perícia? — perguntou Dark.

Riggins assentiu.

— O que mais poderia estar fazendo um sujeito como ele? Mas você quer usar o principal laboratório da polícia de Los Angeles para agarrar um grupo de moleques de Malibu?

Dark disse a Sibby que Riggins tomaria o café no caminho e que voltaria em poucas horas.

Do lado de fora da casa de Dark, a uma distância profissional, Nellis estava sentado no lugar do passageiro no furgão, ouvindo mais uma vez a voz do secretário latir em seu ouvido.

— Como estão as coisas?

— Riggins e Dark estão juntos. Houve um ato de vandalismo na casa de Dark, e na do vizinho também.

— Vandalismo? Nessa merda de Malibu?

— Atiraram pedras nas janelas.

O secretário fez uma pausa para pensar.

— Talvez o puto do Riggins. Tentando ganhar tempo.

— Não, senhor — disse Nellis. — Nós o vigiamos o tempo todo.

— Bem — disse Wycoff. — Deixe isso para lá. Estou indo para aí. Se Riggins não consegue resolver o assunto, eu terei de fazer isso por ele.

Dark bateu à porta do vizinho. Riggins ficou alguns metros atrás. Devia ser interessante: Dark interagindo com outros seres humanos. Em todos os anos que haviam passado juntos na Divisão, Riggins tinha visto Dark evitar a maioria das demais pessoas. Trabalhava em seus casos como um cientista, preferindo as pistas já preparadas, tratadas e colocadas entre duas placas de vidro. Nada que fosse vivo.

— Que houve agora? — perguntou o vizinho, e depois percebeu quem era. — Ora, você de novo.

— Não queria incomodar — disse Dark —, mas gostaria de pegar um pedaço do vidro quebrado de sua janela.

— Ora! Para que quer isso?

— Meu amigo aqui — disse Dark, mostrando Riggins com o polegar — é da polícia. Parece que alguns moleques andam fazendo vandalismo no bairro há algum tempo. Se ele levar um caco do seu vidro, o pessoal do laboratório poderá analisar.

— Para encontrar o quê? — disse o vizinho. — Impressões digitais? Eles atiraram uma pedra, não bateram com as mãos. Você devia dar a pedra a seu amigo, para que a polícia pesquise o DNA.

— Mas o vidro também pode ajudar.

O homem olhou para Riggins e depois para Dark.

— Não entendo. Por que o vidro? Costumo ver televisão. Sei o que os laboratórios podem e não podem fazer. O que fariam com cacos de vidro?

— Meu senhor, isso nos ajudaria muito — disse Dark.

— Você... como é seu nome? — O vizinho apontava o dedo para Riggins. — Trabalha no governo municipal, não é verdade? Vou lhe dizer: posso dar o vidro se o governo me pagar a porta corrediça.

— Sem dúvida, amigo — Riggins respondeu. Puxou a carteira, tirou 500 dólares e os estendeu para o homem.

— O que é isso?

— Quinhentas pratas.

— Vai me pagar 500 dólares por uma pilha de cacos de vidro?

— Nós levamos o crime em Malibu a sério, senhor.

— Não admira que o governo esteja falido — murmurou o homem, e em seguida fez um gesto, convidando-os a entrar. — Muito bem, entrem. Vou trazer o vidro. E até a pedra, de graça.

Riggins viu que Dark o observava enquanto ele entrava na casa. Riggins sorriu para si mesmo. Embora Dark fosse competente para compreender as pessoas, às vezes não sabia bem como interagir com elas.

Capítulo 32

Centro da cidade de Los Angeles
11h19

Se você morrer de forma violenta e misteriosa em Los Angeles, seu cadáver será levado para o necrotério. Seus pertences serão distribuídos entre os seus entes queridos. Talvez até mesmo sua alma siga para outra dimensão de existência. Tudo o mais acaba sendo levado para o laboratório de Josh Banner.

Se sua morte resultar em investigação policial, pequenos fragmentos de tudo o que estava a seu redor no momento do falecimento também seguirão para Banner.

Ocorrem muitas mortes em Los Angeles, motivo pelo qual provavelmente se pode dizer que é bom que Banner seja uma espécie de colecionador.

Riggins detestava ter de ir ao laboratório de Banner. Cada pequeno fragmento parece envolto em um perfume de morte.

Dark, no entanto, sempre gostava de ir lá. Banner era uma das poucas almas irmãs que ele tinha entre os oficiais da lei. Eram como dois adolescentes fascinados pelos mesmos quadrinhos.

— Pensei que você estivesse aposentado.

— Estou — respondeu Dark. — Mas preciso de um favor.

— Claro, claro. Diga o que quer.

Riggins nada mais podia fazer senão entregar as duas caixas cheias de cacos de vidro e esperar que Banner pudesse recompor as vidraças sem grande demora. As 48 horas iam esgotar-se muito em breve. Isso, pelo menos, ele sabia.

Duas caixas com cacos de vidro. Aquilo ia levar muito tempo.

Para Josh Banner não era um problema.

Sentia-se mais contente quando estava sozinho com o material de prova. Os seres humanos eram inconstantes, instáveis, aborrecidos. As provas não mudavam. Não perdiam o interesse pela tarefa. Não ficavam de mau humor. Não propunham adivinhações.

O material fica ali, silencioso e paciente, esperando que você chegue a conclusões.

Banner colocou as luvas plásticas e os óculos de segurança. Em seguida, puxou um par de pinças do bolso do guarda-pó branco. Começou a trabalhar, rearrumando pacientemente os cacos de vidro em uma grande mesa iluminada, que espalhava um halo azul muito suave sobre os fragmentos transparentes. Isso, pelo menos, lhe dava a ilusão de estar montando um gigantesco quebra-cabeça, com todas as peças necessárias ali espalhadas na mesa diante dele. Tal como um quebra-cabeça, seria possível ler a narrativa quando ficasse pronto.

Ele trabalhou com paciência e rapidez. Horas depois as vidraças estavam reconstituídas. Quanto mais próximo do final de um quebra-cabeça, mais rápido fica o trabalho. Banner estava colocando as últimas peças e começando a entender a narrativa quando Riggins e Dark entraram em sua sala.

— Chegaram na hora — disse Banner, com um sorriso nervoso.

Riggins enterrou as mãos nos bolsos e aproximou-se da mesa iluminada.

Para entrar no laboratório de perícia criminal, acesse grau26.com.br e digite o código: fragmentos

“Seis por dia vão fritar”

Capítulo 33

11h55

Banner estava terminando a explicação quando Wycoff entrou na sala, acompanhado por dois agentes secretos.

— Riggins, está na hora.

Dark mal podia prestar atenção no que estava acontecendo. Sua mente ainda se ajustava à revelação feita por Banner.

— Merda! — disse ele. — Eu revistei todos os cômodos. Todos os armários. Puxei a porra do carpete.

Riggins apoiou as pontas dos dedos sobre a mesa iluminada, como se quisesse esmagá-la com a força das mãos. Olhou para Wycoff e depois para Dark.

— Não era isso o que eu queria que acontecesse. Você tem de acreditar em mim.

Mas Dark não o ouvia. Já estava ligando para Sibby.

— Está tudo bem, meu amor — disse ela. — O pessoal da polícia ainda está aqui, recebendo ameaças de processos judiciais de nosso querido vizinho. E você, como está?

— Tudo bem — disse Dark.

— Não minta para mim. Qual é o problema? Posso sentir em sua voz.

A análise de Banner demonstrara que efetivamente as duas vidraças tinham sido atingidas por pedras. Mas somente os cacos da casa de Dark apresentavam um desenho circular — prova de que anteriormente tinha sido usado um dispositivo de cortar vidro.

Ele tinha entrado assim.

— Juro, minha querida. Estou bem. Daqui a pouco ligo de novo. Mas avise-me quando os policiais saírem daí.

Dark terminou a chamada e tratou de cuidar da situação que tinha diante de si.

O prazo estava quase esgotado; Nellis e McGuire esperavam no corredor, e já estavam preparados. Bem preparados. Os capuzes estavam guardados nos bolsos, as algemas e seringas prontas. A casa segura e o lugar de depósito já tinham sido alertados.

As ordens haviam mudado poucos minutos antes, quando Wycoff chegara. Uma vez dado o ultimato pelo secretário, a decisão estaria nas mãos de Dark.

Uma resposta afirmativa significaria o fim da missão deles; Nellis e McGuire receberiam nova tarefa após uma breve licença. Nellis ficou imaginando se seria na região de Los Angeles. Não lhe agradava a ideia de passar a noite no avião.

Mas um *não* da parte de Dark acarretaria uma ampliação da missão. Wycoff deixara claro: deviam agarrar Dark e Riggins, subjugá-los e transportá-los para o esconderijo. Riggins não voltaria dessa viagem, e as 48 horas de Dark teriam início.

Talvez fossem somente 24 horas — ou 12. Wycoff estava ficando muito impaciente.

Talvez tivessem de levar a mulher de Dark também, ideia que tampouco agradava a Nellis. Mas isso era parte da profissão. Ele conhecia agentes que diziam: *nada de mulheres nem de crianças*, mas esses eram os que não mantinham a palavra. Francamente, eram uns maricas.

— Riggins — disse Wycoff novamente, apontando o relógio. Riggins olhou para Dark com expressão de sofrimento e suspirou.

Dark notou que o relógio de Wycoff era de modelo militar, em geral usado pelos homens-rã da Marinha, e sem dúvida fazia parte dos esforços do secretário para parecer o mais durão possível. Dark conhecia um pouco da vida dele e sabia que Wycoff jamais pusera o pé em uma zona de combate.

Portanto, a ameaça era verdadeira, vinda do mais alto nível, e o secretário tinha vindo a fim de tratar com Riggins e em seguida fazer uma cena e procurar convencer Dark pessoalmente.

Dark detestava aqueles filhos da mãe. Todos eles.

Voltou o olhar para Riggins.

Riggins percebeu, desconsoladamente, mais uma vez, que tinha razão.

Mesmo depois de matá-lo, não deixariam Dark em paz, pelo menos não com Wycoff ali em pessoa. Bastaria que o secretário mudasse de ideia e exercesse a mesma pressão sobre Dark. Por que motivo não o faria? Era um brutamontes bem-vestido, acostumado a conseguir o que queria. Sempre.

Wycoff olhou outra vez o relógio e viu o ponteiro dos segundos que se aproximava das doze. Riggins que se foda — tinha tido sua oportunidade. Wycoff compreendeu que teria de pressionar Dark fortemente desde o início.

Recusava-se a sair daquela delegacia sem a resposta que queria.

A resposta de que *precisava*.

Do corredor, Nellis observava e rapidamente pensou em suas opções.

Se preferissem fugir, Riggins seria o primeiro a agir, provavelmente pegando alguma coisa no laboratório e atirando-a contra eles. Dark o acompanharia um segundo depois e tentaria um movimento lateral, ou talvez mesmo agarrasse o secretário como refém. Seria embaraçoso durante alguns instantes, mas tudo se resolveria facilmente. Talvez fosse o momento de usar as seringas, ou talvez fosse a hora de usar as armas. Não lhe importava se fosse uma coisa ou a outra, desde que acontecesse rapidamente. Estava morrendo de tédio.

Encontravam-se dentro de uma repartição policial, o que tornava difícil ocultar uma ação letal, mas, mesmo assim, naturalmente Dark e Riggins teriam tentado assassinar o secretário de Defesa. O Departamento de Polícia de Los Angeles calaria a boca e até acharia bom.

Nellis sentia a excitação e a adrenalina invadindo sua corrente sanguínea. Aquilo ia ser bom. Bom *de verdade*.

00:03...

00:02...

00:01...

Dark olhou para Wycoff.

Havia somente uma coisa que ele podia fazer.

— Senhor secretário — disse Dark —, Riggins me falou da escalada. Quero que o senhor saiba que terá minha absoluta cooperação no caso. Estou em...

Os olhos de Riggins e Dark se encontraram. Parecia que todo o peso do mundo saíra dos ombros de Riggins. Finalmente ambos acabavam de passar por um teste tácito de lealdade, que nenhum dos dois homens seria capaz de explicar.

Wycoff parecia estupefato, como se tivesse acabado de engolir um caroço de pêssego. Seus agentes de segurança se mostravam igualmente surpresos. Na verdade, Riggins também.

— Ei — disse ele. — Dark, escute, você...

— Descobrimos uma coisa em minha casa. Quer dar uma olhada?

Dark começou a explicar as provas, uma por uma.

Era a única opção que fazia sentido. Se Riggins ia ser sacrificado por causa daquilo, era evidente que eles não se deteriam nele. Atormentariam Dark, dia e noite, possivelmente envolvendo também Sibby e a família dela — e muitos anos de suas declarações de renda, históricos profissionais, registros médicos, e qualquer outra coisa que pudessem desenterrar — e continuariam a atormentá-los, pressioná-los, apertá-los, até que conseguissem acabar com a vida deles. E o que era pior, Dark perderia um aliado em quem podia confiar na Divisão de Casos Especiais.

Não. Preservar a posição de Riggins era a única maneira de assumir o controle da investigação.

Isso porque era claro que o monstro passara a interessar-se novamente por Dark, e Dark não conseguiria fazer com que ele desistisse simplesmente não lhe dando atenção.

Tampouco desistiria até que conseguisse meter uma bala no próprio Sqweegel, e não em uma imagem num espelho.

A missão terminara. Nellis e McGuire voltaram ao furgão. Um bom descanso os esperava, assim como a próxima missão. Nellis não confessaria a ninguém, nem mesmo a si próprio, mas aguardara com satisfação o momento de espetar a agulha no pescoço de Riggins e observar a vida dele esvair-se pela expressão do olhar. Ver aquele sorriso de desprezo desmaiar em seus lábios, o corpo esfriar e depois ficar imóvel. Para ser sincero, abandonar a missão naquele ponto era um tanto frustrante.

Porém, quem sabe? Talvez algum dia ele voltasse para ajustar as contas.

Capítulo 34

Algum lugar nos Estados Unidos

Sqweegel percorria nu o porão de sua casa, tendo na mão a espingarda de dois canos serrados. Tinha o corpo suado e franzino coberto de pó de canela.

Observou a série de monitores enquanto caminhava de um lado para o outro. Era demasiado excitante ficar parado e observar passivamente. Os nervos vibravam de ansiedade, e os músculos o mandavam *mover-se*. Respirava rápido e tremia.

Havia muito mais coisas que precisava fazer, agora que seu perseguidor havia começado a ouvi-lo. Mas primeiro o que vinha primeiro. Era hora de alimentar os passarinhos.

O monstro se dirigiu a uma mesa de madeira, a mesma que sua avó costumava usar na cozinha. A superfície estava coberta de marcas de faca, de muitas décadas atrás. Os sulcos eram profundos e escuros. Às vezes Sqweegel os lambia para ver se ainda era possível sentir o gosto dos resquícios de temperos há muito utilizados. Ver se a língua era capaz de trazer de volta um prazer gustativo esquecido.

Hoje não, no entanto. Hoje ele se ocupava em carregar a arma.

Encostou o cabo no quadril, enfiou as balas no cano e armou o dispositivo, empurrando os projéteis para dentro da câmara. O estalido ecoou nas paredes de pedra do porão.

Os tentilhões que estavam na gaiola do outro lado reagiram ao som, esvoaçando em pânico.

Sqweegel correu para a gaiola improvisada, agarrando as barras brancas com os dedos. Ele próprio a construíra, usando velhas prateleiras de geladeira que encontrara no lixo. A base da gaiola era uma antiga placa de aço.

Queria acariciar as cabecinhas dos pássaros, alisar as penas macias sobre os crânios ossudos, mas eles nunca o permitiam. Na verdade, não pareciam gostar da habitação. Havia vários ovos quebrados na base da gaiola tosca e os tentilhões machos pareciam incapazes de procriar.

— Por que voam? — perguntou Sqweegel. — Por que não cantam? Se eu os soltar, vocês morrerão, numa gaiola sem asas.

Com um movimento brusco, ergueu a arma carregada à altura da gaiola e encostou o cano nas grades.

O movimento aterrorizou novamente os pássaros.

Mas ele se conteve e abaixou a escopeta.

— Já sei — disse Sqweegel. — Vocês estão com fome.

Umedeceu com saliva a ponta do dedo indicador antes de tocar o prato com o alimento — uma saboneteira do banheiro da avó. Deixava-a fora da gaiola a fim de poder controlar a dieta dos tentilhões. Não os alimentava desde o dia anterior; deviam estar com fome.

Diversas sementes ficaram agarradas ao dedo molhado de saliva. Sqweegel passou-o na ponta do cano da arma, deixando algumas sementes.

Em seguida colocou a escopeta encostada na gaiola.

— Tuí, tuí — disse ele. — Hora do jantar.

Um tentilhão mais valente, ao ver a comida, ousou aproximar-se. Com as garras das patas segurou-se às grades da gaiola e virou a cabeça na direção do cano. Parecia curioso. Que seria aquilo? Uma nova forma de se alimentar?

Após alguns instantes, a fome venceu o receio. O passarinho beliscou as sementes.

— Assim, meu bichinho. Assim...

Sqweegel sorriu, mostrando os dentes enegrecidos. Bastaria isso para assustar o animal, fazendo-o escapar para o outro lado da gaiola, mas o tentilhão não se afastou. Não tinha com que se preocupar. Era só uma outra maneira de comer.

Em breve o passarinho acabou com todas as sementes e enfiou a cabeça na abertura do cano para ver se havia mais.

Clique.

Buum!

O corpo inteiro da ave foi pulverizado pelo disparo, além de boa parte da gaiola atrás de si, assim como seus companheiros de prisão. Penas e pedaços de arame de aço se incrustaram na parede do porão. Pedaços de carne de pássaro ficaram presos aos destroços da gaiola, ainda fumegando.

Sqweegel curvou-se e pegou algumas penas, passando uma delas suavemente pelo rosto. Não era possível saber com certeza, naturalmente.... mas ele achava que o tentilhão nem sequer ouvira o tiro.

SEGUNDA PARTE

A ascensão do mal

Capítulo 35

Observatório Griffith, Mount Hollywood
Quarta-feira / 18h30

De lá de cima vê-se tudo — toda a cidade de Los Angeles, nos mínimos detalhes, até a orla do Pacífico.

Dark nunca se interessara pelo observatório até que Sibby o arrastara para lá, poucos meses depois que eles tinham começado a namorar. *Quantas vezes*, dizia ela, *você tem a oportunidade de sentir-se igual a Deus*? Para sua surpresa, Dark teve de reconhecer que apreciava a vista, embora tivesse passado a infância em Los Angeles e desprezasse o lugar, considerando-o uma armadilha para turistas.

No início do namoro eles costumavam levar uma cesta de piquenique e uma garrafa de vinho gelado. Bebiam, deixavam-se embriagar e brincavam dizendo que eram como Deus e que iriam lançar raios sobre as ruas pecaminosas da cidade.

Agora, porém, não era um piquenique. Não naquela tarde.

Desde que afirmara a Riggins que o auxiliaria na caçada a Sqweegel, Dark percebera que os acontecimentos daquele dia escapavam a seu controle. Havia ligado freneticamente para Sibby depois que descobriu que o pequeno verme entrara em sua casa, mas durante uma torturante meia hora ela não atendeu ao telefone da casa e nem ao celular. Finalmente, ligou de volta para dizer que tinha ido fazer compras e não ouvira os toques. Tinha precisado sair.

Dark pensou por um segundo e disse:

— Ótimo. Fique fora de casa a tarde toda. Não me diga aonde vai; não diga a ninguém. Caminhe ao acaso.

— Está falando sério? — perguntara Sibby, em tom zombeteiro.

— Obedeça a um ex-policial doido — respondera Dark, franzindo a testa ao pronunciar aquelas palavras. *Ex-policial.* Tecnicamente, sua aposentadoria tinha sido suspensa 35 minutos antes. Ele estava de volta ao posto.

— OK, OK — dissera ela. — Hoje à noite nos vemos em casa.

— Que tal me encontrar logo mais às seis e meia em nosso lugar antigo? No alto do morro?

Sibby tinha começado a falar.

— Lugar antigo? Espere, você quer dizer o Grif...

— Exatamente — respondeu ele. — Compre um bom vinho. Eu te amo.

— Eu também, mesmo quando você é doido.

Dark chegara uma hora antes, principalmente para examinar o lugar. As paredes altas e a cúpula cor de ouro escuro faziam com que o observatório se parecesse mais com um templo religioso do que com uma atração turística. No entanto, essa descrição parecia adequada. Seres humanos se reuniam ali para contemplar o céu e meditar sobre seu lugar no Universo. Era quase como uma igreja para ateus.

Sibby chegou às 18h30 em ponto e rapidamente desviou as tentativas de Dark para manter uma conversação leve e despreocupada. Ela o conhecia demasiadamente bem.

— Bem, chega — disse ela. — O que estou perdendo? Você me traz para um de nossos lugares favoritos, não nos vimos durante toda a tarde... Você vai me deixar, ou alguma coisa assim?

Dark a olhou. Ela era assim mesmo: ia direto ao assunto. Nada de fingimentos nem subterfúgios.

— É isso — respondeu ele.

Sibby inicialmente sorriu, mas depois olhou o rosto dele e viu que Dark estava dizendo a verdade.

Ele ia deixá-la.

A expressão zangada no rosto dela foi como mil agulhas em brasa enterradas em seu coração. Ele perdeu o fôlego até que ela se virou de lado, olhando o panorama lá embaixo.

— Se isso é uma brincadeira, eu...

— Não, não é.

Sibby voltou-se para encará-lo novamente, examinando os olhos dele para descobrir as pequenas dicas que somente quem ama — *a alma gêmea* — é capaz de ver. Viu que ele dizia a verdade, e os olhos dela perderam a expressão. Tornaram-se frios.

Dark estendeu a mão e tocou o braço dela. Estava rígido, imóvel.

— Levamos o vidro quebrado lá de casa ao laboratório criminal hoje de manhã.

O rosto de Sibby não mudou. Era como a superfície congelada de um lago.

— A reconstrução da vidraça revelou que alguém usou um cortador de vidro para entrar, e mais tarde a quebrou com a pedra para disfarçar.

Nada ainda. A expressão dela era como o gelo do Ártico. Estariam as palavras dele sendo ouvidas?

— Esse cara... esse filho da puta... foi quem deixou o relógio. Foi quem quebrou nossa vidraça. Entrou com o cortador de vidro, passou pelos cachorros e ficou escondido, mais de uma hora. Você deve ter dormido o tempo todo. Ele estava dentro de casa quando eu voltei.

— Não — disse ela, friamente.

— Não? O que quer dizer?

— Meu sono é leve. Ninguém pode ter entrado em nossa casa.

— Sibby, a perícia criminal não mente. Alguém entrou. E deve ter estado em seu quarto.

— Foi isso mesmo que você disse, Steve? *Seu* quarto? Como se você já tivesse me deixado?

Não havia tempo para explicações. Agora ele compreendia seu erro. Queria que ela ficasse com uma lembrança boa. Dadas as circunstâncias, a melhor lembrança possível. O lugar favorito dela. Dark, no entanto, pensava já saber o que aconteceria. Poderia ter feito aquilo em qualquer lugar e o resultado teria sido o mesmo: um relâmpago momentâneo de embaraço rapidamente mascarado por um mecanismo robusto e poderoso de autodefesa.

O que tornava Sibby forte era a mesma coisa que lhe permitia erguer seus escudos mentais, que nada podia penetrar.

Fora assim que ela lidara com o divórcio dos pais, quando tinha somente 13 anos.

Assim suportara um estupro no dormitório da universidade, aos 17.

Era capaz de amá-lo agora, livre e incondicionalmente, porque sabia como proteger-se caso o mundo desabasse. Assim como parecia que estava acontecendo naquele momento.

Sibby se levantou, quando Dark ainda estava falando.

— Embalei nossas coisas e as mandei para um lugar seguro — dizia ele. — Os cachorros vão para um canil...

Mas Sibby não o ouvia — estava se afastando. Deu alguns passos antes que Dark percebesse que ela se dirigia aos degraus de concreto, caminhando com surpreendente rapidez. Ele atravessou a distância entre os dois e tomou a mão dela. Sibby a retirou.

— Por favor, escute o que tenho a dizer, Sibby. Sua vida está em perigo. É o único motivo pelo qual estou fazendo...

Mas era tarde demais. Os escudos estavam erguidos, e Sibby se fora.

Capítulo 36

V*á embora daqui*, pensava Sibby. Saia do observatório. Atravesse o gramado. Entre no carro e depois desça essa maldita montanha.

Depois de alguns passos ela quase tropeçou, com o tornozelo esquerdo meio torcido, mas equilibrou-se. Não iria cair naquele momento. Tinha de encontrar uma saída. Esconder-se por algum tempo, talvez na casa do pai. Ele morava a apenas uma hora de distância, subindo a costa. Ela se surpreendeu com a rapidez com que o plano se formava em sua mente, mesmo atravessando a praça em direção ao carro.

O que a perturbava era que Steve queria que se separassem. Compreendia que ele desejava protegê-la. Sabia como a cabeça dele funcionava. Era completamente absurdo, e ela queria gritar com ele simplesmente por ter pensado naquilo, mas compreendia.

Sua vida está em perigo. Fora isso o que ele dissera? Não podia entender que em momentos de crise as pessoas tivessem de separar-se; não deveriam ficar mais unidas?

Pensando com sinceridade, não era isso o que a atormentava agora. Era o fato de que ela tinha mentido para Steve naquela manhã.

Não tinha dito que mergulhara num sono estranhamente profundo.

Entrou no carro e girou a chave na ignição.

Não tinha conseguido confessar que sentira dores nos quadris.

Engatou a marcha e começou a descer a montanha.

Nem sequer permitira a si mesma lembrar a pior parte, até exatamente naquele momento, ao virar-se no assento e sentir a fadiga nos músculos internos e nas costas: não era a primeira vez.

Dark esperou alguns momentos e depois atravessou o gramado, entrou no Yukon e disparou pela sinuosa Hollywood Drive atrás dela. Não tanto para interceptá-la nem fazê-la mudar de ideia — francamente isso agora já não importava. O que importava era tirá-la de Los Angeles, fora do alcance do degenerado que parecia ter-se fixado nela.

Olhe para você mesma, Sibby. Tentando com tanta dificuldade controlar suas emoções, mesmo quando está sozinha. Nem sequer se deixa soltar quando ninguém está vendo.

Bem, pensava Sqweegel, observando o monitor em seu porão. *Estou vendo. Mas você não sabe, não é verdade*?

Sibby entrou a toda velocidade na estrada litorânea 101, mudando de pista sempre que possível. Tecnicamente era hora de movimento, mas em Los Angeles sempre parecia ser hora de movimento. Viu uma abertura, apertou o acelerador e passou adiante, procurando nova brecha. Queria ficar o mais longe possível de Steve, do observatório, de *tudo*... por enquanto. Mais tarde pensaria com calma.

Especialmente na sensação dolorida e no que significava.

Dark a seguia pela 101, entrando na cidade pela estrada 110 e depois pela 10, em direção à Pacific Coast Highway. Dali ela tinha duas possibilidades. Podia tomar a saída para a casa deles em Malibu ou poderia continuar em direção ao norte. Se ela passasse além da saída, Dark poderia respirar um pouco. Isso significava que estaria indo diretamente para a casa do pai, que cuidaria dela como um gavião.

Havia um mar de luzes vermelhas diante dele, piscando com diversos graus de intensidade. O tráfego de Los Angeles parecia um organismo vivo, e Dark era o primeiro a reconhecer que Sibby sabia muito melhor do que ele como atravessar o sistema circulatório. Era necessária muita concentração para acompanhá-la.

Sqweegel observava o rosto de Sibby no monitor, em êxtase.

Os seres humanos revelam suas emoções não apenas por meio de palavras, mas também com uma sinfonia de tiques e movimentos faciais. É possível assistir a muitos filmes sem som e acompanhar perfeitamente o enredo. Os detalhes não importavam: a hesitação, o temor, a dor, a perplexidade e a agonia que se manifestavam nos rostos dos atores era o que narrava a verdadeira história.

Os atores, no entanto, não eram melhores do que a realidade.

Para aproveitar aquele espetáculo específico, porém, era preciso ser inteligente.

Os instrumentos dos carros modernos tornavam isso mais fácil. Os aparelhos de GPS eram cada vez mais comuns, e Sqweegel não teve dificuldade em juntar àquele dispositivo uma câmera de controle remoto, utilizando o sinal sem fio já existente, como o que Sibby Dark tinha em seu carro.

Mas já chegava de observar. Era hora de ele entrar no filme.

Sibby ficou surpresa quando o celular começou a tocar as notas iniciais do Jesus Particular.

Agora? Justamente neste momento esse filho da mãe me manda textos?

Ela sabia que não devia prestar atenção e sim concentrar-se na estrada, mas não conseguiu resistir. Tirou o celular da bolsa e olhou a tela.

FOI BOM ESTAR COM VOCÊ OUTRA VEZ ONTEM À NOITE

Sibby teve de ler duas vezes para compreender e no segundo seguinte as entrelinhas explodiram como bombas em seu cérebro. *Ontem à noite*? *Outra vez*? Isso a distraiu do tráfego constante e meândrico da estrada número 10 durante alguns segundos.

Na verdade, bastou um segundo.

Capítulo 37

Sibby enfiou o pé no freio, mas já era tarde e a brecha se tornara estreita demais. O para-choque dianteiro e a grade do radiador se soltaram com a força do impacto, seguidos uma fração de segundo depois pelo capô, que foi arrancado e lançado contra o para-brisa. O vidro explodiu. Por instinto ela continuou a apertar o freio, para fazê-lo funcionar, como se a pressão maior fosse capaz de minimizar, ou de alguma forma desfazer, os danos que continuavam a ocorrer em torno dela. Mas ela vinha a mais de 90 quilômetros por hora e a brecha era pequena demais para que o sistema de freio pudesse ter evitado o choque.

Após um décimo de segundo a bolsa de ar se abriu diante do rosto de Sibby, ameaçando invadir o nariz e a boca. O volante ficou torcido sob as mãos dela, o pedal do freio se partiu sob seu pé e a coluna da direção avançou para ela, como se fosse atravessá-la. No entanto, o impacto lançara seu corpo para a esquerda e a coluna não a atingiu, e nem ao bebê dentro dela, por uma questão de centímetros.

A coluna atravessou o assento do passageiro, rasgando o estofamento e amassando as molas.

As portas dianteiras de ambos os lados se soltaram das dobradiças. O assento traseiro, arrancado da estrutura, se chocou contra o de

Sibby. Nessa altura ela já tinha sido arremessada do veículo, voando pelo espaço em direção à barreira de concreto que separava a pista por onde ela corria dos motoristas horrorizados que vinham em sentido contrário.

Tudo isso durou menos de um segundo.

Na verdade, o dedo de Sqweegel ainda apertava o botão ENVIAR.

Dark estava a 400 metros de distância, mas era o mesmo que estar a 1.000 quilômetros dali.

Apertou o acelerador e disparou pela estrada número 10 como um piloto camicase decidido a chegar ao local mais rapidamente do que qualquer outro, serpenteando por entre os outros carros, cujas luzes vermelhas traseiras brilhavam enquanto paravam.

O Yukon parou, derrapando. Dark saltou antes que o veículo se imobilizasse completamente e saiu correndo para a cena do desastre, algumas dezenas de carros adiante. A cada passo lhe parecia estar em uma esteira rolante que o levasse para trás. As solas dos pés queimavam ao bater no asfalto e erguer-se novamente. Faltava-lhe ar. Por mais que inspirasse, não conseguia correr com a rapidez desejada.

Por favor, que não seja o carro dela, era a prece que lhe corria pela mente, mas ele sabia que era inútil. Era como se seu sangue soubesse antes dele, já tivesse recebido a informação diretamente do local do acidente: *Era, sim, o carro de Sibby.*

Dark finalmente chegou ao veículo acidentado, segundos mais tarde.

Meu Deus, era mesmo o carro de Sibby.

O veículo era como um brinquedo quebrado em meio à desordem de um quarto de criança. Pedaços de plástico e metal estavam espalhados pela estrada.

Lá estava Sibby, deitada em meio aos destroços, sem se mover.

Sem respirar.

Dark deu um salto por cima do carro e agachou-se ao lado dela. As mãos tremiam, até que ele conseguiu acalmar-se. Em seguida virou a cabeça dela para si, grudou os lábios nos dela, soprou e começou a fazer compressões no peito, mas de repente viu a grande mancha que se espalhava por sobre a barriga dela. Oh, meu Deus, não. Rasgou a camisa, sentindo as costuras se romperem quando não cediam imediatamente e colocou-a sobre o estômago dela.

Dark sabia que os músculos em torno de um feto são extraordinariamente fortes. Uma verdadeira muralha se forma nas mulheres a fim de proteger a vida lá dentro, e é preciso muita força para romper aquela armadura.

No entanto, o sangue continuava a espalhar-se, como um tinteiro vazando sobre uma toalha de mesa imaculadamente branca.

As câmeras remotas dentro do carro de Sibby tinham ficado completamente inutilizadas, mas Sqweegel já esperava por isso. Apertou algumas teclas e em poucos instantes encontrou as câmeras de tráfego da estrada número 10 que procurava. Quando a imagem reapareceu, uma ambulância e um carro de bombeiros avançavam em meio ao tráfego em direção ao local do acidente.

— Não se preocupe, Dark — disse Sqweegel em voz baixa, observando a diminuta figura do homem na tela. — O Hospital Socha de Los Angeles é bem perto. Ela vai chegar lá a tempo.

Com o dedo envolvido em látex, ele tocou e acariciou a imagem borrada de Sibby, imaginando que a estava acalmando.

— Afinal — continuou ele —, precisamos fazer todo o possível para proteger o bebê.

Capítulo 38

Malibu, Califórnia
21h14

Então é isso o que as pessoas possuem na vida real, pensou Riggins. Muitas coisas bonitas. Riggins também achava que poderia possuir coisas belas, desde que não se importasse em viver numa casa, espanando a poeira.

Os carregadores iam levando as últimas caixas. Riggins os contratara pessoalmente, uma empresa que encontrara na internet chamada Estudantes Com Fome. Parecia suficientemente estranha para inspirar confiança. Riggins telefonou, disse que tinha pressa e que seriam generosamente recompensados pela rapidez. Não se sabe se realmente eram estudantes, mas naquela noite não passariam fome.

Também seria difícil que tivessem qualquer ligação com Sqweegel: Riggins os encontrara por acaso em meio a uma lista geral.

— Tiraram tudo? — perguntou ele.

— Sim, acho que sim — disse o chefe.

— OK — disse Riggins. — Siga aquele carro. Ele indicará o caminho.

O carro não tinha insígnias — era do FBI. Dois homens que Riggins conhecia e nos quais confiava, tanto quanto é possível confiar em alguém.

Afinal, aquilo não tinha muita importância, pois o material seria levado ao depósito de outra empresa, também escolhida ao acaso por Riggins. Se Sqweegel quisesse descobrir o paradeiro dos pertences de Dark, teria de se esforçar muito. Poderia então se divertir com o serviço de cristal e enfiar um candelabro no...

Isso porque Dark somente reclamaria seus pertences depois que Sqweegel estivesse morto. Caso contrário, quem morreria seria Steve, e então a mobília não lhe serviria de grande coisa.

Por outro lado, Sibby... bem, ela poderia se importar.

Riggins se sentiu um tanto embaraçado, embora aquilo fosse o melhor que podia fazer. Tinha sido ideia dele mesmo.

Em parte ele se preocupava sinceramente por Dark e Sibby. Se aquele maníaco conseguira entrar na casa, repetiria isso muitas vezes, impunemente. Não havia hipótese de que qualquer dos dois passasse mais uma noite naquela casa.

Também, para ser honesto, ele queria que Dark ficasse inteiramente entregue à missão, pois de outra forma poderia acabar sendo morto. Dark não se concentraria se Sibby estivesse com ele. Não, era melhor deixá-la sob os cuidados do pai enquanto Dark se dedicava à tarefa que tinha diante de si.

O caminhão da mudança arrancou. Riggins fez mais uma revista na casa com uma lanterna elétrica, para ter certeza de que não faltara nada, ou de que tudo tinha seguido.

A casa estava inteiramente vazia. Ele já ia trancar a porta quando ouviu um ruído no andar superior.

Água pingando.

Não, não seria uma surpresa. Era bem o estilo dele. Ficar escondido num espaço pequeno, esperar que todos saíssem e então, no último momento possível...

Bem, quero que ele se foda, pensou Riggins, sacando a arma. Quase desejava que o filho da mãe estivesse lá.

Quase.

Subiu devagar a escada, com as veias pulsando a cada batida do coração. Já não eram pingos, e sim uma catadupa que saía de alguma torneira.

Caminhou pelo corredor, aproximando-se do lugar de onde vinha o som de água corrente.

E se fosse um dos estudantes com fome, lavando as mãos após ter feito xixi? Podia ter se atrasado enquanto os companheiros partiam. Não merecia levar uma bala na cabeça só porque tinha precisado ir ao banheiro.

Por isso, Riggins bradou: *FBI!*

Não houve resposta.

Mais adiante, ainda no corredor, Riggins percebeu que a fonte do ruído era o quarto do casal. Estava mais forte agora. Muita água. Riggins encostou o ouvido na porta, prestando atenção.

Era uma banheira se enchendo. Um barulho conhecido, de quando ele ainda estava casado. Suas ex-mulheres adoravam um banho de banheira.

Riggins deu um passo atrás. Agora ou nunca. Deu um forte pontapé na porta, logo abaixo da maçaneta. A porta se abriu. Ele entrou com um salto, girando a pistola para a esquerda, direita, centro.

O banheiro estava cheio de vapor. Riggins examinou o único espaço adicional: o armário.

Nada.

Fechou a torneira de água quente, deixando que o vapor se dissipasse. Um pouco de água ainda pingava na banheira.

Ping.

Ping.

Ping.

O ruído o fez olhar para o chão. Ali, sobre os ladrilhos brancos, havia uma pequena pena de ave. Steve e Sibby não tinham pássaros. Os cães provavelmente tratariam de comê-los.

Nesse caso, o que aquela pena estaria fazendo ali?

Riggins apanhou cuidadosamente a ponta fina e dura entre os dedos e ergueu a pena ao nível dos olhos. Cinza escuro, com pintas de um marrom rosado na parte lateral. Ele nada entendia de pássaros — sabia que alguns voavam, outros não, e que outros eram ótimos com molho e recheio. Mas havia gente na Divisão capaz de determinar a ordem, a família, o gênero e a espécie.

Mas o que preocupava Riggins não era o tipo de pássaro. Seria possível que Sqweegel tivesse deixado a pena ali? Isso não parecia provável. O sujeito que nunca deixa nem mesmo uma célula de pele de repente deixa uma pena de pássaro? Não, tinha de haver outra explicação.

Talvez um passarinho tivesse entrado pela vidraça quebrada, esvoaçado por ali e fugido para outro lugar da casa. Mas se esse era o caso, por que motivo Riggins não vira outros indícios de ave ou de penas em outros lugares? Ele próprio tinha supervisionado o empacotamento das coisas de Dark e Sibby.

Talvez fosse mesmo coisa de Sqweegel. Talvez ele estivesse se descuidando.

Enquanto pensava, procurando mais penas no banheiro, o vapor se dissipou, e à medida que tudo ia ficando mais claro, o que estava escrito no espelho começou a aparecer.

Era um número de telefone, escrito com o que parecia ser um dedo de criança.

Riggins ficou de pé, abriu o celular e tirou uma foto, antes que o número desaparecesse. Em seguida começou a apertar as teclas.

Para chamar o assassino, acesse grau26.com.br e digite o código: 1 por dia

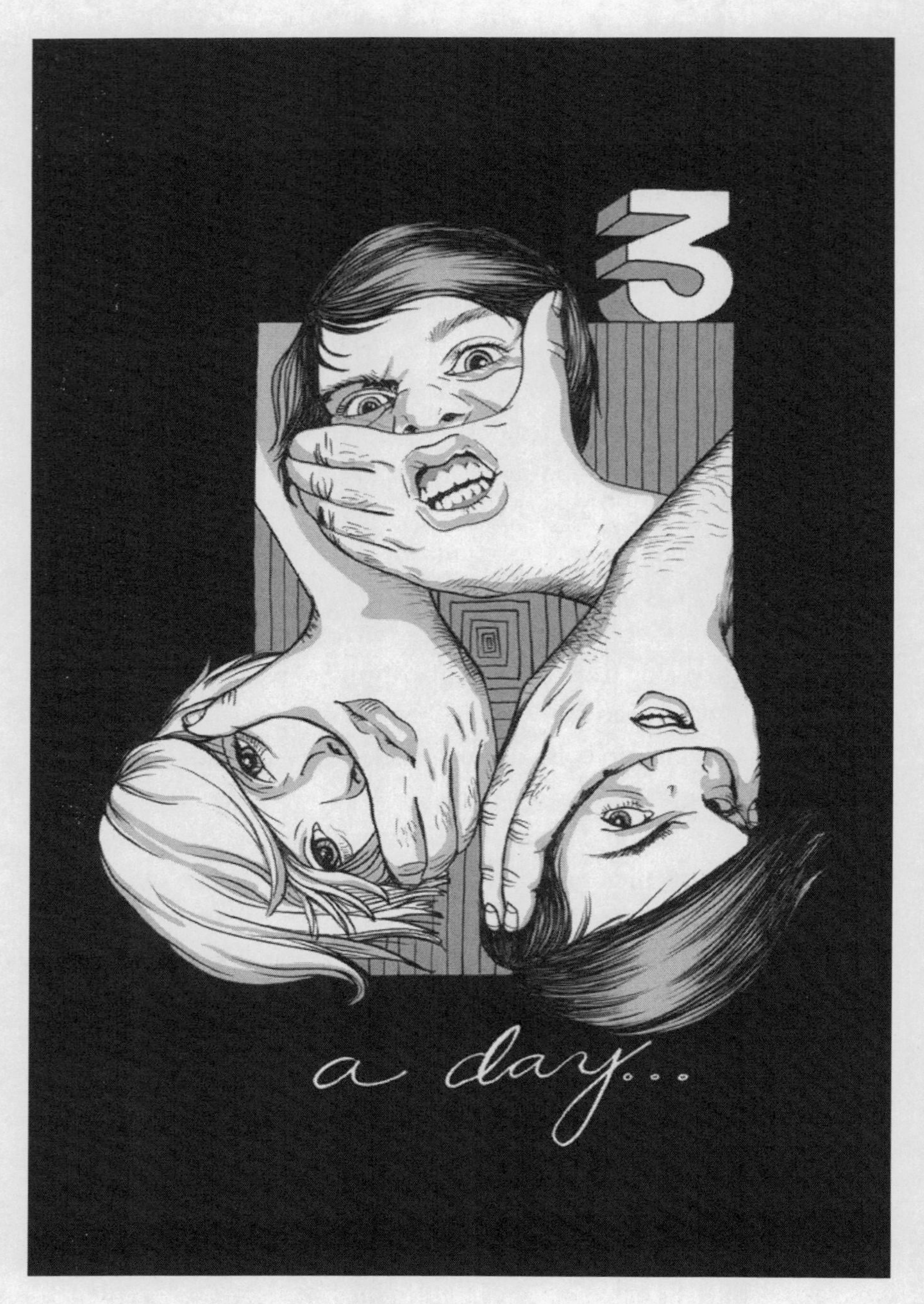

"Três por dia..."

Capítulo 39

Hospital Socha / Los Angeles
22h05

Quando Riggins voltou, suado e ofegante, encontrou Dark sentado na sala de espera. Evidentemente tinha corrido para lá depois de receber a mensagem de texto de Dark sobre o acidente, e tinha feito algumas chamadas telefônicas no caminho.

— Vamos deixar dois guardas de vigia, 24 horas por dia — disse Riggins —, e já tenho uma equipe examinando os destroços em busca de algum indício.

Mas Dark mal o ouvia. Sabia que Riggins procurava encorajá-lo. *Não se preocupe. Estamos cuidando de tudo. Não vai acontecer nada com ela. Tudo vai sair bem.* Em outras palavras, as mentiras costumeiras.

Em vez disso, Dark pensava nos procedimentos em curso fora de suas vistas, em outra parte do hospital. Atrás das persianas, atrás das paredes, depois do corredor e de mais uma parede branca...

... onde Sibby jazia com agulhas de soro nos braços, ataduras nas pernas, um tubo na garganta. Tinham tirado as roupas dela e começado a trabalhar imediatamente. Havia muito a estabilizar: a cabeça, o coração, os pulmões, a hemorragia interna.

O amor de sua vida estava em uma sala de cirurgia, com médicos e enfermeiras em volta, todos concentrados na mesma tarefa: salvar o bebê.

Dark respirou lentamente, com as narinas repletas do cheiro dos produtos usados para limpar as salas de espera de hospitais. Procurou se esforçar para imaginar-se na sala de cirurgia com Sibby, só para estar junto dela. Para que ela soubesse que não estava sozinha.

Mas não podia esquecer a gravação que acabara de ouvir. As palavras que escutara ao discar aquele número no telefone afastaram seu pensamento de Sibby. Eram ditas num tom infantil, porém sinistro. Algo que ele nunca ouvira antes.

A voz de seu adversário.

Um por dia vai morrer
Dois por dia vão chorar
Três por dia vão mentir
Quatro por dia vão suspirar...

Recitava aquela doentia e provocante cantiga infantil, palavras que outras crianças no parquinho cantavam para assustar as outras e fazê-las chorar e correr para o colo da mamãe. Parecia vagamente conhecida, mas Dark sabia que não eram palavras que tinha ouvido quando era criança. De onde vinha aquela letra?

No tempo em que ele ainda estava perseguindo Sqweegel, tinha apenas lembranças de segundo grau. Lembrava-se da diferença por ter frequentado uma escola primária católica: as relíquias de segundo grau eram os objetos que tinham sido tocados por um santo. Livros sagrados, um crucifixo que um santo tivesse empunhado, um fragmento de camisa ou de manto.

As relíquias de Sqweegel eram de outro tipo. Corpos mortos, dilacerados, torturados. Mensagens escritas com sangue das vítimas. Armários onde ele tinha se escondido.

Nada que fosse pessoalmente dele. Era demasiado cuidadoso, demasiado metódico para que surgisse algo.

Em outras palavras, não havia relíquias de primeira categoria — partes dos próprios santos. Um fragmento de osso, um fio de cabelo, uma unha cortada, um pouco de tecido muscular.

Agora, finalmente, tinha chegado uma relíquia de Sqweegel de primeira categoria: uma amostra da voz dele.

Depois de ouvir, Dark teve dificuldade em esquecer o que ouvira. As palavras pareciam penetrar na massa bulbosa de seu cérebro, criando seus próprios ecos. Era possível silenciar a fonte, mas não o eco constante:

Cinco por dia vão questionar
Seis por dia vão fritar.

Dark devia estar pensando em Sibby e no filho de ambos, e não gastar a energia mental com aquelas coisas.

Riggins continuava a falar, explicando que informara pessoalmente os policiais sobre as capacidades de Sqweegel. Não iam deixá-lo aparecer naquela sala escondido embaixo de uma maca de rodas ou dentro de um aparelho de raios X. Eles tinham de revistar tudo o que fosse maior do que um copo de geleia. Precisavam verificar até mesmo os copos de geleia, para estar seguros.

Dark balançou a cabeça, como se estivesse ouvindo, mas na verdade queria parar de ouvir as palavras da letra.

Era como se a voz de Sqweegel tivesse sido programada geneticamente para provocar uma forte reação física em Dark, como um vírus de gripe atacando um paciente. Era muito difícil bloqueá-la.

Sete por dia...
O que será...

Os dedos de Riggins tocaram o braço dele.

— Ei. Os médicos disseram que ela ainda vai ficar lá dentro algum tempo. Por que não vai dar uma volta para espairecer? Eu ficarei aqui.

Depois de alguns instantes Dark finalmente concordou. Foi andando pelo corredor cheio de gente e saiu do hospital. Havia apenas um lugar onde ele podia pensar em ir.

Capítulo 40

Em algum lugar em Los Angeles

Sqweegel girou a tampa de metal e colocou-a no chão a seu lado. Depois virou o cilindro, também de metal, de cabeça para baixo. O pó branco — bicarbonato de sódio — caiu no chão com um ruído surdo.

Esfregou um pouco com um trapo, limpando a maior parte do bicarbonato. Não era necessária uma limpeza perfeita. Normalmente, Sqweegel se preocuparia. Prestaria atenção em todas as partículas de pó e acabaria limpando o interior durante horas.

Mas hoje, não. Não havia tempo. Assegurou a si mesmo que estava apenas sendo prudente e tratou de iniciar o segundo passo.

Colocou uma ponta de um pedaço de tubo transparente dentro de um tambor de metal enferrujado e a outra ponta na boca. Sugou três vezes, até que o líquido encheu-lhe parcialmente a cavidade bucal. Com o polegar tapou a ponta do tubo, girou-o acima do cilindro e soltou o dedo.

O líquido desceu livremente. Sqweegel gostou do som que produzia, batendo no metal. A fumaça tomava conta de suas narinas. O lembrava de estar deitado na parte traseira de uma camionete, ouvindo o pai ou a mãe ou um jovem universitário ou qualquer pessoa que enchesse o tanque do velho veículo da família para uma longa viagem pela rodovia. Uma viagem que jamais chegaria ao fim.

Por enquanto, era o suficiente. Sqweegel sabia que facilmente se perdia em suas antigas lembranças. Bastava um som, um aroma, uma textura.

Além disso, ainda tinha de encher mais quatro cilindros.

Quando tudo ficou pronto, com os medidores de pressão e mangueiras no lugar, havia cinco extintores de incêndio enfileirados no chão.

Sqweegel ainda tinha na boca um pouco do líquido, que ficara do último tubo. Tirou da caixa de ferramentas um isqueiro a gás. Com o polegar, fez surgir a chama. Cuspiu o líquido sobre o fogo e...

Vush!

A bola de fogo iluminou por um breve instante o cômodo à sua volta: as poltronas de escritório, os armários de metal, o chão de ladrilhos, as cadeiras de madeira. Um quarto de depósito quase esquecido, abaixo da agitação dos andares superiores.

O tipo de depósito onde ficam guardados velhos extintores de incêndio e latas de gasolina para os geradores de emergência.

O tipo de depósito que não costuma ter boas fechaduras e nem segurança adequada.

Capítulo 41

Hollywood, Califórnia
22h43

Dark ficou olhando a imensa cruz iluminada por trás. Por um instante sentiu-se novamente criança, no tempo em que pela primeira vez tinham lhe falado em Deus.

Lembrou-se de seus 3 anos, de pé entre os bancos da igreja, com o pai biológico dizendo a ele: *Enquanto você puder orar a Deus, tudo estará bem*. Pensou em Sibby na mesa de cirurgia, em Riggins de guarda nas proximidades e ficou pensando onde estaria seu pai. Já não o via há mais de trinta anos. Tinha pouquíssimas lembranças dele, e muito difusas. Mas a fé do velho em Deus sempre lhe fizera companhia, e ele esperava com fervor que essa fé fosse recompensada agora.

O pai adotivo também sempre tinha sido religioso. A fé, como ele uma vez lhe explicara, era tudo. Muitas histórias bíblicas ilustravam o poder da fé. Abraão, no momento de imolar o filho; Jonas, no ventre de um imenso animal; Jó, suportando tormentos que pareciam infindáveis. Mas, no fim, a fé e a oração os salvaram. Steve tinha crescido com essa crença.

Mas eles não falavam em todas as *dificuldades*.

Esperavam até que você ficasse um pouco mais velho.

Dark se afastou do Yukon preto, apertou a trava de segurança e se aproximou dos portões de entrada da Igreja Metodista Unida de Hollywood, na rua Franklin. Não tinha sido educado na fé metodista, mas gostava de ir àquela igreja de vez em quando.

Talvez fosse porque ela resistia em meio à cidade de Hollywood, poucas quadras além do teatro chinês Grauman e das praças com holofotes e elefantes de estilo babilônico, com as patas levantadas em adoração do Grande Deus do Cinema. Se você quiser subir a um terraço e ter a melhor vista do cartaz com os dizeres HOLLYWOOD, não poderá fazê-lo sem que a Igreja Metodista Unida apareça em seu campo de visão. Isso é que era resistência. Dark a admirava.

A igreja era também o lugar em que ele podia ser verdadeiramente anônimo. Não costumava frequentá-la regularmente, e nem qualquer pessoa que ele conhecesse.

Aliás, em geral ele não comparecia aos serviços religiosos. Preferia estar na igreja a sós. Somente a solidão o ajudava a organizar os pensamentos.

Dentro da igreja tudo estava silencioso como um túmulo. Cada passo ecoava nas paredes de mármore. Na parte da frente, seis padres ajoelhados diante do altar, com as cabeças curvadas, oravam em silêncio. Do lado esquerdo, um homem sozinho, de sobretudo, estava de pé diante de uma fileira de velas, acendendo-as uma a uma com um longo fósforo de madeira. Terminou a tarefa, colocou o fósforo a um lado, abaixou por um instante a cabeça e saiu da igreja. Talvez fosse um dos últimos em Hollywood. Um dos últimos verdadeiros crentes.

Dark ainda acreditava.

Acreditava realmente. Nada que ocorrera em sua vida era capaz de abalar a ideia fundamental de que existia um Deus.

Mas a benevolência de Deus ainda não o tinha favorecido.

Você pode rezar. Pode ter fé. Pode passar a vida com o único objetivo de fazer o bem. Pode fazer todo o esforço para equilibrar esse objetivo com o de ser bom pai e bom marido.

Pode escovar os dentes três vezes por dia e usar o fio dental. Pode ajudar velhinhas a atravessar a rua. Pode abster-se do vício e outros excessos.

Mesmo assim, Deus pode tirar tudo de você.

Ou pior ainda: deixar que as coisas aconteçam.

Não era o Deus do menino de 3 anos. Era um Deus real, com a máscara arrancada, revelando indiferença sobrenatural.

Essa era a dificuldade.

Mesmo assim, Dark o procurava.

Escolheu um lugar no meio do mar de bancos, pôs-se de joelhos e começou a rezar o Pai-Nosso, procurando se concentrar nas palavras. Uma recitação murmurada de algo que você decorou não é uma oração; se fosse assim, um robô seria capaz de rezar. Mas quanto mais Dark se concentrava nas palavras, mais pensava em Sibby. *Seja feita a vossa vontade*. Qual seria a vontade? O corpo dela caído no meio do asfalto ardente de Los Angeles? *O pão nosso de cada dia nos dai hoje.*

Não nos deixeis cair em tentação.

Mas livrai-nos do mal.

Dark rezou da melhor maneira possível, e depois deixou que a mente ficasse em branco. Talvez agora finalmente Deus falasse com ele. Talvez já tivesse havido indiferença suficiente e Deus percebia o que tinha acontecido e diria: *Ah, é você. Não tinha pensado em você desde que você tinha 3 anos...*

Nada, porém. Ainda havia um silêncio mortal na igreja. Dark podia ouvir as juntas estalando ao mudar de posição no genuflexório de madeira.

Deus não estava prestando atenção naquele dia.

Dark levantou-se e observou os seis padres em sua vigília.

Talvez tivessem encontrado a linha direta. Talvez fosse assim que era preciso fazer.

Caminhou para o fundo da igreja e ficou olhando a fileira de velas que o último verdadeiro crente havia acendido. Elas iluminavam uma imagem próxima de Jesus na cruz. Tinha pelo menos 3 metros de altura, entalhada à mão.

Seria assim que as coisas funcionavam? Seria preciso sofrer como ninguém sofrera antes, só para receber um aceno do Pai?

Talvez, pensou Dark, *ele pudesse dar algum conselho ao filho.*

De repente, sem pensar no que fazia, viu-se caindo de joelhos e abrindo-se. Não em lágrimas, não em oração, e sim com palavras claras.

— Por favor, não a tire de mim — disse ele, baixinho. — Por favor, não deixe o bebê sofrer. Eles são inocentes. Se precisar levar alguém, leve a mim. Não tenha misericórdia por minha alma. Tenha piedade deles...

As palavras lhe saíam da boca em turbilhão. Após um instante, não saíram mais.

Dark fez o sinal da cruz e saiu da igreja.

Capítulo 42

Poucos minutos depois, os pés de Jesus estavam pegando fogo. Bastou um fósforo, encostado a seu divino pé esquerdo. Madeira coberta de tinta. Não era um milagre. Coisa muito fácil. Depois as chamas passaram para a linha de fluido combustível que levava à fileira de velas votivas, alimentando as labaredas na base da cruz.

O fogo começou no momento em que Dark saía da igreja. Naturalmente era algo planejado. Se sentisse o cheiro de fumaça, ficaria ali até encontrar uma maneira de extingui-lo. E esse não era o objetivo — fazer com que Dark lutasse contra um incêndio.

Não, a ideia era que ele se voltasse e visse uma trilha de fogo infernal por onde havia passado.

Sqweegel colocou o fósforo na caixa de esmolas de metal e depois subiu as escadas de mármore até o coro, o que lhe daria uma vista geral. Ainda estava usando o sobretudo, e por isso tirou-o. Queria que o Criador o visse da maneira que o tinha feito.

Glorioso.

O padre que estava mais à esquerda dos seis foi quem notou primeiro — o som crepitando. Olhou para a direita, depois para o teto por algum motivo, e finalmente.... *Ah, agora sim, padre. O senhor é muito corajoso. Esse som estranho que vem dos fundos da igreja, próximo da fileira de velas votivas. Somos a luz do mundo, proclamam elas.*

Mas eram também fantasticamente combustíveis.

Quando o padre conseguiu levantar-se e bater no ombro do companheiro mais próximo, a imagem entalhada à mão de Jesus já estava completamente envolta em chamas.

Esse é o sinal, pensou Sqweegel.

O ponto de observação no coro era perfeito para assistir à dança de pânico que se seguiu. Três padres correndo por um lado dos bancos, dois pelo outro. Todos chegando perto para contemplar o milagre. Somente um deles agia de maneira prática. Correu à sacristia para pegar o extintor mais próximo.

Enquanto isso, os outros cinco servos de Deus chegaram perto do fogo, como se pudessem apagá-lo com uma aspersão de água benta.

O sexto correu pela ala central com um extintor de incêndio em cada mão. Realmente sabia o que fazia. Gritou para os colegas, entregando um dos extintores.

A fé, o mistério e o sagrado terror deram passo à lógica fria: era preciso apagar o fogo antes que toda a igreja, que era construída com muitas toneladas de madeira, também se incendiasse.

O sexto padre foi o primeiro. Tirou o pino de segurança. Apontou a mangueira de borracha para os pés de Jesus e puxou a alavanca. Mas o que jorrou da mangueira não foi bicarbonato de sódio. Foi gasolina.

Uma fina linha de fogo correu pelo jato de gasolina até o extintor...

Ka-BUUUM!

O extintor de metal explodiu nas mãos do sexto padre e a bola de fogo que se formou engoliu os dois sacerdotes que estavam mais perto.

Mas o outro padre com o extintor não entendera ainda. Viu as terríveis explosões, viu os corpos de seus irmãos consumidos pela fúria das labaredas; mas naquela fração de segundo, presumiu que fosse um escapamento de gás ou uma bomba.

Não havia razão para suspeitar do extintor que tinha nas mãos, que o padre acreditava ser a única coisa capaz de salvar a vida de seus colegas. Tirou o pino, gritando, e correu na direção do primeiro corpo em chamas e puxou a alavanca, procurando ao mesmo tempo recitar uma oração.

Chegou até a "Ó Pai Celestial" antes de ser despedaçado, com a cabeça e os ombros viajando em direção ao céu e o torso arremessado para a parte traseira da nave.

Sqweegel observava, a seis metros de altura. Sentiu o calor no rosto, purificando-o. O cheiro doce de carne queimada penetrou em seus poros.

Aquilo tinha saído melhor do que ele imaginara.

Olhava agora os dois padres restantes, cujas carnes não estavam se derretendo junto com os ossos, e que procuravam encontrar uma saída. Aquilo era extraordinário, a lógica se desmoronando sob a pressão, dando lugar aos movimentos frenéticos.

Imediatamente correram para a entrada. Naturalmente, era o mais sensato. Para que correr por toda a igreja, atravessar a sacristia, descer um lance de escadas e passar pelo saguão da reitoria para finalmente sair pela porta lateral? Por que não usar a saída a poucos metros de distância?

Porque as portas da frente estavam trancadas com grossas correntes.

Sqweegel as tinha posto lá, logo depois que Dark saíra.

Porém, nesse ponto a lógica desaparece. Bastava um puxão para entender que essas portas não se abririam. Você ouve o ruído das correntes, a batida dos elos contra a porta de madeira, e percebe: *Bem, estas portas estão trancadas com correntes. Vamos procurar outra saída.*

Mas aqueles padres não fizeram isso. Estavam em pânico, não conseguiam fazer esse raciocínio. Ficaram puxando as portas e gritando enquanto as pesadas correntes golpeavam a madeira, como se seus gritos pudessem ser interpretados por Deus como uma oração e um pedido de intervenção divina. Um toque dos céus e as correntes desapareceriam.

Deus, porém, não os ouviu, ou talvez tivesse se recusado a atender ao pedido. As correntes continuaram enroladas nos puxadores decorados da porta, firmes como sempre.

Quando os dois padres perceberam a imprudência e quiseram correr pela igreja, já era tarde demais.

Sqweegel se afastou da igreja em seu carro, murmurando para si mesmo:

O inferno ficou maior.

E as chamas estavam famintas.

Capítulo 43

Hospital Socha
23h31

Como tinha prometido, Riggins estava na sala de espera amplamente iluminada, mantendo cuidadosa vigília. Dark sentou-se ao lado dele e depois apertou a testa com os dedos.

— Nada ainda? — perguntou.

— Não. Ela ainda está na cirurgia. O médico pôs a cabeça para fora por alguns segundos, mas não quis falar comigo. Vou ver se agora ele vem.

— OK.

— Ah, Wycoff ligou, perguntando por que ainda não pegamos o Sqweegel, agora que você voltou. Juro por Deus, se puder ficar sozinho numa sala com aquele filha da mãe metido a besta...

— Esqueça-o — disse Dark. — Temos de nos concentrar na missão.

— Bem, você pode esquecê-lo, mas eu tenho de lidar com ele, chamando de hora em hora.

Dark sentou-se novamente. Nada tinha mudado na sala de espera. Os mesmos rostos. A mesma pilha de revistas de fofocas, sem serem lidas. A mesma mistura de suor, café e desespero. A mesma televisão, o mesmo canal... que agora trazia o noticiário da noite.

Dark foi o primeiro a ler o texto em letras de forma na base da tela:

IGREJA METODISTA UNIDA DE HOLLYWOOD

Em seguida a entrevista do chefe de polícia do norte de Hollywood, falando ao microfone da estação KCAL9:

...sabemos que há seis mortos. O corpo de bombeiros informou que as portas estavam trancadas. Bem, tem havido muitos roubos no bairro, mas em vez de evitar a entrada dos bandidos as portas bloquearam os bons cidadãos no lado de dentro.

Dark não entendeu. Tinha acabado de sair de lá. Quanto tempo tinha levado para vir até o hospital? Vinte minutos, naquela hora da noite? Meia hora, no máximo?

— Falando ao vivo de Hollywood, o repórter...

O BlackBerry de Dark tocou. Ele o tirou do bolso e viu a nova mensagem. Apertou o botão e seu sangue gelou.

Para receber uma mensagem de texto de Sqweegel, acesse grau26.com.br e digite o código: eliminar

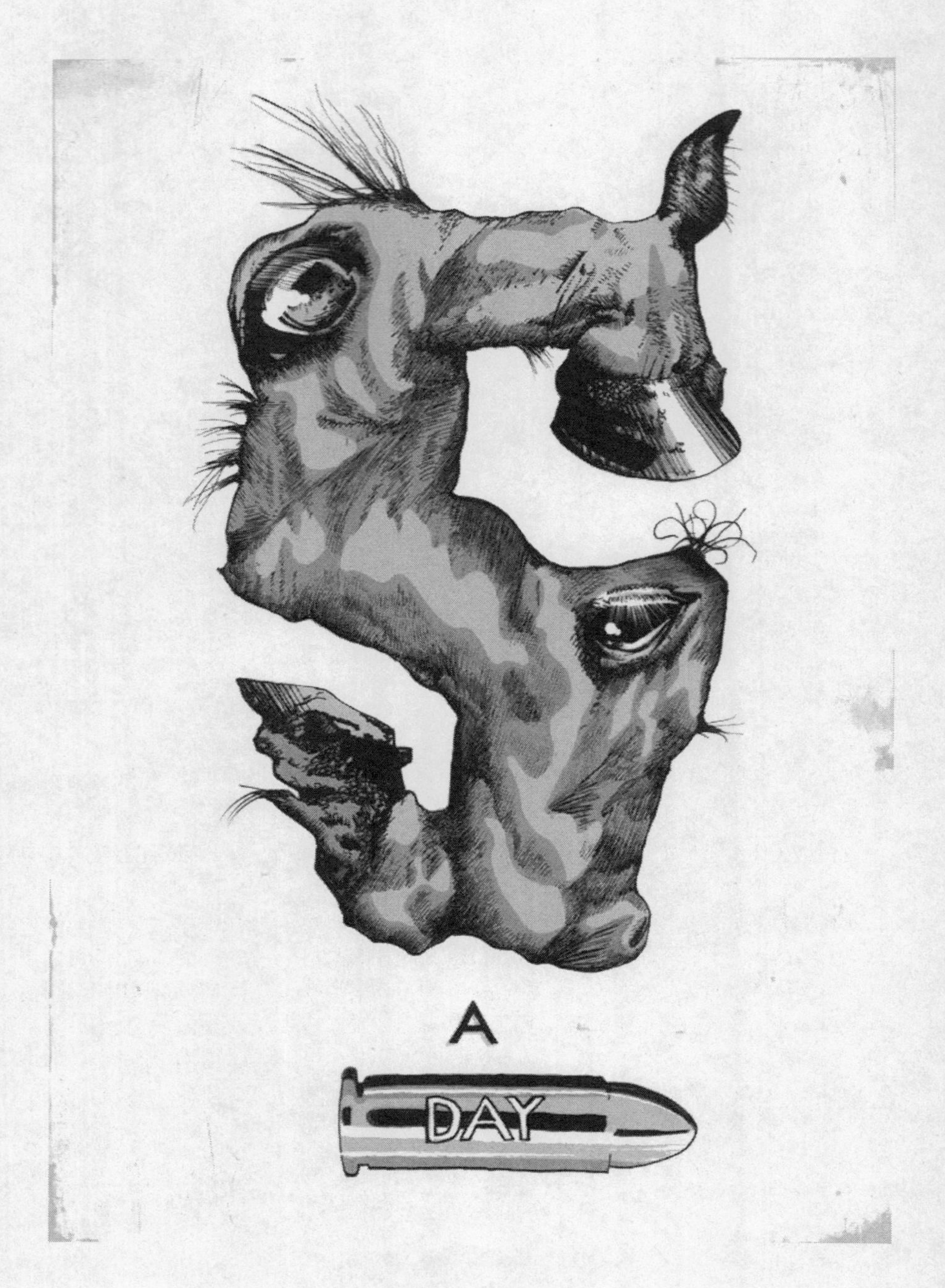

"Cinco por dia"

Capítulo 44

Hospital Socha / Unidade de Terapia Intensiva
Quinta-feira / 12h09

Dark observava as máquinas apitando e pulsando, monitorando, injetando, calculando e apresentando os dados. Faziam seu trabalho de forma eficiente, isenta, automática. O trabalho era manter vivo o seu amor.

Às vezes ele desejava também ser apenas uma máquina. Pense nisso: sua tarefa diária poderia ser pouco mais do que executar funções básicas, sem emoções perturbadoras atrapalhando as rotinas diárias. Fazer o que tinha de ser feito, alimentar e exercitar o corpo até que ele chegasse ao fim. Mas isso também não importava, porque novas máquinas apareciam todos os dias. A máquina que você é não é coisa vital, pelo menos no esquema maior das coisas.

Depois pensava em Sibby e em como somente com ela seria capaz de se libertar, de poder sentir novamente. E era tão bom poder sentir. Sentir que a vida era mais do que uma série de funções básicas, executadas por rodas dentadas anônimas numa máquina grande demais para poder ser vista. Sem ela... bem, sem ela Dark sabia que voltaria a ser pouco mais do que uma máquina.

O cirurgião-chefe, homem de peito amplo e mãos estranhamente finas, interrompeu-o com uma batida curta na porta.

— Sr. Dark?

— Sim — Dark olhou para baixo e percebeu que estava agarrando os dedos de Sibby. Era nisso que podia agarrar-se, devido às agulhas de soro presas com fita adesiva nas costas das belas mãos dela.

Uma hora antes, na sala de espera, o cirurgião tinha dito a ele que a operação havia sido "um sucesso". De alguma forma a palavra parecia não ser adequada ao contexto. O cirurgião explicou que todas as hemorragias internas de Sibby tinham sido estancadas e que o bebê estava estável... por enquanto. Havia outro problema que eles estavam observando: um aumento das toxinas no corpo. Depois de alguns testes poderiam ter uma ideia mais clara. Até que isso acontecesse, disseram eles a Dark, era melhor esperar e rezar.

Como aqueles padres, na igreja? Teriam morrido simplesmente porque Dark havia escolhido aquela igreja para ter alguns minutos de paz?

Sqweegel estaria vigiando de dentro da igreja, como havia feito em Roma, esperando que Dark saísse? Ou estaria escondido em algum lugar, ateando o fogo por algum dispositivo remoto e depois riscando o verso de seu poema doentio:

Seis por dia vão fritar.

O cirurgião voltara agora, sobressaltando Dark, que estava imerso em seus próprios pensamentos.

— Acabamos de receber os resultados dos exames de laboratório — disse ele. — O fígado de Sibby está em perigo.

— O quê?

— Achamos que foi atingido no acidente.

Dark olhou para Sibby, que tinha os olhos fechados e estava rodeada de esparadrapos e máquinas.

— Normalmente — prosseguiu o cirurgião — seria preferível retirar logo o bebê; ele já avançou bastante e teria boas possibilidade de sobreviver fora do ventre. Mas agora não há hipótese de fazer uma cesárea. Quando o fígado não funciona bem, é difícil suportar o choque de uma cirurgia. Há um risco muito alto de que ela morra de hemorragia.

— Quais são as alternativas? — perguntou Dark.

— Não são muitas e nem são boas — respondeu o médico. — O tempo está passando. Podemos fazer uma cesárea e em seguida um transplante de fígado, se tivermos a sorte de encontrar um doador a tempo. Mas esse procedimento é muito complexo, e não é executado com grande frequência.

— E o que acontece quando é executado?

O cirurgião baixou a cabeça.

— Raramente tem sucesso.

Dark olhou o rosto inconsciente de Sibby. Sabia o que ela diria: tire o bebê, esqueça-se de mim: o importante era o bebê.

Mas ele não seria capaz de pedir essa solução, especialmente havendo a possibilidade de que ela resistisse por si mesma. O cirurgião não tinha dito que havia essa possibilidade, mas ele não conhecia Sibby e não sabia como ela era lutadora.

— Devo colocá-la na lista dos transplantes urgentes? — perguntou o médico. — Se acharmos que ela poderá vir a precisar, é melhor colocá-la na lista imediatamente.

— Quanto tempo ela tem? — perguntou Dark.

— Temos um intervalo de cerca de 72 horas. A menos que ela entre em trabalho de parto.

— Coloque-a na lista — disse Dark. O cirurgião assentiu com a cabeça e saiu da UTI.

Dark voltou a olhar as máquinas que monitoravam Sibby. As máquinas nunca tomavam decisões como aquelas. Para as máquinas tudo era binário, computações simples que não tinham peso moral nem emocional. Uma máquina jamais escolheria entre o amor de sua vida e uma criança ainda não nascida.

Para o diabo as máquinas. Ele precisava saber o que Sibby queria. Dark tomou outra vez a mão dela e esfregou-a suavemente. A pele era macia e assustadoramente fria.

— Ei... — disse ele, baixinho. — Sou eu. Tenho apenas alguns minutos, e por isso... quero dizer obrigado. Obrigado por ter me feito o homem mais feliz do mundo. Nada disto é culpa sua. Nós fizemos uma vida linda juntos. Vamos ter um bebê maravilhoso. Vamos vencer. E eu vou fazer tudo o que puder para que você tenha o que merece.

Dark fez uma pausa e organizou seus pensamentos.

— Eu te amo. Você é a única coisa pela qual vale a pena morrer. E eu sei disso, porque você é a única coisa pela qual eu vivo.

Sibby *estava* ali com ele, era capaz de ouvir Steve. Era frustrante, porque não podia se mover. Não sabia exatamente onde estava. Nem sequer podia encontrar seu próprio braço para fazer um movimento.

...tenho apenas alguns minutos, e por isso...

Ela o ouvia fazendo esforço para encontrar as palavras, e era capaz de imaginar o rosto dele. A boca que se abria e se fechava. Os olhos que se desviavam. Ele temia dizer as palavras erradas. Ainda era muito cauteloso com ela, e ela nunca entendia por quê. Queria gritar: *Steve, você nunca será capaz de dizer coisas erradas. Apenas fale comigo.*

Mas ela também tinha algo que queria desesperadamente dizer a ele.

Ajude-me a acordar.

Quero tanto falar a você sobre as mensagens que recebo de Jesus e tudo o mais que não disse porque não queria preocupar você... somente agora compreendo; somente agora percebo que não devia ter ocultado aquilo de você.

Provavelmente você está aflito, pensando no que aconteceu na estrada, e meu Deus, isso está me matando, porque sei o que significa tudo isto. Alguém está me perseguindo, e eu fui teimosa demais e não disse nada.

E agora ele me pegou, e a nosso filho também....

Capítulo 45

Hancock Park, Los Angeles

Sqweegel ficou dentro do carro com o motor funcionando, no estacionamento da loja de conveniência, esfregando os dedos no volante. Seus dedos, cobertos de látex, aderiam ao plástico por poucos segundos, até que ele os retirava. O proprietário anterior do veículo — que agora era de Sqweegel — provavelmente se empanturrava de hambúrgueres comprados para viagem, lambendo os dedos enquanto guiava o carro e espalhando a gordura da carne no volante. Quando abandonasse o carro em um lugar deserto, libertaria o veículo daquela imundície.

Da mesma forma com que libertaria os rapazes.

Os quatro companheiros tentavam conseguir uma cerveja há meia hora, mas nada feito. Muita gente entrava na loja para comprar cigarros, água, leite ou a própria cerveja, evitando completamente olhar para eles. Ninguém ficava muito tempo estacionado, a não ser um Ford Pinto já muito antigo parado na última vaga à esquerda. Talvez o idiota tivesse adormecido. Talvez já tivesse tomado sua cerveja e dormira ao vir comprar mais. Idiota.

Rob saltou sobre o skate e rolou-o até o pavimento. Aquilo estava ficando chato. Para ficar sem fazer nada, era melhor ir para casa.

Finalmente Rick disse que já era o bastante, que estava entediado e que ia embora. Bateu as palmas das mãos com os outros três e partiu com os patins, em direção a sua casa.

Os outros o xingaram de maricas, mas era uma questão de tempo até que voltassem também para suas casas. Não havia outra coisa a fazer.

Rob saltou de novo sobre o skate. *Um fracasso épico.*

Mas naquele momento a porta do Pinto finalmente se abriu e uma figura franzina desceu do carro. Um filho da mãe parecido com Michael Jackson, de capuz e com o rosto coberto. Poderia até ser Jackson. Talvez viesse a Hancock Park para fazer novas amizades. Talvez convidasse todos eles a ir a Neverland para brincar com Bubbles e tomar achocolatados. E eles diriam a MJ, deixe os achocolatados para lá, vamos beber cerveja nesta merda.

Naturalmente, não era Michael Jackson.

No entanto, talvez valesse a pena tentar. Sempre vale a pena tentar com os vagabundos, os esquisitos, os maconheiros. Eram espíritos irmãos. Eram as pessoas que o mundo queria ignorar até que crescessem, ou se emendassem ou terminassem a bebedeira, ou qualquer outra coisa.

Rob foi o primeiro a se aventurar. Enfiou as mãos nos bolsos do short e caminhou pela calçada, evitando os vidros quebrados, como se não lhes desse importância.

— Ei, meu chapa. Compre umas cervejas para nós, e nós pagaremos seis para você.

O homem virou a cabeça de uma forma estranha; o pescoço era a única parte do corpo que se movia. Rob ficou parado, esperando uma resposta, e depois de algum tempo achou que ele era surdo e mudo, ou qualquer coisa assim. Talvez por isso usasse a máscara, como se a boca e a garganta estivessem carcomidas, ou algo semelhante.

Finalmente, no entanto, ele falou e disse:

— Não bebo cerveja. Gosto de gim.

— Está bem, então...

— Então vamos fazer um trato — disse o homem. — Eu compro a cerveja para vocês e vocês pagam o gim.

— Maravilha — disse Rob, mas depois se refreou. *Seu bobo, não se mostre tão ansioso. Você vai comprar bebida para esse idiota deformado. Não fique tão agradecido por comprar essa merda para ele.* — Combinado — acrescentou, rapidamente.

Sqweegel foi até a loja e entrou no corredor das cervejas. Adorava fazer compras pessoalmente. Raramente o fazia.

A roupa branca estava completamente oculta dos olhares dos demais por um sobretudo, luvas, calças, chapéu e óculos escuros. Quem o olhasse por trás não daria nada por ele — um homem comum. Quem o olhasse de frente poderia ver um pouco do branco, o que causaria estranheza, mas depois se lembraria de que estava em Los Angeles. Havia muitas celebridades que passeavam incógnitas pela cidade. Era a cidade dos óculos escuros, dos mascarados. Sqweegel era apenas mais um.

Alegrou-se ao ver que a loja tinha muitas garrafas de cerveja, com tampas de rosca. Muito fáceis de abrir — e tornar a fechar — com uma pequena torção. Especialmente para quem usasse luvas de borracha.

Sqweegel olhou as câmeras de vigilância e em seguida escolheu duas embalagens de seis garrafas da marca que achou que mais impressionaria os meninos. Com a palma da mão desatarraxou as tampas de todas as garrafas, uma depois da outra. Em seguida tirou do bolso do capuz um conta-gotas cheio de um líquido amarelado.

Ping.

Ping.

Ping.

Uma para cada garrafa. O líquido era estritamente proibido e incrivelmente poderoso.

As tampas foram recolocadas e o fechamento foi arrematado com um breve impulso da mão. Os meninos nunca notariam a diferença.

Sqweegel levou as embalagens até a entrada da loja e pagou em dinheiro com a mão enluvada. O caixeiro olhou rapidamente o rosto dele, mas recebeu as notas sem comentários. Afinal, estavam na Califórnia.

Em poucos minutos ele já estava do lado de fora, com o saco de papel marrom nas mãos.

Vitória, pensaram os meninos.

Mas ele parou e olhou para o saco.

— Parece que aqui não vendem bebidas destiladas. Vamos dar uma volta no meu carro. Vamos achar uma loja de bebidas para que vocês cumpram sua parte do trato.

Olhou para eles, fitando-os nos olhos. Olhos estranhos os dele, pequenos e negros como bolas de gude. Rob ouviu seus companheiros dizendo, *está certo, ok*, mas não tinha certeza de que aquela fosse a melhor ideia do mundo.

— Ouça — disse ele a seu amigo Chris. — Você acha que devemos entrar num carro com um sujeito desconhecido?

Chris olhou-o com ar demolidor.

— Qual é o problema, você ainda é criança? Tem medo de que ele ofereça balas?

— Não, é só que...

Chris chegou mais perto, com a mão no ombro de Rob.

— Não seja maricas. Vamos pagar o gim dele e depois damos no pé. Ele que se dane. Nossa festa já está garantida.

Assim, Rob se viu no assento dianteiro do Pinto já maltratado, ao lado de um sujeito magro de máscara que ele percebeu estar usando luvas de borracha. Não, inicialmente não tinha reparado. Se tivesse, talvez nem lhe tivesse dado o dinheiro para a cerveja.

Capítulo 46

Chris e Tom iam no assento traseiro, rindo e se divertindo como dois idiotas, fazendo as molas rangerem sob seu peso. Já tinham tomado a metade da primeira cerveja. Pelo menos podiam relaxar.

Rob mantinha a garrafa de Yuengling entre os joelhos, com o boné nas mãos. A cerveja oscilava para a direita e a esquerda, como a cápsula de ar numa régua de nível. Ele hesitava, sem saber bem por que motivo.

Talvez fosse o cheiro do carro, que era parecido com o de esgoto. Rob tentou achar o botão que abaixaria o vidro da janela, mas em vez disso encontrou uma maçaneta. Ficou pensando. Quando é que tinham parado de fazer carros com maçanetas para descer o vidro? Nos anos 1980? Mas a maçaneta não serviu para nada. Rodou alguns centímetros e permaneceu na mesma posição.

Dane-se. Tomou um longo gole da cerveja. Estava ficando de mau humor, e isso estragaria a noite.

Rob ficou olhando as luzes e as vitrines das lojas e as pessoas que passavam. A cerveja estava fria e gostosa. Nada como uma cerveja numa tarde de escola.

O motorista ficou em silêncio o tempo todo.

— Qual é a da máscara? — perguntou ele, finalmente.

— É — disse Chris, no banco traseiro. — O que é isso, você sai de noite como Batman para lutar contra o crime?

Chris e Tom começaram a uivar no banco de trás. Não estavam ali, na frente. Não estavam sentados a poucos centímetros *dele*.

Se o cara se incomodou, não deu a perceber. Mantinha os olhos na rua, parando nos sinais e mudando de pista de vez em quando. Estendeu vagarosamente a mão e aumentou o aquecimento do carro, como se já não estivesse abafado.

Finalmente, voltou-se para Rob. Os dois olhos, como contas negras, o fitaram pelos buracos da máscara.

— O que está dizendo, que eu visto uma fantasia e faço justiça com minhas próprias mãos aos malfeitores da noite?

— É — disse Rob —, alguma coisa assim.

— Eu tenho uma doença rara de pele — disse Sqweegel, deixando que as palavras pairassem no ar.

— Ora — disse Rob —, isso é uma merda.

— É uma merda mesmo. Se alguma parte de minha pele ficar exposta à luz do sol, eu iria encolhendo até ficar só pele e ossos, e os pássaros comeriam minha carne com seus bicos sanguinários.

Aquelas palavras fizeram cessar os risos no banco de trás.

Pássaros?

Bicando as carnes?

O que ele está dizendo?

Rob voltou a atenção para a vista do lado de fora da janela, vendo Los Angeles passar. Piscou os olhos. Uma piscada lenta. Do tipo que a gente dá quando está com muito sono, que dura um segundo antes de conseguir voltar a si. Que diabo era aquilo? Ainda não eram nem nove horas.

Voltou-se e sentiu que de repente o mundo inteiro vibrava, como se alguém tivesse batido em um tambor enterrado fundo na terra. Não era um terremoto, ou era? A vista de Rob perdeu o foco e depois voltou ao normal.

No assento traseiro, Tom já tinha desmaiado, com a cabeça no ombro de Chris, a garrafa de cerveja escapando de seus dedos longos até cair ao chão, espumando. Enquanto isso, Chris parecia estar tendo dificuldade em movimentar as mãos. Tentou pegar a garrafa que tinha ao colo, mas não conseguiu.

Rob quis avisá-lo: *Não, rapaz, não beba mais cerveja, alguma coisa não está certa...*

Mas ele logo perdeu também os sentidos, e a cabeça descaiu entre os dois assentos dianteiros.

Sqweegel empurrou-o devagar para seu lugar no assento. A cabeça do rapaz ficou encostada no vidro. Já estava babando pelos cantos da boca.

Os dedos enluvados procuraram o botão do rádio e o giraram até encontrar a estação de música clássica. Alguma coisa bombástica e germânica estava tocando quando ele entrou no acesso para a via expressa. Tinha de dirigir por algum tempo e não queria demorar no tráfego mais do que o necessário.

Se alguém observasse cuidadosamente, veria o plástico branco que cobria o rosto de Sqweegel mover-se, onde deveria estar sua boca.

Sqweegel estava *sorrindo*.

Capítulo 47

Algum lugar no sudoeste da Califórnia

O cérebro de Rob começou a funcionar novamente. Primeiro, o cheiro — cheiro ruim, como de uma privada. Depois o frio do concreto contra seu rosto, o que não fazia sentido. Ele não estava dentro do carro de alguém, pouco antes? Que diabo...

E então percebeu que estava nu, que alguém tinha amarrado seus pulsos e tornozelos com braçadeiras de plástico e sentiu um frio terrível, seguido por uma explosão de gelo dentro do estômago.

Meu Deus, que cheiro ruim. Onde quer que ele estivesse.

Desejou desesperadamente voltar no tempo e avisar Chris e Tom. *Não, não me importo que vocês pensem que sou maricas; não devemos entrar no carro com esse cara esquisito. Nem devíamos estar aqui, tentando arranjar alguém para nos comprar cerveja. Devíamos estar em casa, estudando para a universidade, como nossos pais tentam enfiar em nossas cabeças duras.*

O lugar estava escuro, mas Rob ouvia gemidos próximos a ele. Parecia Chris, acordando. Se não estivesse tão aterrorizado, começaria a xingá-lo e dizer que ele era um idiota completo.

De repente, o cômodo se encheu de uma luz ofuscante.

O homem esquisito e mascarado estava junto a uma luminária de pé. Não tinha mais o capuz e as calças. O mesmo material que Rob pensara ser a máscara agora revelava ser um traje que cobria todo o corpo. Bem, *quase* todo o corpo.

O membro que surgia de uma abertura com zíper na parte da frente da roupa estava descoberto.

Rob não tinha visto muitos outros homens despidos. Tinha apenas 17 anos. Se a curiosidade às vezes vence e você olha de lado no vestiário da ginástica, é capaz de levar um soco. Mas mesmo aos olhos desacostumados de Rob, o pênis daquele homem parecia ser bem grande. Desproporcional para qualquer ser humano, especialmente aquele sujeito de corpo franzino.

O homem esquisito se aproximou deles, trazendo alguma coisa em cada mão, o membro balançando enquanto caminhava. Rob virou o rosto para ver melhor — merda, e se fosse uma arma?

O homem abriu o zíper da boca ao colocar os objetos no chão diante deles.

Uma vassoura.

Um taco de beisebol.

Depois levantou-se e começou a se masturbar, massageando até o máximo de ereção.

— O que você vai fazer conosco? — perguntou Rob, arrependendo-se imediatamente no momento em que pronunciou as palavras.

— Acho que você sabe o que vou fazer — disse o homem esquisito. — Mas vou dar algumas opções. As opções são... eu mesmo. O cabo da vassoura. Ou o taco de beisebol. Vocês três podem decidir. Quem, ou o quê. Ou querem que eu resolva por vocês?

Rob olhou para baixo. O membro do homem, pelo que viu, estava envolto em plástico branco, afinal. Tão apertado que era possível ver as veias. Que merda. Que diabo estava acontecendo? E que era aquilo de opções? Quem, ou o quê... *Oh meu Deus, tire-nos daqui. Alguém nos ouça e nos tire daqui...*

— O que está fazendo, cara? — gritou Chris. — Nós não fizemos nada contra você.

— Com a ereção completa, tenho 25 centímetros. O cabo da vassoura tem 85 centímetros de comprimento e 5 de diâmetro. O taco tem só 70 centímetros, mas a circunferência é de 15. Mas não se preocupem. Tenho alguns acessórios, se for preciso alguma ajuda.

Acessórios? Que diabo era aquele sujeito?

— Se vocês não conseguem decidir — disse Sqweegel, ralhando —, resolverei por vocês.

Rob odiou a si mesmo pela escolha que fez, mas sabia que era preciso escolher primeiro, antes que os outros o fizessem.

Rob tentou esquecer tudo o que aconteceu em seguida. As queixas de Chris e Tom aos berros, quando perceberam o que o amigo tinha feito a eles. A sensação das mãos frias e enluvadas do homem em seus quadris. A respiração ofegante sobre seu ombro. Os gemidos animalescos. Depois de algum tempo, começou a achar que seu corpo tinha se dividido em dois até o meio do peito, que latejava e doía.

Após uma agonia infinita, tudo cessou. Rob ouviu o homem esfregar as mãos.

— Isso foi só para esquentar — disse o homem. — Agora vamos nos divertir de verdade.

Então tudo recomeçou.

E parecia que nunca iria acabar...

Sqweegel empurrou o primeiro rapaz para o chão — Rob — e observou-o entrar em estado de choque. Era uma lição que ele nunca esqueceria, e Sqweegel se sentiu satisfeito por poder proporcioná-la.

— Agora vocês dois. Quem quer o quê?

Os dois rapazes se contorciam como dois vermes. Serpenteavam pelo chão da masmorra, como coisas sem membros, brancos e pálidos, tentando evitar um destino que não podiam impedir.

— Acho que vocês estão deixando que eu decida.

Rob fechou os olhos e rezou, com mais força do que jamais tinha rezado antes, pensando que aquilo era o pior pesadelo de sua vida e que ele ia acordar a qualquer momento.

Mas é claro que não acordou.

Capítulo 48

Escola Secundária de Hancock Park
Quinta-feira, 15 horas

O sinal do período da tarde tocou.

Alguns estudantes tinham aperfeiçoado a arte de pedir dispensa, transformando-a em ciência: uma forma de pegar seu material e correr para a saída mais próxima o mais depressa possível. O último a chegar ao ônibus é mulher do padre.

Os primeiros, portanto, foram também os primeiros a ver os três rapazes — nus, amarrados e amordaçados nos degraus da entrada.

Inicialmente, pensaram que se tratava de uma brincadeira. Algum tipo de trote para humilhar os calouros diante de toda a escola.

Mas quando outros estudantes chegaram, saindo em grupos pelas portas da frente, alguém apontou para o sangue, gritando. Havia poças de sangue em volta deles. Os olhos dos meninos pareciam contorcer-se e estremecer, gritando um apelo mudo.

Hospital Socha

Riggins estava de pé no corredor, esperando que os médicos terminassem o trabalho. Os rapazes tinham sido levados para lá, por ser o hospital mais próximo.

Ele não podia imaginar o que passava naquele momento pela mente dos pais. Não sabiam o paradeiro dos filhos desde a noite anterior. Riggins pensava nos pais rezando durante toda a noite, pedindo a Deus que os trouxesse de volta vivos, a qualquer preço. Não importava, eles fariam qualquer coisa para conseguir isso.

As preces tinham sido atendidas, mas certamente não da forma que esperavam.

A pergunta agora, naturalmente, era se teria sido obra de Sqweegel. Riggins pedira para ser notificado se houvesse qualquer ataque ou assassinato particularmente horrendos em toda a região, e aquele caso sem dúvida parecia preencher as características.

Quando relatara tudo a Wycoff, uma hora antes, o secretário se mostrara zangado. *Fodam-se os rapazes! O monstro não costuma sequestrar. Gosta de torturar e de matar. Fique ligado no caso. Nada mais me interessa!*

Mas Riggins não deixou o caso de lado. O Hospital Socha estava se transformando rapidamente em um escritório satélite da Divisão, por causa de Sibby, da notícia dos padres não longe dali, e agora daqueles rapazes. Aquilo o preocupava.

Por que aqueles rapazes, daquele bairro específico? Seria a proximidade do hospital, a apenas dez minutos de carro da West Third? Teria sido apenas má sorte deles encontrar um assassino do 26º grau à solta pelas ruas de Los Angeles?

Ou teria sido porque Dark morara com a família adotiva em Hancock Park e frequentara a mesma escola?

Riggins esperava que os rapazes pudessem fornecer algum indício. Até mesmo o menor detalhe sobre seu algoz, ou sobre o lugar para onde tinham sido levados, poderia esclarecer tudo.

Os três iriam ser transferidos em breve para a delegacia de polícia de Los Angeles. Riggins não queria entrar na delegacia e mostrar prepotência exibindo suas credenciais. Não serviria de nada.

Mas tudo tinha dado certo. O policial, um homem corpulento e prático chamado Jack Mitchell, concordara em deixar que Riggins e Dark observassem os depoimentos, especialmente depois de compreender que aquele era exatamente o tipo de caso de que a Divisão de Casos Especiais tratava diariamente.

Dark se aproximou, surgindo do nada.

— Que aconteceu?

— Digo daqui a um segundo — respondeu Riggins. — Quais são as últimas notícias de Sibby?

— Tudo na mesma. — Ele parecia querer mudar de assunto e tratar do caso. — E os rapazes? Já disseram alguma coisa?

Dark os tinha visto chegando de maca na Sala de Emergência, uma hora antes. Tinha saído do hospital para respirar um pouco e perguntou a um dos policiais o que acontecera. Meu Deus, iam precisar de muito tratamento, tanto devido ao estigma quanto às marcas físicas que ainda conservariam durante meses. Dark ficou estupefato ao saber como tinham sido descobertos, nus e sangrando, do lado de fora da Escola Secundária de Hancock Park.

A escola que ele havia frequentado.

Coincidência? Bem poderia ser, mas ele pedira a Riggins que ficasse de olho. Depois dos padres mortos no incêndio da igreja — a *sua* igreja —, Dark já começava a não acreditar mais em coincidências.

— Fiz um trato com Jack Mitchell, da polícia de Los Angeles — disse Riggins. — Os pais concordaram por escrito; podemos assistir aos depoimentos. Se for necessário, com uma boa conversa poderemos ficar lá dentro para prosseguir nossas investigações. Os pais querem pegar o sujeito que violentou os rapazes e se possível capá-lo e conservar os testículos em um frasco.

— Sei como eles se sentem — disse Dark.

Para assistir aos depoimentos, acesse grau26.com.br e digite o código: violentados

"Sair"

Capítulo 49

West Hollywood
19h09

Subindo uma longa e estreita escadaria de concreto, Dark chegou à porta de entrada do apartamento. Era uma nova moradia, que Riggins havia preparado para ele; basicamente um lugar onde guardar seus pertences essenciais. Coisas que ele precisaria usar rapidamente.

Dark parou diante da porta, com as chaves na mão e com ideias paranoicas passando-lhe pela cabeça. Sqweegel teria seguido o pessoal da mudança? Teria seguido Riggins, que carregara pessoalmente algumas caixas para aquele apartamento num terceiro andar?

Estaria lá dentro, escondido em algum lugar, ou debaixo de uma pia?

Dark quase desejava que sim. Estava louco para agarrá-lo com suas próprias mãos, ainda que por alguns segundos. Ainda que isso causasse sua morte. Queria somente uma desforra pela invasão de seu lar. Seu único lugar seguro. O lar que ele e Sibby tinham construído juntos.

Mas isso não tinha importância agora. Era preciso concentrar-se na tarefa que tinha diante de si.

Dark ainda estava usando a camisa que vestia na cena do acidente, suja com o sangue de Sibby. Na sala de espera, Riggins o olhara e insistira para que ele fosse ao apartamento, tomasse um banho e vestisse roupas limpas, antes que as pessoas começassem a reparar. Certamente era um conselho sensato.

Isso, no entanto, podia esperar. Primeiro precisava fazer outra coisa. Uma coisa que o estava preocupando havia várias horas.

Começou a rasgar fitas adesivas e remexer dentro das caixas de papelão. Riggins tinha dito que supervisionara a embalagem dos objetos da casa; Dark esperava que ele tivesse pensado em incluir o laptop na mudança. Costumava pensar metodicamente e precisava colocar as peças do quebra-cabeça em determinada ordem. O computador o ajudaria nessa tarefa.

Na terceira caixa que abriu, Dark encontrou um objeto quadrado, embrulhado em papel de seda azul. Desembrulhou-o e o que viu o fez deter-se.

Era uma foto de Sibby, de antes de eles se conhecerem, tirada na época em que ela ainda era bailarina profissional. Tinha sido a primeira foto que ela lhe dera, mas somente depois que ele implorou. Dark adorava vê-la dançar. Na verdade, adorava simplesmente vê-la atravessar uma sala.

Quando ela finalmente aquiesceu e lhe entregou à foto, ele a examinara durante várias horas, mas não em detalhe, e nem nas características do corpo. O que via era Sibby como um todo. Quando ela dançava, ele a achava a coisa mais linda que já tinha visto.

Dark embrulhou de novo, cuidadosamente, o porta-retrato, com os dedos tremendo um pouco. Procurou não rasgar o papel e não deixar nenhum indício de que o embrulho tinha sido aberto. Depois colocou-o de volta na caixa, permitindo que seus dedos afagassem as antigas sapatilhas de balé dela, que estavam entre as lembranças da vida feliz de ambos. Fechou as abas da caixa e passou a fita gomada que as mantinha fechadas.

Procurando em uma quarta caixa, achou outra coisa — uma foto emoldurada dos dois juntos, tirada no verão do ano anterior, pouco depois de começarem o namoro. Sibby usava um vestido amarelo leve. Ele adorou aquele vestido, adorou vê-lo nela, adorou o efeito do vestido em seu corpo, adorou despi-la quando voltaram para a casa dela mais tarde, no mesmo dia.

O mesmo corpo que agora jazia machucado, ferido, maltratado, sofrendo em um leito de hospital a pouca distância dali.

Dark fez um esforço para se dominar. Era fácil deixar-se perder naquelas lembranças dela, mas isso não o levaria a parte alguma.

Precisava voltar a se dedicar ao caso, ao menos para distrair-se enquanto esperava que Sibby acordasse.

Pouco tempo depois encontrou a caixa que continha tudo o que necessitava. Laptop. Impressora sem fio. Resma de papel. Canetas. Sentou-se de pernas cruzadas no meio da sala, iluminada por uma única luminária de mesa. Tudo o mais desapareceu de sua mente naqueles momentos. Só havia Dark e os indícios.

Ele sabia que encontraria a resposta no breve “poema” de Sqweegel.

Capítulo 50

Dark digitou-o rapidamente, aumentou o tipo de letra e imprimiu uma cópia.

Um por dia vai morrer.
Dois por dia vão chorar.
Três por dia vão mentir.
Quatro por dia vão suspirar.
Cinco por dia vão questionar.
Seis por dia vão fritar.
Sete por dia... o que será...

Dark riscou o verso

~~*Seis por dia vão fritar.*~~

Eram os padres de Hollywood, naturalmente. E os rapazes de Hancock Park que ele tinha torturado:

~~*Três por dia vão mentir.*~~

Apesar dos graves traumas sofridos por seus orifícios anais, os três rapazes tinham sido coerentes em seus depoimentos: estavam andando de skate, tentando conseguir alguém que lhes comprasse cerveja. Um sujeito se ofereceu para isso, em troca de gim. A loja não vendia gim e por isso eles entraram no carro do homem para procurar outra loja. Só se lembravam disso — ou pelo menos era o que afirmavam.

Jack Mitchell comentara que a enfermeira no hospital havia notado sangue e trauma em torno de suas partes genitais. Os meninos explicaram nervosamente que era por causa de uma brincadeira idiota que tinham feito sob o efeito de bebida: sentar-se com força em cima de garrafas de ketchup.

Mas um deles deixou escapar que o homem vestia uma roupa branca.

Mitchell quis mais detalhes. Que tipo de roupa? De que material era feita?

De pano, dissera um. Um terno de três peças, com colete.

Os outros confirmaram. Sim, de pano. Com botões e tudo.

Uma mentira.

Exatamente como Sqweegel previra.

Três por dia vão mentir...

Dark ficou olhando o restante da lista, tentando decifrá-la. Não tanto as mensagens individuais, mas o padrão geral. Estaria Sqweegel seguindo os diversos elementos ao acaso ou obedecendo a alguma ordem específica? O fato de começar com seis, e depois passar à metade, teria algum significado?

Sqweegel já teria levado a cabo a ameaça de algum dos outros versos? Não, não seria de seu feitio. Não desta vez. Desta vez tratava-se de um esquema grandioso. E o fato de que ele atacara a casa de Dark poucas horas depois do aparecimento de Riggins significava que Sqweegel desejava que ele prestasse atenção. *Bem, agora estou prestando atenção, seu filho da puta. Você tem minha atenção absoluta.*

E pensar que poucos dias antes Dark estava alheio a tudo aquilo. A dor do que acontecera a sua família adotiva jamais desapareceria, mas há muito ele havia deixado de pensar como um maníaco. Simplesmente não fazia mais sentido. A família já não existia, e por mais que a Divisão o chamasse e ele próprio simpatizasse com a ideia, não havia meio de retorno.

Mas agora estava de volta, tentando mais uma vez penetrar na mente de um maníaco filho da mãe. Era como fraturar uma perna e depois voltar a quebrá-la de propósito, só para recordar como é que isso acontece.

O truque era ver o mundo através dos olhos dele.

Olhos...

Espere.

Dark puxou o celular e ligou rapidamente para Riggins.

— Que foi? Tudo bem?

— Você pegou o servidor de vídeo de minha casa?

Dark sabia que o pequeno servidor possuía um monitor capaz de mostrar o conteúdo do pen drive que estava em seu bolso. Quase havia se esquecido dele, com tudo o que acontecera naquele dia.

— Se você disser isso numa língua que eu entenda, talvez eu possa responder.

— Câmeras de vigilância em minha casa — explicou Dark. — Uma em cada cômodo. Todas ligadas a uma pequena caixa branca no alto do armário da sala. Você embalou isso tudo?

— Se havia um fio ligado, eu embalei.

— Onde está?

— Talvez em uma das caixas cheias de merda com um fio ligado? Desculpe, Dark. Empacotei tudo muito depressa. Escute, deixe-me ir até aí para ajudar...

Dark apertou a tecla FIM e começou a desfazer as caixas restantes.

Capítulo 51

Nova York / West River Drive
Quinta-feira / 23 horas, Costa Leste

Sqweegel pagou ao motorista e mandou-o ficar com o troco. O táxi amarelo e sujo partiu um instante depois, deixando o passageiro de pé na calçada mais afastada do lado oeste de Manhattan. O motorista vinha ouvindo um programa indecente no rádio do carro. Se Sqweegel não tivesse outros planos, o homem teria pagado por sua indiscrição. Talvez ele o amarrasse e fizesse dois buracos com a furadeira em seus ouvidos, para que pudesse ouvir os sons divinos. O divino *silêncio*.

Mas não havia tempo para isso. Os cavalos estavam esperando. E seu perseguidor, ainda trabalhando na outra costa do país, em breve receberia mais uma misteriosa mensagem.

Luzes piscavam em Nova Jersey, do outro lado do rio Hudson. Sqweegel gostava de dar as costas para os terraços de Nova York, que tanta gente adorava cegamente. Para ele, eram úteis somente como esconderijos. Se quisesse, poderia desaparecer em meio à selva de concreto de Manhattan durante dez ou vinte anos sem que ninguém descobrisse para onde havia ido. E durante todo o tempo, estaria vigilante, como um anjo.

Hoje, porém, a noite não era para esconder-se.

Sqweegel saiu da calçada e caminhou por uma trilha de terra. Estava vestido como um soldado que tivesse voltado para casa em licença de apenas um fim de semana, vindo do Afeganistão: botas de combate, calças de camuflagem, jaqueta blindada, capuz, boné preto, óculos escuros. Em parte roupa do exército norte-americano, em parte roupa do Brooklyn. Ninguém o olharia duas vezes.

Tampouco alguém repararia a caixa retangular de papelão branco que ele levava debaixo do braço. Flores para a mãe, talvez para a namorada. Uma dúzia de rosas frescas, para dizer *Espero que você não tenha trepado com ninguém enquanto eu levava tiros na bunda no Kush Hindu.*

No fim do caminho havia uma cerca de madeira, coberta com arame farpado. Diante dela, uma tabuleta em uma placa de madeira, com palavras marcadas em tom dourado já esmaecido:

POLÍCIA MONTADA — DEPARTAMENTO DE POLÍCIA DE NOVA YORK

Era um toque rústico em uma ilha de vidro, plástico e metal brilhante. Sqweegel o admirou, a contragosto. Às vezes as pessoas faziam grandes esforços para superar-se.

Deslizou a caixa de flores por debaixo da cerca de madeira, empurrando-a até passar completamente para o outro lado. Em seguida tirou a jaqueta e dobrou-a sobre o arame farpado. Rapidamente escalou a cerca, passou por cima do arame e puxou a jaqueta ao chegar ao outro lado. Foi um movimento tão fluido e rápido que qualquer observador — embora não houvesse nenhum — esfregaria os olhos e pediria para ver de novo, para ter certeza de que não fora uma alucinação.

Sqweegel passou os dedos pela fita gomada que mantinha fechadas as abas da caixa. Já não precisava fingir. Estava do lado de dentro.

A tampa abriu. Dentro havia uma escopeta, munição e uma bolsa plástica cheia de cenouras.

Tudo aquilo vinha do Brooklyn, assim como a caixa. A caixa, de uma florista na Court Street. As cenouras, de uma quitanda na Smith. E o canhão? De uma pequena loja de armas em Red Hook, que ele encontrara na internet. As compras tinham durado menos de uma hora.

Em um minuto a arma foi carregada, com as balas colocadas na câmara uma de cada vez, *clique, clique, clique, clique, clique*.

Sqweegel continuou a descer pela trilha, seguindo uma curva que levava aos estábulos principais. Um forte odor de excremento de cavalo e feno molhado atacou suas narinas. Era o lugar onde a polícia montada conservava os cavalos. Àquela hora os cavaleiros deviam estar comendo pizza e bebendo cerveja no Brooklyn, Queens, Nova Jersey ou Long Island, mas suas nobres montarias nunca saíam da ilha de Manhattan. Estavam sempre em serviço, naquela pequena parte da natureza que a cidade conservara para si.

Qualquer pessoa podia visitar os estábulos e ver os cavalos. Sqweegel já tinha estado lá, quase um ano antes. Tomara notas cuidadosamente.

Tirou o bloco de notas do bolso de trás e começou a verificar os nomes. Cada cavalo tinha um apelido. Os nomes que constavam da lista de Sqweegel, no entanto, eram especiais:

Dalia
Runner
Coach
Beemer
Sampson

O primeiro era Dalia. *Nome de puta*, pensou Sqweegel.

Capítulo 52

West Hollywood
20h02, Costa Oeste

Havia apenas uma tela branca, com reflexos ocasionais em negro nas bordas e distorções dos pixels.

Era o filme feito no quarto do casal na noite anterior.

Que diabo é isso?

Dark rodou o filme com rapidez durante cerca de dez minutos e em seguida fechou a janela e começou a passar o filme da sala. Este, ao contrário, estava intacto. Bastante claro.

A luz não era a ideal, mas podia-se ver exatamente o que acontecia, tal como Sqweegel desejava. Queria que Dark visse como era fácil entrar na casa dele, atravessar a sala literalmente debaixo do focinho de Max e Henry e depois tirar a roupa na base da escada antes de subir. Aproximar-se de Sibby...

Estou em sua casa, Dark. Já percebeu como é fácil? Você, com toda a sua experiência e treinamento?

Você prometeu a Sibby que tomaria conta dela, acontecesse o que acontecesse?

Eu já não tinha ensinado a sua família adotiva alguma coisa sobre segurança?

A marca da hora no início da invasão era exatamente o momento em que Dark saíra no Yukon para encontrar Riggins no café do cais de Santa Monica.

O filho da puta sem dúvida se escondera em algum buraco do lado de fora, esperando que Dark saísse.

Depois entrou na casa e chegou até o quarto, subindo com facilidade um lance de escada.

Parecia fácil, naturalmente, vendo o filme no laptop de Dark em velocidade acelerada. Em tempo real, no entanto, era de enlouquecer. O corpo de Sqweegel, que nem parecia humano, arrastava-se pelo chão em um ritmo incrivelmente lento. Aqueles movimentos controlados e medidos eram quase imperceptíveis para Dark; era preciso prestar muita atenção para ver que Sqweegel estava realmente se movendo.

E durante todo aquele tempo Dark estava segurando a xícara de café frio e ouvindo Riggins falar em orçamentos, nas ex-mulheres, em sua vida.

Sqweegel subindo a escada em direção ao lugar onde Sibby dormia, completamente inconsciente...

Por isso a tela branca lhe dava raiva. Não fazia sentido. Todas as demais câmeras da casa funcionavam bem naquela noite — por que não a do quarto de casal?

Qual seria o verso?, pensou Dark. Qual seria o verso do diabo do poema que tratava de Sibby? Não era "um por dia vai morrer", porque ela estava viva. Não tinha sido molestada, na verdade — ela própria o dissera. "Dois por dia vão chorar"? Isso tinha a ver com Sibby e o bebê? Oh, meu Deus, será que ele tinha feito alguma coisa ao bebê?

Dark apertou duas vezes o botão REWIND. Talvez a câmera estivesse com defeito desde alguns dias antes e ele não tivesse percebido. Mas isso não era provável. Os diversos elementos do sistema eram interligados, e qualquer defeito desencadearia um aviso do servidor principal, com apitos rápidos e desagradáveis.

Alguma outra coisa estava acontecendo ali.

Na tela, o branco de repente desapareceu e a imagem voltou. Dark apertou PLAY.

Ali estava ele. Junto à cômoda, colocando alguma coisa no tampo polido. Algum aparelho pequeno, e depois...

Tela branca.

O miserável tinha bloqueado o sinal. Não queria que Dark visse o que acontecera depois.

Ou será que queria? O polegar de Dark passeou por sobre a barra de comando por um instante e em seguida fez o filme avançar rapidamente. Minutos depois, o contador dos segundos foi novamente acionado e de repente o branco desapareceu e o filme voltou.

Oh, meu Deus.

Oh, meu Deus, não.

Capítulo 53

Nova York

Os cavalos estavam inquietos.

Havia um intruso em suas baias, o que os fazia ficar nervosos.

Aquela figura tinha aspecto diferente, cheiro diferente e agia de modo diferente. Não agia como ser humano. Perturbados, os animais relinchavam e escarvavam o chão com as patas em suas cavalariças. Alguns urinavam copiosamente, de nervoso.

Shhh, Sqweegel gostaria de dizer-lhes. *Não vim aqui por causa de vocês, e sim por causa de Dalia.*

E ali está ela.

A placa metálica pregada diante da baia explicava a origem da égua:

DALIA FOI DOADA PELA SRA. DAHL EM MEMÓRIA
DO MARIDO MORTO NO CUMPRIMENTO DO DEVER,
MEMBRO DO DEPARTAMENTO DE POLÍCIA DE NOVA
YORK, EM 11 DE SETEMBRO DE 2001

A mão ossuda de Sqweegel ergueu a tramela de metal. Ele entrou na baia, caminhando lentamente, com calma, para tranquilizar

Dalia. Nada que se movesse com aquela lentidão poderia ser perigoso, não é verdade? De qualquer maneira, o animal estava quase adormecido. Sqweegel chegou diante do focinho marrom da égua, que tinha dez palmos de altura. Os olhos negros brilhavam e piscavam metodicamente.

Sqweegel enfiou a mão no saco e tirou uma cenoura. *Uma bela e suculenta cenoura, Dalia? É toda sua.*

Dalia cheirou-a e mordeu-a. O pedaço remanescente caiu da mão de Sqweegel sobre o feno que cobria o chão. Sqweegel se curvou para apanhá-lo, mas a égua se assustou. Recuou e resfolegou. Sqweegel ficou imóvel e assim permaneceu até que ela se acalmasse novamente. Passaram-se mais alguns minutos até que ele ergueu lentamente a mão, aproximando-se devagar. Finalmente o animal permitiu que o visitante afagasse sua cabeça morna. Sqweegel se curvou mais para perto dela e murmurou: *Não é você, menina. Não, nunca são os filhos. É sua mãe. É sempre a mãe.*

Sqweegel ergueu a arma, encostou o silencioso entre as costelas da égua e em seguida apertou uma vez o gatilho. Não precisava ter remorso: ele havia se explicado ao animal.

As pernas de Dalia imediatamente se dobraram partindo um casco na queda, porque o peso era grande.

A égua tentou respirar, mas um dos pulmões já tinha sido inutilizado e o coração falhava. Os olhos negros ficaram pesados. O feno sob o corpo dela se encharcou de sangue. Ela não sabia o que estava acontecendo, mas o corpo não funcionava como deveria. O único conforto, pensou Sqweegel, é que não duraria muito tempo.

Sqweegel esperou um pouco e depois estendeu a mão e fechou as pálpebras da égua. Mesmo através do látex da luva era possível sentir a perda de calor. Em breve o silêncio dominaria o corpo exausto.

— Não fui eu — disse ele. — A culpa é da puta do bombeiro foi quem fez.

Faltavam quatro.

Agora era a vez de Runner.

Capítulo 54

Dark ficou olhando a imagem de Sqweegel curvada sobre o corpo de sua mulher grávida e adormecida. Uma parte dele sabia que era apenas uma imagem numa tela de LCD; mas a outra parte de seu cérebro, o lado animal, se sentia avassalada pela necessidade de atravessar o computador e agarrar o intruso, despedaçando-o músculo por músculo, ligamento por ligamento, osso por osso.

Tudo o que podia fazer era assistir aos horrores silenciosos na tela.

Primeiro ele abre o zíper do alto da cabeça, revelando um estranho tufo de cabelos brancos com uma mancha amarela, o que o faz parecer, estranhamente, um ovo frito. Mas em seguida Sqweegel o retira, mostrando que é uma pequena toalha de mão.

Agora a leva ao rosto de Sibby.

Ela se sobressalta, acordando por um instante, com os braços se agitando, mas apenas por um instante. O agente químico no pano, provavelmente clorofórmio, age rapidamente, e em poucos segundos ela fica inconsciente.

Agora está completamente à mercê de Sqweegel.

Dark sabia que ela não tinha acordado e não se lembrava do ataque, mas viu-se implorando à imagem dela na tela que acordasse, por favor. *Não deixe que ele faça isso com você. Por favor.*

Sqweegel puxa o lençol leve de verão. Empurra gentilmente os joelhos dela, fazendo-a abrir as pernas. Com uma mão enluvada, leva os dedos à cintura da calcinha dela. De repente para e salta para cima da cama.

Dark não encontrou palavras para descrever o movimento que ele fez. Tirou alguma coisa de dentro da roupa. A tela ficou branca novamente...

Dark deu um grito do fundo da alma, vendo a tela continuar em branco durante longos, angustiantes minutos. Estava desesperado para saber o que estava acontecendo naqueles momentos, mas tampouco podia suportar deixar tudo à imaginação, ainda que algumas partes dele fossem capazes de fazê-lo, com detalhes vívidos, grosseiros. Dark havia estudado os arquivos sobre Sqweegel durante três anos antes de sair da Divisão, e a perversidade do monstro não tinha limites. Para ele, os corpos humanos eram joguetes, nada mais, e ele se deliciava em torcer, fuçar, rasgar e morder qualquer órgão ou orifício.

Pensar que ele tinha ficado a sós com Sibby naquele quarto, saber do quanto ele era capaz, por onde andava sua mente doentia e febril...

A imagem voltou.

O ataque parecia haver terminado. Sqweegel recuou e depois atravessou o quarto, entrando no banheiro anexo.

Não havia câmeras de vídeo no banheiro, mas Dark já sabia o que ele tinha feito lá dentro. Riggins lhe tinha contado a história do número de telefone no espelho. Não tinham ideia, no entanto, do que Sqweegel tinha usado para escrever a mensagem.

Até aquele momento.

Capítulo 55

Sqweegel saiu da casa de Dark com facilidade e sem esforço. Dark viu a imagem fantasmagórica do monstro flutuar descendo a escada, vestir-se com as roupas comuns que tinha deixado em uma pilha no chão. Parecia muito à vontade, como se fosse o proprietário e estivesse se preparando para sair para o trabalho.

Mas em seguida Sqweegel volta à porta corrediça do pátio e recupera cuidadosamente o disco de vidro que estava no chão. Usando um pequeno frasco que levava no bolso dianteiro das calças, passa na borda do vidro uma camada de algo que Dark presumiu fosse um adesivo e coloca-o de volta no buraco. Destranca a porta, abre e sai.

Quinze minutos depois.

Sqweegel volta com uma pedra na mão enluvada.

Dark reconheceu a pedra.

Esconde-se atrás da cortina, imóvel como um manequim de loja.

Sessenta e cinco minutos de avanço rápido.

Surgem os primeiros raios de sol.

Dark volta para casa. Atravessa rapidamente a sala, sem saber que Sqweegel está de pé a poucos metros de distância.

O filho da puta ainda estava dentro da casa quando ele voltou da conversa noturna com Riggins.

Dark ficou olhando o filme, estupefato.

Sqweegel fica de pé ali, imóvel, sem sequer parecer estar respirando. Braços ao lado do corpo. Cabeça baixa. Era como se tivesse se colocado ali e depois desligasse uma chave no cérebro que tivesse congelado toda a atividade elétrica e biológica.

Era uma mistura de paciência e atrevimento que ninguém mais seria capaz de imitar. Revelava também a profunda autoconfiança de Sqweegel.

Confiança... ou conhecimento.

Sqweegel sabia que Dark tinha saído.

Sabia com quem ele se encontrara.

Sabia que ele estaria ansioso para ver Sibby e que se apressaria a fim de ver se ela estava bem.

Mas como? Como ele poderia saber tudo isso?

Como conseguira vigiar todos eles, os que o perseguiam e o homem que estava sendo recrutado para caçá-lo? E também a mulher deste?

Era mais do que confiança, pensou Dark. Sqweegel possuía alguma outra vantagem. Auxiliares? Era uma possibilidade.

Os indícios das câmeras, no entanto, indicavam que ele agia sozinho.

Veja o que está fazendo agora.

Usa a pedra para estilhaçar o vidro do pátio.

Salta o portão e atravessa o gramado comum às duas casas para fazer o mesmo à porta de vidro do vizinho.

O que Dark tinha dito a Riggins na ocasião? Que não parecia ser o estilo de Sqweegel?

São apenas crianças, atirando pedras nas janelas dos vizinhos.

Dark compreendeu que tinha cometido graves erros com Sqweegel; não apenas subestimando-o, mas deixando de utilizar seu próprio dom especial para pensar como ele, recusando-se a esforçar-se por entrar na mente de Sqweegel da única forma que podia. Não iria agarrá-lo com raciocínio frio de detetive. Não cometeria os mesmos erros que inúmeros outros agentes haviam cometido ao longo dos anos. Dark o agarraria usando seu dom — sua capacidade de entrar na mesma faixa de onda de seu objetivo e segui-lo além dos limites da razão, nas profundezas das mais negras fantasias de Sqweegel, aonde quer que estas o levassem.

Capítulo 56

Hospital Socha
21 horas, Costa Oeste

Riggins segurava uma modesta xícara de café na sala de espera do hospital, com o bloco e a caneta no colo. Tinha terminado uma série de chamadas telefônicas que haviam acordado pelo menos uma dúzia da pessoas na Costa Leste. Mas eles que se danassem. Essa era a natureza do monstro. A tarefa da Divisão iria se tornar ainda mais caótica nas doze horas seguintes. Teriam de aprender como lidar com ela.

Pelo menos Wycoff parecia satisfeito por enquanto. O secretário de Defesa se sentia mais seguro com a mobilização. *Finalmente*, zombara ele. *Vocês já deviam ter trazido todo mundo para cá há mais tempo*.

Dark entrou na sala de espera e sentou-se ao lado dele. Riggins o olhou de cima a baixo e sacudiu a cabeça.

— Você nem tomou um banho, não é? Não entendeu quando eu disse *Vá para casa e tome um banho*?

— O médico de Sibby disse alguma coisa?

— Nada. Pressionei uma enfermeira há pouco. Ela disse que logo que soubesse alguma coisa, me contaria.

— Obrigado.

— Não precisa me agradecer.

Os dois homens ficaram em silêncio por algum tempo, fingindo olhar a mesma mancha na parede à frente. Mas os cérebros de cada um deles funcionava a todo vapor, revirando o caso interiormente.

— Deixe-me perguntar uma coisa — disse Dark, finalmente.

— O quê?

— Depois de dois anos, por que motivo esse puto de repente passou a se interessar por mim?

Riggins suspirou.

— Tenho pensado muito nisso. Como sempre digo, às vezes a melhor resposta é a mais simples.

— Sim. E qual é a resposta simples?

— Você já disse. Há dois anos você era o encarregado do caso — disse Riggins. — Você se aposentou... isto é, saiu... seja o que for. Parece que ele sente falta de você. Acha que era divertido ter você trabalhando, e agora quer que você volte ao jogo.

— Foi ele quem me tirou do jogo.

— Talvez ele achasse que o efeito seria o contrário. Pensou que fazendo o que fez você *redobraria* seus esforços.

Dark sacudiu negativamente a cabeça.

— Mesmo assim, não faz sentido. Centenas de investigadores andaram atrás dele. Por que está gastando tanto tempo comigo? Por que me fazer desistir e depois quer que eu volte? Não sou nada de especial.

— Você foi quem chegou mais perto dele.

— Talvez. Não temos provas disso.

— Você foi o único que o viu, e acho que isso o perturbou. E agora ele está fazendo um escarcéu, como uma criança, procurando atrair sua atenção.

— E sabe exatamente como fazer isso.

Riggins se voltou, com uma expressão confusa no rosto.

— Que quer dizer com isso?

Enquanto Dark narrava o que tinha descoberto nos filmes de vigilância, Riggins ficou olhando fixamente para o café, que agora parecia uma xícara de papelão cheia de excremento líquido. Ouviu com atenção o resumo objetivo feito por Dark sobre o que Sqweegel tinha feito com sua mulher grávida.

Aquele filho da puta, pensou Riggins. E depois a mensagem no banheiro, escrita com...

Meu Deus do céu.

A ideia de que alguém fizesse aquilo com alguma de suas filhas — até mesmo com suas ex-mulheres — o faria enlouquecer de raiva. Admirou-se ao ver o controle de Dark, tratando do caso de maneira racional. Com tranquilidade, como se não houvesse um elemento pessoal. Porra, se tivesse acontecido com Riggins este já teria bebido e gritado que queria pintar as paredes com o sangue do monstro.

Mas não era assim que Dark operava.

Talvez por isso Sqweegel quisesse trazê-lo de volta. Um monstro profissional não podia achar interessantes os agentes e investigadores que se desesperavam ao primeiro sinal de pressão. Talvez quisesse tratar com alguém mais resistente, que pudesse sofrer as provações de Jó e mesmo assim continuasse a funcionar.

Mas Riggins não disse nada disso a Dark.

O BlackBerry de alguém tocou. Riggins apalpou o bolso das calças, mas não era o dele. Era o de Dark. O agente pegou o telefone e olhou a tela. Uma nova mensagem de texto.

Para receber um e-mail de um "amigo", entre em grau26.com.br e digite o código: manchete

Capítulo 57

Wilshire Boulevard, 11000
Sexta-feira / 2 horas

Desde que fora criada no final da década de 1980, a Divisão nunca tinha deixado sua sede em Quantico, na Virginia, até que Riggins deu uma série de telefonemas da sala de espera do Hospital Socha.

Poucas horas depois dessas chamadas, a agente especial Constance Brielle embarcou em um avião com destino a Los Angeles com uma dúzia de colegas, tanto peritos e analistas criminais quanto técnicos em informática e agentes de várias especialidades. Inicialmente, ela tinha perguntado a Riggins se aquilo era alguma brincadeira. Ele assegurou que estava falando sério. Ela perguntou: *Não seria talvez mais inteligente, bem, você sabe, voltar a Quantico*? Riggins afirmou que não.

— Que está acontecendo, Tom? — indagara ela. — Fale sério.

— É um sujeito conhecido nosso, você sabe quem é — respondera ele. — Agora vá tomar as providências de viagem e venha para cá.

Constance daria a vida para escutar os telefonemas de Riggins a seus superiores no Departamento de Justiça, só para saber como tinha sido possível convencê-los a mudar temporariamente uma organização como a Divisão de Casos Especiais para o outro lado do país.

Fazia já três dias que ela não via Riggins, desde a desastrosa coletiva de imprensa com o secretário de Defesa, Robert Dohman, e o restante da comunidade internacional de investigações criminais. Riggins tinha desaparecido na mesma noite, deixando pouco mais do que um e-mail apressado: *Constance, voltarei dentro de alguns dias. Cuide dos chatos. Riggins.* Deixou também uma pilha de documentos na mesa dela.

Não tinha dado nenhuma pista sobre seu destino e nem sobre o motivo da partida.

Tudo mudara, porém, quando Riggins a chamou naquela tarde e instruiu-a a fazer parte da equipe que já se preparava para a viagem a Los Angeles. O avião decolaria dentro de uma hora.

Agora ela se via no interior do edifício de repartições federais no número 11000 do Wilshire Boulevard, espremido entre Beverly Hills e as rampas de concreto da autoestrada 405. Ali Riggins havia instalado um Centro de Comando, tosca imitação do que existia na Virginia. Mais tarde, Constance verificaria que a sala era principalmente uma área de fachada de alta tecnologia, várias dependências destinadas a impressionar gente de Hollywood e autoridades estrangeiras que desejavam visitar o famoso FBI. Seria embaraçoso fazê-los passear em volta das verdadeiras salas de trabalho, com telefones quebrados e computadores lentos que usavam sistemas pelo menos seis anos atrasados.

Constance novamente se admirou com o que Riggins tinha conseguido montar com apenas alguns telefonemas.

A peça central do novo Centro de Comando era uma enorme tela de LCD ligada a um painel de controle de última geração; tudo estava conectado com os computadores de Quantico por meio da mais enlouquecedora tecnologia criptológica e de cibersegurança possível. Tinha até cheiro de carro novo.

Constance entendeu completamente o motivo da súbita mudança ao ver quem estava operando os controles.

Steve Dark.

Não se deve pedir a Maomé que leve um viajante fatigado à montanha; o que se faz é levar a montanha a Maomé, especialmente se este se retirara do caso quando a família adotiva inteira foi assassinada.

Riggins a recebeu com um aceno de cabeça.

— Que bom que você veio, Constance.

— Claro, Tom.

Até parecia que ela podia escolher.

Dark voltou-se lentamente em sua cadeira e virou a cabeça para olhá-la. Havia uma estranha ausência de expressão em seu rosto, como se procurasse reconhecê-la. *Vamos, Dark*, pensou ela. *Não passou tanto tempo assim.* Não era por desprezo, raiva, culpa, surpresa, ou qualquer outra coisa. Para Constance, era como se Dark pairasse em um plano existencial diferente do restante deles e tivesse dificuldade em sintonizar a realidade normal.

— Olá, Constance — disse ele, sem emoção.

— Steve, sinto muito — disse ela. — Como está Sibby?

— Em condições críticas.

— Oh. — Constance ficou sem palavras durante um instante, procurando encontrar alguma coisa positiva para dizer, algo que o reconfortasse, que o fizesse se abrir, ainda que por um segundo. Em vez disso, viu-se repetindo as mesmas palavras. — Sinto muito.

Realmente sentia.

Teria Riggins percebido aquele momento? Ela esperava que não, mas às vezes era difícil saber o que Riggins achava. Às vezes parecia desligado, mas ela perceberia mais tarde que ele era capaz de recordar as palavras com a exatidão de um estenógrafo.

Constance procurou concentrar-se no caso, e não em Dark. Em poucos dias Sqweegel havia realizado uma escalada em seu modelo de assassinatos, o que era muito atípico. Além disso, resolvera concentrar-se em uma única região geográfica: a grande Los Angeles — coisa também inédita.

Naturalmente, Constance sabia que estavam lidando com um homicida classificado em um novo grau. Em geral se ocupavam dos graus 24 e 25, mas aquele era um outro tipo de animal. Os critérios antigos não se aplicavam agora.

Também era difícil para ela fazer a distinção entre o caso e o próprio Dark. Ele era como Sherlock Holmes e Sqweegel seria o Dr. Moriarty; a quase captura em Roma era o máximo que alguém jamais conseguira. E agora, repentinamente, Dark estava de volta.

Como teria acontecido aquilo? Da última vez que vira Dark, ele tinha deixado claro que não queria mais saber do assunto. Não voltaria jamais. Para ele, tudo estava terminado.

Como teria Riggins passado de *Não, nunca mais, isso não vai acontecer* para *Ora, Constance, você se lembra de Steve, não é*?

Constance achou melhor tentar entender mais tarde. Olhou por cima do ombro de Dark, que digitava:

cavalos da polícia montada mortos.

Dark abriu o primeiro artigo que apareceu na tela. Era do *New York Times*, com o título "Viúvas do 11 de Setembro Doam Cavalos à Polícia Montada de Nova York".

— Cavalos?

— Ele matou cinco cavalos — disse Dark. — Deu cenouras e depois atirou à queima-roupa. Um por um, uma baia de cada vez.

— Meu Deus. Tem certeza de que foi ele?

— De certa forma ele nos informou que foi obra sua.

Rapidamente, Dark explicou o poema dos assassinatos. Constance imediatamente saltou para o quinto verso:

Cinco por dia vão questionar.

Cinco cavalos que não sabiam por que tinham sido mortos. Seria esse o significado do verso?

— Os cavalos estão perguntando por quê? — disse Constance. — Ou seremos nós?

— Sqweegel nunca deixa as coisas muito claras — respondeu Dark. — Sempre há um sentido por trás do sentido.

Em seguida Dark mostrou a ela o artigo que Sqweegel lhe havia enviado e ela o leu rapidamente. Sempre fora uma leitora rápida, característica que, ligada a uma memória de computador, a havia transformado em aluna excepcional na universidade. Quando menina, era considerada um "gênio". Na verdade, tinha simplesmente uma grande capacidade de recordar qualquer coisa que tivesse lido ou ouvido. Uma poderosa memória, nada mais. O mesmo que faria um computador. Todos pareciam notar somente isso, e não suas outras virtudes policiais.

O verdadeiro gênio é a capacidade de ponderar os mesmos fatos e perceber as ligações ocultas entre eles. Constance em geral fazia isso muito bem, mas ninguém notava.

Mas o artigo não suscitou em Constance nenhuma conexão especial. Parecia pouco mais do que um ato de vandalismo extremamente cruel — destruição de propriedade pública. Naturalmente, os habitantes de Nova York não tinham a mesma opinião. Todos os jornais da cidade se ocuparam do assunto, lamentando a perda de cinco bravos membros da força policial local, com fotos em preto e branco de cavalarianos uniformizados chorando ostensivamente, menos de uma hora depois que os cadáveres foram descobertos por um servente.

— Então, a questão é saber por que ele mataria os cavalos — disse Dark. — Tudo o que Sqweegel faz é simbólico. Que é que ele está querendo nos dizer?

— Não sei — disse Constance. — Que mal fizeram as viúvas? Estavam apenas querendo transformar suas perdas pessoais em algo positivo.

— Isso não se enquadra no *modus operandi* costumeiro dele.

— Ele tem um *modus operandi*?

Dark se voltou para encará-la.

— Claro. Sem a menor dúvida.

Capítulo 58

Enquanto isso, Riggins tinha dificuldade em se concentrar no problema dos cavalos, porque descobrira que o Air Force 2 iria chegar em poucas horas. Com ele o Rei dos Babacas, Norman Wycoff.

Riggins tinha achado que a mobilização da Divisão de Casos Especiais, a unidade de elite do país na luta contra o crime, o manteria afastado dali.

Mas isso não tinha acontecido.

A mensagem recebida do Pentágono fora lacônica... e estranha. Wycoff vinha de avião para Los Angeles a fim de entregar pessoalmente uma prova, retirada do apartamento da mãe da jovem assassinada, crime de que ele tomara conhecimento graças a Dark. Wycoff não quis dizer que tipo de prova era, mas evidentemente era importante demais para ser confiada a um serviço de encomendas ou mesmo a um subsecretário de Defesa.

Tratava-se de uma "nova revelação" — dissera Wycoff.

O suspense estava acabando com Riggins.

Mas, francamente, ele também se preocupava com a presença de Wycoff e seus capangas. O chefão do Departamento de Defesa já não se contentava em ficar em Washington e esperar os resultados. Não, provavelmente iria criticar todas as providências operacionais, o que certamente prejudicaria a captura do maníaco. Riggins imaginara que seria capaz de evitar a supervisão sufocante ao transferir a Divisão para Los Angeles. Nada disso.

E havia coisa pior: se Dark estivesse certo, Sqweegel parecia ter passado a operar na Costa Leste.

Dark voltou-se para Constance. Os monitores do Centro de Comando piscaram por trás dela, trazendo informações. No tempo em que ainda trabalhava na Divisão, ele assumira o papel de mentor dela. Bem, talvez não tanto por obra de Dark, e sim porque ela mais ou menos o induzira a isso.

Ao vir para a Divisão, ela sabia bem o que estava fazendo. Conhecia a taxa de cortes. Por isso, desde o início procurou estabelecer conexões com os melhores. Poucos dias depois, percebeu que Dark não era um dos melhores — era *o* melhor.

Ele ensinara muita coisa a ela, e Constance queria muito que continuasse a ensinar.

— Vamos começar do início — disse Dark. — Que sabemos sobre as vítimas de Sqweegel?

— Estudei todos os assassinatos, desde o primeiro, em 1979. Até agora parecem não ter ligação entre si. São espaçados no tempo. Ele parece ter escolhido as vítimas ao acaso, com muita calma.

— E agora?

— Agora parece haver outro elemento. Uma espécie de frenesi e um novo objetivo. Onde antes havia a impressão de fatos aleatórios, agora vejo pequenos detalhes.

— Como assim? — perguntou Dark.

— Estou pensando principalmente nos padres — respondeu Constance. — Religião organizada. E os rapazes — a escola. Ou educação. Os cavalos — será a polícia?

Dark concordou com a cabeça, com um leve sorriso no rosto.

— Você também está entendendo agora.

— Honestamente? Não creio estar entendendo bem.

— Acho que a motivação dele é a retidão moral.

Constance apertou os olhos.

— Como chegou a essa conclusão?

— Os padres abusam dos meninos, e por isso Sqweegel os castigou.

— Mas aqueles não tinham sido acusados de nada. Fizemos uma verificação completa. Se isso é verdade, trata-se de uma forma ridícula de agressão fora de propósito.

— Talvez a culpa real não interesse a Sqweegel. Alguns exemplos representam a totalidade. Para ele, toda a Igreja merece punição.

— Isso é um pouco mais do que olho por olho, não é?

Constance tinha visto as fotos da cena do crime. Os corpos dos padres tinham ficado tão carbonizados que os legistas precisaram recorrer a registros dentários para identificá-los. Isso, naturalmente, pouco significava diante do odor que a equipe tivera de suportar. Constance já estivera perto de corpos queimados. Ninguém esquece o cheiro doce e nauseabundo a cada inalação.

— Você quer dizer, imolação contra molestação?

— Sim — disse Constance. — Uma coisa não é igual à outra.

— Mas na Igreja Católica o pecado mortal é punido com o fogo do inferno.

— Isso faz de Sqweegel o mesmo que o demônio?

— Na verdade — disse Dark —, de alguma forma distorcida ele é capaz de pensar que é São Pedro.

— E os cavalos? Serão um símbolo da corrupção das corridas do hipódromo?

— Sei que você está querendo fazer graça, mas pense nisto: quem aqueles animais representam? O Departamento de Polícia de Nova York. Talvez ele os esteja julgando por algum tipo de pecado.

— E os rapazes de Hancock Park são símbolos de outra coisa — disse Constance, pegando a deixa. — Talvez a cobiça dos pais, ou a falta de interesse deles. Devíamos ir conversar novamente com eles, para ver se achamos o fio da meada.

— Riggins já mandou alguns agentes para lá — disse Dark.

— Também há a questão dos números — disse Constance.

— Continue.

— As palavras do poema. Seis padres. Cinco cavalos. Três rapazes. Ele está seguindo uma lista.

— É verdade, mas fora de ordem. A sequência não é a numérica. Alguma outra coisa o orienta.

— Há sete versos no poema — disse Constance. — O número sete é interessante. Por exemplo, os sete pecados capitais?

— Não — disse Dark. — Não creio que ele seja tão direto. Está querendo nos dizer alguma coisa com aqueles números. Está nos instigando para sermos inteligentes o bastante para entender o padrão.

Constance se deu conta de quanto apreciava aquele tipo de debate. Qualquer outra pessoa teria zombado se ela o dissesse em voz alta, mas era como uma boa sessão de sexo. Dar e receber. Duas cabeças trabalhando em busca do mesmo objetivo, seja para capturar um maníaco ou para dar prazer um ao outro. Ambas as mentes, pensou Constance, estavam muito próximas. De certa forma, ela achava que conhecia Dark melhor do que qualquer outra pessoa.

E isso explicava grande parte do que acabara acontecendo entre os dois.

— Preciso ir para Nova York. Quanto mais depressa, melhor.

— Talvez seja isso o que Sqweegel quer que você faça — disse Constance. — Ele pode ter contratado alguém para matar os cavalos.

— Não, Sqweegel é um assassino que gosta de usar as próprias mãos. Em trinta anos, nunca houve qualquer indicação de que ele tenha usado um parceiro ou contratado alguém para alguma tarefa. Pensei que poderia ter mudado agora, mas acho que não. Tem mania de controle. Acha que ninguém está à sua altura.

— Mania é a palavra certa. Mas não sei se é o momento de você tomar um avião e...

Naquele momento o BlackBerry de Dark tocou. Ele atendeu, levando o aparelho ao ouvido. Balançou silenciosamente a cabeça.

— OK, OK.

— Que foi? — perguntou Constance.

Dark já estava na metade do corredor.

— Ei, Dark! O que está acontecendo?

— Sibby — disse ele.

Capítulo 59

Constance correu para chegar até onde ele estava, atravessando os corredores do edifício 11000 do Wilshire Boulevard. Finalmente ele parou e virou-se:

— O que é?

— Deixe-me levar você ao hospital. Podemos continuar a decifrar o poema no carro. De que adianta alugarmos um carrão se não pudermos usá-lo nas ruas de Beverly Hills?

Dark pensou na oferta durante um minuto e em seguida concordou.

— OK. Está bem.

O carro alugado estava longe de ser um carrão. Era uma minivan Chevrolet completamente sem graça que Constance tinha escolhido porque não sabia se teria de transportar meia dúzia de agentes pela cidade ou apenas a si própria. Não pensara que estaria sozinha no carro com Dark.

Agora que ele ia ao encontro da mulher e ambos tinham oportunidade de ficar um momento a sós, longe do clima enlouquecido do Centro de Comando, ela achou que precisava dizer uma coisa. Finalmente, depois de todos aqueles meses.

— Você disse que Sqweegel gosta de julgar as pessoas, de mandar mensagens — disse ela. — Ele está em uma missão de retidão moral, procurando castigar os pecadores.

— É isso — disse Dark.

— Por isso, tenho de fazer uma pergunta.

— Qual?

— Por que motivo ele está querendo castigar *você*?

— Não sei. Eu e Riggins tentamos decifrar esse enigma. Achamos que seja porque eu estive envolvido no caso, mas isso não faz muito sentido. Ele está se intrometendo demais em nosso relacionamento.

— Interessante escolha de palavras — disse Constance.

Dark ficou apenas olhando para ela.

Constance começou a fazer a curva à direita para entrar no Wilshire Boulevard, mas um carro maior passou à frente antes que ela pudesse avançar. A noite já estava no meio, mas para surpresa dela havia muito tráfego na rua. Constance olhou para Dark e resolveu falar antes que fosse tarde demais.

— Você acha que isso tem alguma coisa a ver com você e eu?

Dark não respondeu imediatamente. Na verdade, não fez nada. Nem sequer parecia haver respirado. Era capaz disso, o que fazia Constance enlouquecer de frustração. Ela se contentava com pouca coisa. Qualquer coisa. Especialmente trazer tudo às claras, como agora.

Finalmente o carro entrou no Wilshire.

— Isso foi há muito tempo, Constance — disse Dark.

— Quase um ano.

— E somente eu e você sabemos disso, não é?

— Naturalmente.

— Então, não é isso.

Tudo bem, então, pensou Constance. O problema está resolvido. A mente culpada já estava limpa. Meu Deus, tinha sido fácil. Já devia ter feito aquilo muito antes.

Pouco depois, chegaram ao hospital.

Dark também tinha pensado naquele assunto, desde que perguntara a Riggins: *por que eu*?

Ele tinha muitos pecados na alma, mas o único pelo qual sentia uma pequena dose de culpa era o que acontecera entre ele e Constance.

Naquela época ele não era o mesmo homem, e sim um fantasma oco de si mesmo. Era um cadáver ambulante, que certa noite se enganara, pensando que era humano.

O que tinha acontecido estava no passado, e lá ficaria.

Não é mesmo?

— Oi — disse Sibby.

Ela ficara vagamente preocupada que suas cordas vocais não funcionassem, que as palavras não saíssem, depois de tanta espera.

— Oi — disse Steve, estendendo-lhe a mão.

O dia anterior tinha sido confuso, uma espécie de sonho; médicos, registros, tubos intravenosos, máquinas apitando. Depois ouvira falar do acidente e da corrida para salvar o bebê. Tudo parecia alheio a seu corpo físico, como se estivesse assistindo a uma novela de sobre médicos, com aquelas coisas horríveis acontecendo a outras pessoas.

Mas nada disso importava mais, porque Steve tinha chegado.

Ela também estendeu a mão para tocar a dele com as pontas dos dedos. Graças a Deus a pele dele era verdadeira. Muito verdadeira. Ela sentia o aroma do xampu dele, do amaciante que usava em suas roupas.

— Que bom ver você — disse ele. — Os médicos disseram que você está bem, que o fígado está estável e que o bebê também está OK. Como se sente?

— Como se tivesse tido um acidente de automóvel — respondeu Sibby.

Steve olhou para ela franzindo a testa, depois riu.

Na verdade, embora os médicos e enfermeiras tivessem contado a ela o que tinha acontecido, o desastre na interestadual 10, o problema no fígado e tudo o mais, ela não recordava nem um segundo do acidente e nem do que acontecera depois. Era como se o cérebro tivesse apagado tudo da memória de curto prazo. Talvez mais tarde se lembrasse.

O que recordava já era o bastante: a mensagem de texto recebida do perseguidor. Lembrava-se de cada palavra e do que significava. Tinha de contar a Steve logo, porque não acreditava em coincidências. Estava ansiosa por contar a ele, no instante em que acordasse.

Mas Steve se curvou para ela, abrindo a boca como se tivesse uma coisa importante na cabeça e não conseguisse articulá-la. Aquilo o estava arrasando.

— Preciso dizer uma coisa a você — disse ele. — Uma coisa que aconteceu quando nos conhecemos. Uma coisa que nunca contei a você.

Constance olhava pela pequena janela de vidro na porta do quarto de hospital de Sibby. Seus olhos se encheram de lágrimas ao ver Dark e a mulher se falando pela primeira vez depois do acidente. Sabendo que ninguém a ouviria, que somente Dark poderia entender o que ela queria dizer, Constance pronunciou algumas palavras curtas, esperando que o sentido chegasse de alguma forma a Sibby.

Sinto muito.

Capítulo 60

3h13

Sibby ouvia o que Steve dizia e ao mesmo tempo não o ouvia. Estava demasiadamente concentrada na mensagem de texto e precisava contar tudo com detalhes, para que Steve não perdesse a cabeça.

— Você não precisa me explicar nada — disse ela. — Não tem importância.

— Não. Você precisa saber.

— Seja o que for, Steve, isso pode esperar. Há uma coisa que não contei a você.

Sibby sentiu a mão dele afrouxar um pouco, como se já começasse a se distanciar.

— O quê? — perguntou ele.

— Ontem de manhã eu menti para você. Achei que estava exagerando, e você estava tão nervoso...

— Conte-me — disse Steve.

— Quando acordei, sentia-me esquisita. Meio tonta. Dolorida.

Steve conteve a respiração e baixou a cabeça, o que desconcertou Sibby. Ela esperava que ele se descontrolasse, mas teve a impressão de que já sabia.

Ele *saberia*? Eles a teriam examinado para verificar estupro sem dizer a ela?

Steve retirou completamente a mão. Sibby estendeu a sua e segurou-lhe o polegar.

— Espere. Isso não é tudo. Também houve mensagens de texto.

Desta vez Steve ficou surpreso.

— Mensagens?

Sibby relatou todas as de que se lembrava. Disse que davam a impressão de versículos adulterados da Bíblia, e que sempre chegavam quando ele estava fora de casa, ou quando ela saía sozinha para fazer compras.

— Desculpe não ter dito antes. Não queria preocupar você. Por favor, não fique zangado.

— Por Deus, claro que não estou zangado — disse Steve. — Nem pense nisso.

— Não sei se isso tem alguma coisa a ver com essa sua investigação, mas se tiver...

— Tem, sim — disse ele, baixinho.

— Mas por que nós? Por que eu, todo esse tempo?

— É por minha causa. A culpa é minha. Você está comigo, e por isso ele ataca você também. E o bebê. Vai continuar a tentar fazer mal a você. Não vai desistir.

Essa revelação foi um golpe duro para Sibby. Durante todo aquele tempo do relacionamento de ambos, ela presumira que o estoicismo de Steve era simplesmente a natureza dele. Agora, porém, estava claro que não se tratava de um traço de sua personalidade. Era uma tática de sobrevivência, uma muralha que ele erguera para separar sua nova vida da de antes. Agora a muralha desabara, a vida anterior se misturava com a nova e não havia nada que ele pudesse fazer para evitar.

Isso é besteira, pensou Sibby.

— Bem, só há uma coisa a fazer — disse ela.

— O que é?

— Dar um fim a isso.

Steve olhou para ela, quase surpreso, como uma criança que recebe uma advertência. Em seguida, recuperou-se, procurando reconstruir um pouco de seu muro.

— Você não está entendendo — disse. — Não contei tudo a você. Existe um histórico.

— Não quero saber. Você é o melhor em sua profissão, ainda que tenha passado algum tempo sem trabalhar. Por que outro motivo vieram procurar você? Por que outro motivo o FBI quer tanto que você se ocupe do caso?

— Já tentei antes — disse Steve. — Primeiro, oficialmente. Depois, por minha conta. Das duas vezes o resultado foi o mesmo. Não consegui agarrá-lo. Não sou a pessoa certa para essa tarefa, seja qual for a opinião do FBI.

— Então, o que podemos fazer? Fugir daqui na esperança de que esse monstro não venha nos perseguir? Você é capaz de detê-lo, Steve.

— Você não está mesmo entendendo.

— Pare de dizer isso. Depois de todo esse tempo juntos, acha que não conheço você de verdade? A pessoa que você quer esconder?

— Não é isso.

— Então o que é?

— A única maneira de agarrá-lo é ser como ele. Pensar as coisas doentias que ele pensa. Entrar em sua mente deturpada e procurar o sentido. Mas eu não posso fazer isso. Não agora. Não quando vou dormir com você à noite. Não com o bebê que queremos trazer para o mundo. Isso é o que você não entende. Se eu tentar agarrar esse monstro, o que me aterroriza é que já não serei mais a mesma pessoa.

Sibby levantou a mão e tocou o rosto dele, erguendo-o para poder fitá-lo diretamente nos olhos, para que pudessem acariciar-se como haviam feito milhares de vezes antes — de alma para alma. O tipo de carícia para quando as sensações físicas e tudo o mais desaparece e duas pessoas se veem uma diante da outra, completamente expostas.

— Eu conheço você — disse ela, calmamente.— Sei que essa possibilidade não existe.

Ouviram-se duas batidas secas na porta. Mais enfermeiras? *Logo agora*?, pensou Sibby. Tinham de nos interromper agora?

Mas não era gente do hospital, e sim o ex-chefe de Steve — Tom Riggins.

— Desculpem — disse ele —, mas o avião de Wycoof acaba de aterrissar e ele quer que nós dois o encontremos imediatamente para informar sobre a situação.

Steve abaixou de novo a cabeça, mas Sibby o impediu.

— Vá atrás desse maníaco — disse ela. — Aconteça o que acontecer, estarei esperando você quando voltar.

— Dark — disse Riggins —, sei que a hora não é a melhor, mas realmente temos de ir.

Steve abaixou de novo a cabeça, suspirou e depois levantou-se lentamente, como uma criança obrigada a sair da cama segura e quentinha para ir à escola.

Sibby estendeu novamente a mão e segurou-lhe os dedos.

— Amo você — disse ela.

Steve abriu a boca como se fosse dizer alguma coisa, mas mudou de ideia e em vez disso curvou-se para beijá-la.

— Vou trazê-lo de volta inteiro para você — disse Riggins. — Não se preocupe.

Steve a olhou mais uma vez, demoradamente. Em seguida, saiu.

Capítulo 61

Pista especial / Aeroporto Internacional de Los Angeles
3h55

O secretário de Defesa Wycoff já esperava por Riggins e Dark na cabine despressurizada do Air Force 2. Parecia um animal enjaulado esperando a oportunidade de dar um bote.

Dark observou-o cuidadosamente. O homem não parecia estar no melhor de seus dias. É verdade que Dark não o conhecia bem, mas isso não era necessário para perceber o mau humor. A camisa dava a impressão de ter sido alagada de transpiração e depois secado com o ar-condicionado. Tinha olheiras fundas e piscava nervosamente. Os cabelos pareciam levemente oleosos, assim com a ponta do nariz e as orelhas, como se não tivesse se preocupado em tomar um banho. Os lábios e a língua estavam secos e a pele manchada e um tanto rosada exalava um odor desagradável. Wycoff tinha bebido. A julgar pela cesta de lixo junto a sua poltrona, deveria ter consumido uma boa quantidade desde que partira de Washington. Não havia copos nem gelo, somente várias garrafinhas de plástico vazias.

Procurava limpar os dentes com a unha do polegar, como se tentasse retirar um pedaço de carne.

— E então? — disse ele. — Já estão quase capturando esse monstro?

Riggins suspirou.

— Trouxe meus melhores agentes para cá, e estamos investigando todas as pistas possíveis...

— Ora, foda-se — disparou Wycoff. — Não venha com essa merda que você diz aos jornalistas. O que foi que já conseguiram? Descobriram alguma pista útil de verdade?

— Talvez — respondeu Riggins. Não queria falar da pena de pássaro enquanto não se tornasse algo mais concreto. A última coisa de que ele precisava era que Wycoff requisitasse a pena e a levasse a seus próprios agentes, atrapalhando a investigação.

— Talvez? — repetiu o secretário. — Riggins, juro por Deus, se você não começar a me dar respostas sérias...

Dark pigarreou.

— Desculpe, a noite foi longa. Posso tomar um pouco de água?

— Faça o que quiser — disse Wycoff, voltando a esfregar entre os dentes com a unha.

Dark encontrou uma garrafa de água mineral na geladeira. Abriu a tampa, deixando-a cair no chão. Agachou-se e jogou-a na cesta de lixo.

Wycoff se endireitou, como se alguém lhe tivesse cochichado ao ouvido que uma câmera da CNN estava apontada em sua direção.

— Escute o que vou dizer. Não descansarei enquanto esse filho da puta não for preso e executado por tudo o que já fez. Isso quer dizer que não vou sair de Los Angeles até que isso aconteça. Considerem-me parte ativa de sua investigação.

Naquele momento uma das aeromoças apareceu e atraiu a atenção de Wycoff, que se curvou sobre ela, agarrando-a e murmurando alguma coisa em seu ouvido.

Ao voltar, ela entregou a Wycoff o palito que ele pedira. Dark apalpou o objeto que acabara de recolher do chão e meteu-o em um saco oficial para enjoo do Air Force 2, guardando-o no bolso.

Parte ativa da investigação? *Certamente*, pensou Dark. *Mais do que você imagina.*

Capítulo 62

Nova York / Hell's Kitchen
6h37 – Costa Leste

Caminhando pelas ruas de Manhattan nas primeiras horas da manhã, Sqweegel fez algumas compras.

Era realmente uma novidade que ele queria saborear. Costumava comprar muita coisa pela internet, com cartões de crédito de identidades falsas, caixas postais e endereços que existiam com o único propósito de receber pacotes. Era essencial para sua missão.

Assim ele havia feito a maioria de suas compras durante a estada em Nova York. Era muito arriscado, por exemplo, ir a uma agência e alugar pessoalmente uma van. Era melhor encomendar pela internet e aproveitar um dos quiosques automáticos que permitiam absoluto anonimato na operação de aluguel de carro.

No entanto, era necessário buscar certas coisas em pessoa, especialmente usando um disfarce que o fazia parecer-se com a maioria dos habitantes da cidade — uma aparência completamente comum. Um boné puxado para a frente do rosto, uma jaqueta leve nas costas e tênis brancos nos pés.

Por isso, durante aquela viagem, ele aproveitou a oportunidade.

A primeira parada, na noite anterior: uma das últimas lojas de ferragens independentes na região de Hell's Kitchen. O chão era de tábuas de madeira e algumas mercadorias eram apresentadas em barris também de madeira e prateleiras com objetos que não tinham código de barras. Sorrindo para o caixa, Sqweegel comprou um maçarico de acetileno, acessórios de metal, pá e tesouras de jardineiro. Era apenas mais um nova-iorquino preparando-se para trabalhos manuais em sua residência.

A etapa seguinte foi uma quitanda de esquina, que estava começando a abrir para os primeiros fregueses. Havia muitas dessas lojas em Manhattan: as grandes empresas ainda não sabiam como infiltrar-se no ramo. Sqweegel caminhou pelas alas estreitas e cheias de gente até encontrar o que procurava: sal em embalagens de papelão. Pegou também uma embalagem de plástico usada para guardar legumes e a encheu de tomates-cereja.

A última parada antes de voltar a seu esconderijo em Manhattan — ele tinha masmorras ocultas em várias partes do mundo — não foi uma loja. Em vez disso, voltou às margens do Hudson, um dos poucos terrenos não ocupados por indústrias e não privatizados próximos ao rio. Tirou a pá da bolsa de compras e começou a cavar.

Após alguns minutos, encontrou o que procurava — uma lesma gorda. Colocou-a sobre o montinho de terra e derramou os tomates. Ficariam para os mendigos que os achassem.

Em seguida colocou a lesma dentro da embalagem de plástico. O animal tentou entender onde estava agora. Sqweegel achou-o um espécime extraordinariamente belo, com manchas de vários tons de marrom e verde.

Que mal você fez a Deus para merecer passar a vida enterrado no chão?

Com a tesoura de jardineiro fez vários buracos na tampa da embalagem e depois colocou-a no saco de papel pardo das compras, junto com o restante dos legumes. Era bom que a lesma não soubesse ler, pensou Sqweegel. De outro modo, poderia realmente começar a preocupar-se, principalmente se ela fosse capaz de imaginar os planos dele.

Por outro lado, Dark, seu perseguidor, *sabia* ler. Sabia ler extraordinariamente bem.

Sqweegel olhou para dentro da bolsa e ficou vendo a lesma lutar contra sua prisão de plástico. Pensou em Dark lutando contra seus obstáculos, sobretudo os que ele tinha preparado especialmente para seu perseguidor. Dark era um ser mortal dotado da capacidade de perceber coisas que poucos notariam. Mas será que estaria começando a entender as mensagens que ele lhe enviara?

Sim, pensou Sqweegel, *acho que está.*

Para brincar com lesmas, acesse grau26.com.br e digite o código: sair

"Quatro por dia"

Capítulo 63

Malibu, Califórnia
4h38 – Costa Oeste

Sob a cobertura da noite a mão enluvada tirou de um pequeno saco plástico o cortador de vidro, e uma ventosa. A cápsula grudou-se no vidro e o cortador descreveu um círculo perfeito. O disco de vidro se desprendeu.

A mão se estendeu para dentro e deslocou o trinco da porta corrediça.

Ele entrou.

Estava novamente do lado de dentro da casa.

Em seguida esgueirou-se escada acima, em direção ao quarto do casal, deixando as roupas para trás, como uma borboleta que sai do casulo. Movimentava-se em um ritmo aflitivamente lento. O intruso fez uma pausa diante da porta e olhou para dentro do quarto vazio, já sem mobília e sem qualquer sinal de que ali tinha morado um casal. Lembrou-se de quando estava cheio de coisas — uma cama larga, TV de tela plana, cães dormindo — tudo o mais. Imaginou-as enquanto engatinhava para dentro do quarto, apoiando-se nas ponta dos dedos das mãos e dos pés.

Nada de lógica dedutiva. Nada de raciocínio. Nada de instintos. Nada de palpites.

Sou o monstro, em que estou pensando?

Arrastou-se como um verme até a cama imaginária. Ali permaneceu por um longo instante, procurando organizar as ideias.

Dark queria saber o que uma pessoa podia sentir pairando por sobre uma mulher indefesa e adormecida.

Imaginou Sibby encolhida na cama. Só que não era Sibby. Não era a sua Sibby. Não — era apenas uma pessoa íntima de seu adversário. Uma mulher que ele podia utilizar. Uma mulher com quem *podia divertir-se um pouco.*

Puxou o zíper imaginário no alto da cabeça e retirou um trapo também imaginário, já encharcado de clorofórmio. Apertou-o contra a boca da mulher. Sentiu-a resistir. Lutar.

Nesse ponto a tela tinha ficado branca.

Mas que está acontecendo agora? O que o monstro está fazendo com ela?

É penoso pensar nisso, mas foda-se a dor. Se quiser pegar aquele filho da puta safado você tem de pensar como ele, e pensar melhor do que ele. Não pode recuar porque é penoso demais.

Detenha-o, fora o que Sibby dissera. *Quando você voltar eu vou estar aqui.*

Vá em frente.

Seja o monstro, então.

Tem uma mulher bonita, grávida e inconsciente deitada na cama diante de você, nua e indefesa. Você é o monstro, solto no quarto. Pode fazer o que quiser. O que vai fazer?

Vai fazer mal ao bebê? Apalpa as partes íntimas dela porque se sente curioso? Não, não é curiosidade. Você sabe tudo sobre os bebês, por-

que às vezes os deixa vivos. Não faria mal ao bebê que está lá dentro, porque é uma criatura inocente. Livre de pecado, por enquanto.

Mas essa mulher, por outro lado; qual é o pecado dela? Por que está passando os dedos no clitóris úmido dela, abrindo os lábios da vulva, examinando-a como se fosse um médico? Não deixa contusões, nem ferimentos e nem arranhões, mas causa dor. Ela fica confusa. Você faz com que na manhã seguinte ela não saiba bem o que aconteceu. Você a faz mentir para o marido.

Será ela um dos dois que vão chorar?

Um dos quatro que vão suspirar?

Você é o monstro, você quer dizer alguma coisa ao mundo — o que é que você quer dizer? O que mais você quer, além de obedecer a sua vontade primária de retalhar, rasgar, foder, romper, chupar, lamber, socar e esbofetear essa mulher que está diante de você?

Por que veio aqui nesta noite, monstro?

Dark caminhou cuidadosamente para o banheiro do casal e abriu a água quente, deixando que o cômodo se enchesse de vapor. Em seguida escreveu o número de telefone no espelho, exatamente como Sqweegel tinha feito.

Quando o vapor se dissipou, ele começou a busca. O chão de ladrilhos. As paredes do chuveiro. Os lados da pia. Cada centímetro, metodicamente.

Nesse momento ouviu tocar seu telefone, que tinha ficado no pé da escada. Uma mensagem de texto o aguardava.

Era de Josh Banner. Os resultados já tinham chegado.

Capítulo 64

5h45

Riggins tinha mandado vir a Los Angeles o melhor técnico em DNA da Divisão. Em vez disso, no entanto, Dark consultara Banner novamente. Ambos falavam a mesma língua, e Banner não se deixaria enredar nos procedimentos da Divisão. Simplesmente se concentraria em seu trabalho, excluindo tudo o mais. Para Banner, o trabalho era tudo.

Dark estava com ele, esperando os resultados. Só mais um minuto, assegurou-lhe Banner. Já pegara um par de tesouras cirúrgicas e retirara amostras vindas do assoalho do quarto da mãe de 17 anos — a vítima do assassinato do filme a que tinha assistido —, colocando-as num tubo de ensaio. Juntou uma solução salina para libertar o DNA e pôs o tubo no espectrômetro, fazendo-o girar sob a luz dirigida.

Finalmente, algumas horas depois...

Ping.

Dark não se surpreendeu quando a comparação entre a amostra e os registros da base de dados da Divisão em Quantico surgiu na tela.

FONTE CONFIDENCIAL

NECESSÁRIA AUTORIZAÇÃO DE NÍVEL 5

Banner olhou interrogativamente para Dark. Uma mensagem como aquela significava que a amostra vinha de uma pessoa de hierarquia muito elevada no governo federal. Para prosseguir, era preciso obter licença de alguém de categoria muito alta.

— Não se preocupe — disse Dark. — Já sei quem é. Estou apenas eliminando algumas pessoas. E tenho outra coisa para você examinar.

— É mesmo? — perguntou Banner. — Uma coisa quente?

Dark enfiou a mão no bolso e retirou uma pequena garrafa de uísque Dewar de dentro de um saco para enjoo.

— Ora — disse Banner, decepcionado.

— Se essa coisa for idêntica à amostra anterior, ficarei um pouco mais tranquilo.

Banner deu um sorriso torto.

— Alguém na sua equipe gosta de beber e cuidar da higiene dental. Parece ótimo.

— Você não tem ideia — disse Dark.

Pouco depois, os resultados chegaram: sim, o mesmo homem que usara o palito também tinha bebido na garrafinha de uísque. Nenhuma outra pessoa tinha usado aqueles objetos: nem o palito e nem a garrafinha. Não havia outros traços de DNA em ambos.

Havia ainda uma amostra que Dark precisava comparar. Ia ser fácil, pois já tinha sido registrada no sistema. Bastava trazer a que estava no arquivo central da Divisão. Era uma amostra de sangue.

— Finalmente — disse Banner, que gostava de trabalhar com secreções humanas. O sangue era outra coisa.

Dark agradeceu a ele e saiu para o corredor, abrindo a pasta do arquivo que podia compartilhar com Banner.

O arquivo continha fotos de cenas de crimes, que Riggins finalmente conseguira receber do pessoal de Wycoff. Eram do assassinato de Charlotte Sweeney, a mãe de 17 anos. A moça cuja morte tinha sido presenciada pelo bebê. O nome Sweeney lembrava *sweet*, doce, pensou Dark automaticamente, e depois percebeu que não. *Charlotte* parecia *harlot — prostituta. Sweeney* parecia *sweet. A doce prostituta Charlotte.* Uma puta, mãe solteira que precisava de uma lição.

Dark foi repassando as fotos, que narravam a história em imagens:

A porta de um terraço em uma casa na área residencial de Washington. Lugar agradável para uma mãe solteira de 17 anos. Mobília cara, comprada por catálogo. Um telefonema, e tudo será entregue em casa. Não havia livros, nem enfeites, nem objetos de coleção.

Foto da porta, tomada de perto. O círculo já conhecido cortado no vidro. Fragmentos de vidro no tapete.

Manchas de sangue no tapete, seguindo pelo corredor até o quarto principal. O quarto de Charlotte Sweeney.

Mais manchas entre um colchão e a base da cama, sem lençóis. As manchas na base eram mais fortes, com o sangue escorrendo pelos lados. O sangue não tinha escorrido lentamente, e sim em jatos.

O edredom manchado. O ursinho de pelúcia. O palito de dentes.

Objetos comuns, que agora faziam parte daquele quadro de pesadelo. Coisas que faziam parte daquela casa... menos um.

Dark se lembrava de Wycoff palitando os dentes no Air Force 2, poucas horas antes. O homem era compulsivamente obsessivo em relação aos dentes.

Uma moça de 17 anos não costumaria usar palito; Dark já havia reparado nele quando vira o filme dias antes, mas somente registrou na mente naquela manhã, quando estivera com Wycoff.

Mas ainda era apenas um palpite. Por isso ele pegara a garrafinha de bebida e a protegera com um saco para enjoo. Agora o teste de DNA confirmara a pior suspeita. Dark compreendeu a urgência. As ameaças. A fúria.

E, embora isso não desculpasse os atos do secretário de Defesa nos dias anteriores, Dark os entendia.

Era abuso de poder por motivo de insanidade.

Ele faria qualquer coisa para proteger sua Doce Prostituta Charlotte e para punir seu assassino.

Dark precisava agir com cuidado. Por enquanto, isso significava nada dizer a Riggins e a Constance. Digitou um número no BlackBerry e esperou.

— Preciso falar imediatamente com o secretário Wycoff — disse ele. — Diga que tenho a resposta que ele quer.

Capítulo 65

6h19

Em vinte minutos uma camionete preta apanhou Dark no edifício 11000 da Wilshire e largou-o em Beverly Hills, no luxuoso quarto de Norman Wycoff no Hotel Beverly Wilshire. O interior cheirava a hambúrgueres mandados buscar fora e a fumo de charuto. Aparentemente, o secretário gostava de estar sempre no centro dos acontecimentos; neste caso, o coração do bairro mais caro da Costa Oeste.

Desde a última vez que Dark o vira, no Air Force 2, Wycoff encontrara tempo para um banho. Tinha uma toalha dobrada em volta do pescoço e pequenas gotas de água ainda pareciam presas aos cabelos cor de pêssego, assim como em seu volumoso corpo. Dark sempre o vira vestido de terno e gravata e surpreendeu-se ao ver que ele se mantinha em boa forma física.

— Onde está Riggins? — perguntou Wycoff.

— Vim diretamente falar com o senhor. Achei que gostaria de ser o primeiro a saber.

Wycoff pareceu hesitar quanto à forma de reagir. Com gratidão? Aborrecimento? Preferiu um pouco de cada coisa.

— Obrigado, Dark. Mas por que eu não ia querer que Riggins também soubesse? Todos fazemos parte de uma equipe.

— É mesmo?

— Que pergunta é ess...

— Riggins tinha razão — interrompeu Dark. — Sqweegel nunca deixou um só indício material durante as três décadas em que o estivemos perseguindo. Devo, porém, explicar melhor essa afirmação. Ele nunca deixou indícios materiais *por equívoco*. Às vezes, deixa coisas de propósito.

— Você está dizendo que ele deixou aquele palito no chão para que o encontrássemos? Não sei sequer se meus homens o viram.

— É isso o que estou dizendo.

— Com que objetivo?

— Para nos orientar em sua direção.

Wycoff empalideceu e em seguida sentou-se no opulento sofá, no meio do quarto. Olhou para seus próprios dedos e depois novamente para Dark.

— Diga-me o que sabe.

Dark o encarou por alguns instantes e depois foi até o outro lado do quarto, pegando uma cadeira de espaldar preto e estofamento de couro. Colocou-a diante de Wycoff. Não queria transformar a conversa em um interrogatório e sim que se olhassem de frente, de colega para colega.

— Riggins me trouxe o arquivo sobre a morte de Charlotte Sweeney. Foi um crime horrendo, até mesmo em se tratando de Sqweegel. O filhinho dela, ainda bebê, viu tudo.

Wycoff se encolheu e fez o que pôde para recuperar-se.

— Eu sei o que está no arquivo — disse ele, irritado. — Para onde quer levar esta conversa?

— O bebê é seu filho, e isso explica a repentina pressão sobre a Divisão de Casos Especiais para encontrar o animal que matou a mãe dele. Sua *amante*, ou qualquer outra palavra que prefira, senhor secretário.

— Você está louco. Ela tinha apenas 17 anos.

— Sim, isso é verdade.

— Não vou ficar ouvindo esta merda...

— Sqweegel faz pressão sobre o senhor, e o senhor nos pressiona — disse Dark. — Compreenda, senhor secretário. Ele está nos controlando, e nós dançamos como fantoches. Tudo o que fazemos já foi planejado por ele, vários passos adiante de nós. O senhor nos faz jogar damas, e ele joga xadrez em três dimensões.

— Eu tenho filhos — disse Wycoff —, mas não com aquela pobre moça. Que diabo, meu filho e minha filha frequentam Sidwell Friends, a mesma escola das filhas do presidente dos Estados Unidos!

— Não foi difícil verificar o seu DNA no palito.

— Meu DNA.... — começou a dizer Wycoff, e em seguida balançou a cabeça. — Como conseguiu meu DNA? Isso é assunto secreto!

— Secreto? Isso não existe, senhor secretário. A menos que use uma roupa como a de Sqweegel, o senhor, eu e qualquer outra pessoa espalhamos nosso DNA por toda parte. É possível retirar material suficiente de sua escova de dentes para fazer um clone seu.

Wycoff praguejou novamente e de repente levantou-se do sofá. Dark quase ficou com pena dele. Aquilo não era o que ele havia planejado.

No entanto — ele que se fodesse. O secretário estava se ocultando atrás da autoridade do presidente e usando todos os agentes para uma complexa missão de vingança contra o monstro que torturara e matara sua amante, diante dos olhos do filho ilegítimo. O filho que provavelmente não iria frequentar a escola Sidwell Friends.

Mas nada aquilo importava para Dark. O que importava era que parassem de fazer o que Sqweegel decidia, e isso significava que tudo precisaria ser revelado, pelo menos para a equipe que o perseguia.

Sqweegel vinha aumentando o grau de atrevimento, mas não permitia ao governo federal aprofundar a investigação. Nada disso. Assegurava retaliação firme e rápida. Ia diretamente ao nível mais elevado, até mesmo além do Departamento de Justiça.

Sqweegel gostava de mandar mensagens. A mensagem que mandava para Wycoff era absolutamente clara: *Se você não é capaz de assegurar seus próprios caprichos, como poderá manter a segurança do país*?

— Onde está a criança agora? — perguntou Dark. — Pelo menos diga que está sob proteção policial.

— O bebê de Charlotte Sweeney está bem.

— O senhor não está entendendo merda nenhuma, não é? — disse Dark. — Preciso saber de tudo. De que maneira ele entrou em contato com o senhor, o que lhe disse. Somente assim posso agarrar esse monstro. O senhor quer que o peguemos, não quer? E que seja punido por seus crimes, antes que continue matando?

Wycoff ficou calado por algum tempo. Apertou as enormes mãos até que as falanges ficaram brancas, e depois relaxou-as. O secretário de Defesa não estava acostumado a não saber o que dizer ou como agir. Não estava acostumado a ver suas mentiras descobertas e usadas contra si próprio.

Finalmente levantou-se, sem dizer palavra, e foi até o telefone, discando alguns números.

Dark ficou olhando calmamente para ele.

Finalmente, Wycoff disse:

— Você não falou com ninguém sobre isso, não é?

— Não, senhor secretário.

— Ótimo. Então você está frito, seu espertinho filho da puta. Está fodido. Se disser uma palavra sobre isso a qualquer pessoa, vou acabar com você. Se falar com alguém de sua equipe, será o mesmo para eles. Pergunte a Riggins. Ele dirá como é fácil. Basta que eu dê uma porra de um telefonema.

— O senhor está cometendo um erro.

— Olhe bem para mim e veja se isso me preocupa.

Dark o encarou.

Em seguida levantou-se, acenou com a cabeça e saiu do quarto do hotel sem mais uma palavra.

Capítulo 66

7h04

Não era muito fácil ler os pensamentos de Dark por meio da expressão de seu rosto, mas até mesmo Riggins percebia que alguma coisa ia muito mal.

— Que diabo aconteceu? — perguntou ele, ao ver Dark entrando no Centro de Comando.

Dark foi até a mesa que estava usando e começou a juntar seus pertences.

— Que foi que houve? — perguntou Riggins, novamente.

— Fui afastado da investigação.

— Quem fez isso? Aquele idiota do Wycoff? Escute, Dark...

— É melhor você não ficar sabendo. Vou passar a agir por conta própria. Se encontrar alguma coisa útil, entrarei em contato.

— Não — disse Riggins, sacudindo a cabeça. — Se você está fora, também estou. Fui eu quem trouxe você para isto. Não vou deixar você na merda.

— Não, preciso que você fique — disse Dark. — Não poderei agir sem você do lado de dentro. Não confio em ninguém mais.

O problema de Wycoff era que para ele a palavra "afastado" tinha um significado bastante extremo. Não era somente afastar uma pessoa de sua função; era varrê-la da face da Terra.

— Claro que você pode confiar em mim — disse Riggins. — Mas o que você vai fazer? Para onde vai?

— Tentei fazer as coisas da maneira antiga, conforme o regulamento — disse Dark. — Mas tudo isso é besteira. Tenho de agir a meu modo, ou isso não vai acabar nunca. Ainda faltam alguns versos do poema de Sqweegel, e quero cortar a garganta dele antes que ele termine.

Constance o alcançou quando ele saía do edifício.

— Dark, espere um minuto. Acabei de saber o que aconteceu.

Dark parou no corredor.

— Foi bom trabalhar com você novamente, Constance. Tenho certeza de que você e a equipe vão pegar esse filho da mãe.

— Não, não conseguiremos. Não sem você.

— Se foi Riggins quem deu a notícia, você já sabe. Estou fora.

Ela se aproximou mais e tocou nele. Como num relâmpago, Dark se lembrou da outra vez em que Constance se aproximara tanto dele, no sofá do apartamento em Venice, empurrando a garrafa para longe e colando seus lábios aos dele.

— Sei que você não está realmente fora — disse ela. — E acho que Sqweegel deu uma escorregadela.

— O que ficaram sabendo?

— Bem, não desapareça já — disse Constance. — Prometo que vai valer a pena esperar um pouco. Procurarei você quando tivermos certeza.

Dark olhou-a nos olhos durante um instante e afastou-se.

*

Constance saltou do carro alugado no momento que o dono da loja meteu a chave na grossa fechadura da porta da frente. Era um homem baixo, nervoso, calvo no alto da cabeça, como se os cabelos tivessem sido generosamente puxados para que os passarinhos tivessem um alvo melhor.

Isso era adequado, porque ele os vendia ilegalmente.

Se o palpite de Constance estivesse correto, o homem merecia o que ela estava prestes a fazer.

O dono da loja terminou de destrancar a porta e abriu-a. A tabuleta no alto dizia EXÓTICOS NEURÓTICOS — era uma loja especializada em animais raros e exóticos. A maioria eram pássaros. A porta nem acabara de se fechar quando ela a empurrou e entrou. O interior era claustrofóbico, atravancado e cheio de pequenas criaturas que pipilavam nervosamente, batendo as asas frágeis contra as grades de suas gaiolas.

— Oh — disse o homem. — Ainda não abrimos.

Constance sorriu e aproximou-se dele.

— Não se importa se eu der uma olhada, não é?

O outro parecia desconfiado e ela estendeu a mão, tocando-lhe o braço para tranquilizá-lo.

— Não vou demorar — disse Constance. — Já estou atrasada para o trabalho. Estou procurando um presente para minha mãe, ela é louca por pássaros.

Ainda com relutância, o dono da loja ergueu a mão, murmurou alguma coisa para si mesmo e retirou-se para trás do balcão, remexendo alguns papéis. Constance fingiu olhar em volta, mas sabia exatamente o que procurava.

— Este aqui — disse ela. — Este tentilhão. AZ significa que vem do Arizona?

O homem engoliu em seco, como se tivesse acidentalmente ingerido um camundongo. Os papéis lhe escaparam da mão.

— A senhora tem de sair agora — disse ele. — Como disse, ainda não abrimos.

— Mas ele é tão bonitinho.

Nessa altura o dono da loja já tinha tirado as chaves do bolso e mostrado nervosamente a Constance o caminho da saída. Não tinha importância; ela já obtivera o que precisava.

Andando de volta para o carro, ligou para Dark.

Para informações sobre a descoberta de Constance, acesse grau26.com.br e digite o código: tentilhão

Capítulo 67

Nova York, Upper East Side
Sexta-feira / 18h45

Dizem que Nova York nunca dorme, mas em certa hora da tarde há bolsões de silêncio absoluto por toda parte. Especialmente nos bairros onde a vida se acalma quando os ponteiros do relógio se aproximam das horas noturnas.

Num bairro como aquele.

Dark caminhava sem fazer ruído pela rua ladeada de árvores. Ainda estava um tanto surpreso por ter chegado até lá sem que ninguém procurasse detê-lo. Constance tinha conseguido apoderar-se sub-repticiamente da identidade de um agente da Divisão que estava em licença para acompanhar a família (leia-se: estava enlouquecendo e procurando recuperar o estado normal por meio de um longo e dispendioso tratamento). O homem se parecia vagamente com Dark, mas ninguém os tomaria por primos e muito menos por irmãos.

Mesmo assim, um avião o transportara de Los Angeles a Newark e um carro particular o levara até aquele quarteirão sem incidentes. A cabeça de Dark ainda estava confusa por causa da viagem. O corpo ainda se sentia no meio da tarde, mas o ambiente era diferente. Fazia muito tempo que ele não ia a Nova York e se esquecera do descompasso do fuso horário.

De pé diante da porta de uma casa ele apertava a campainha com o dedo. Havia iniciado sua carreira assim — apertando campainhas e esperando que alguém atendesse. Muitas vezes, ninguém respondia.

Tampouco atendiam agora.

Dark tentou empurrar a porta com os dedos. Abriu-se uma fresta de poucos milímetros entre a porta e a moldura. Não era bom sinal. Desde que o Brooklyn passara a fazer parte da cidade ninguém deixava portas destrancadas em Manhattan.

— Sra. Dahl — disse Dark em voz alta, entrando no vestíbulo. — É o FBI!

Nada.

Do lado de dentro, era evidente que se tratava de um apartamento de mulher, ou pelo menos a decoração tinha sido obra de mulher. Flores em vasos, estatuetas de porcelana de animais, leve odor de velas queimadas. A única coisa masculina no ambiente estava em uma moldura dourada em cima de um aparador: a foto de um bombeiro de aparência corajosa. A legenda dizia: OS CAÍDOS JAMAIS SERÃO ESQUECIDOS. Em seguida vinha a data: 11 DE SETEMBRO DE 2001.

Mais para dentro do apartamento havia outras fotos. As paredes estavam cobertas de instantâneos que retratavam uma vida ativa. Um casal beijando-se no dia do casamento; presumivelmente a noiva, já com certa idade, era Barbara Dahl. Um instantâneo tirado do banco de reservas de um jogo de futebol dos bombeiros contra os policiais. Um piquenique no jardim com a churrasqueira fumegando e um recipiente com garrafas de cerveja gelada. Dark logo notou o fio que as unia: cores vermelhas, azuis e brancas. Em algumas fotos aparecia uma bandeira dos Estados Unidos, em outras uma flâmula. Era evidente que todas datavam de depois do 11 de Setembro, quando as cores nacionais enchiam o país, por ser uma das poucas coisas que se podia fazer.

— Sra. Dahl?

Barbara Dahl havia se casado novamente depois que o marido desaparecera no desabamento das torres gêmeas. Caminhando pelo apartamento, Dark não viu recordações do primeiro casamento. Ainda que ela não fosse capaz de varrê-lo da memória, pelo menos o tinha varrido da casa.

Dark saiu do corredor e viu uma escada que levava ao porão. Desceu silenciosamente os degraus de cimento, entrando em um cômodo mal iluminado. Em um segundo descobriria por que motivo ela não tinha respondido.

A primeira coisa que notou foi o cheiro.

Olhando para o canto viu o cadáver da Sra. Dahl pendente de um cinto de couro preso aos canos que passavam junto ao teto. A língua lhe saía da boca como se ela tivesse morrido em meio a uma frase. Os intestinos tinham se esvaziado, o que explicava o mau cheiro. Um sapato caíra e o outro ainda estava no pé, que pairava a 60 centímetros do chão.

Dark, porém, não se entreteve com a macabra aparência do cadáver. Ouviu um som acima de si: o ranger da porta da frente se abrindo.

O agente virou-se e atravessou lentamente o pavimento do porão, apontando o revólver para a escuridão. Ouviu três passos acima de si, caminhando pelo assoalho... e em seguida nada mais.

A pessoa que estava no andar superior o teria ouvido? Teria parado por causa disso?

Seria Sqweegel?

Ao dirigir-se para a escada, Dark ouviu mais passos. Desta vez, porém, eram mais cautelosos, e tudo o que se ouvia era o leve ranger do chão a cada passo.

Dark imediatamente se lembrou da ocasião em que se esgueirara sob tábuas — a igreja em Roma. Desde então, quase todas as noites pensava em apontar a arma para o alto e atirar através das tábuas. Um cartucho inteiro, esvaziado a esmo pelo andaime acima de si, provavelmente lhe garantiria ter acertado o monstro. Naquele momento, bastaria uma bala para evitar o pesadelo que se seguiu.

A tentação de erguer a arma e começar a atirar foi poderosa, mas naturalmente Dark não o faria. Pelo menos enquanto não tivesse certeza de que se tratava de sua presa.

Teria de se mover tão silenciosamente quanto possível para encontrá-lo a meio caminho, desejando ver o corpo fugidio vestido de látex branco....

Os passos cessaram no alto da escada que ia para o porão. Dark apontou a arma para a porta.

Uma cabeça envolta em sombras se curvou para dentro.

— Não se mexa — disse Dark.

A sombra pareceu se inclinar e depois pigarrear.

— Levante as mãos. Agora, porra! — disse Dark, estendendo a mão para o fio que acenderia a lâmpada nua acima de si.

A sombra obedeceu no momento em que a luz a atingiu. Era um homem de meia idade, ainda vestido com calças de uniforme de bombeiro e camiseta branca. Adiantou-se, com as mãos para cima. Na mão direita erguida trazia um pedaço de papel

O rosto estava vermelho e as lágrimas escorriam.

— Não consegui tocá-la — disse ele, com voz trêmula. — Não consegui pegar o telefone e nem tocá-la. Oh, meu Deus, Barb...

Dark guardou o revólver e depois, pacientemente, fez o homem narrar a história. Era o bombeiro Jim Franks, segundo marido da Sra. Dahl. Tinha acabado de sair de seu turno de serviço no Bronx e correra para casa a fim de acompanhar Barbara, que ultimamente estava muito perturbada. Encontrara o corpo, depois o bilhete, e entrara em uma espécie de choque. Frank era bombeiro, conhecia bem os sintomas e sabia o que lhe estava acontecendo. Tinha conseguido subir até o andar de cima e chegado ao pequeno pátio atrás da casa para recuperar-se e colocar a cabeça em ordem. Muito tempo se passara; ele não sabia dizer quanto, até poder olhar para o bilhete e lê-lo. Em seguida entrara novamente em estado de choque.

— Posso ver o bilhete? — perguntou Dark.

Hesitante, Frank entregou o papel que mantinha agarrado entre os dedos.

Sinto falta de meu marido. Desculpe, Jim. Fique com o dinheiro.

— Que dinheiro? — perguntou Dark.

Capítulo 68

Brooklyn, Nova York

Do outro lado do East River, diante de um hospital no Brooklyn, as quatro viúvas esperavam pacientemente na grande van branca.

Naquela noite haveria uma novidade: um passeio. Tinham recebido o chamado naquele mesmo dia, informando que deveriam encontrá-lo diante do hospital e não na sala costumeira de terapia no subsolo. A maioria delas parecia ter gostado da ideia. Seria uma forma de escapar da sala demasiadamente iluminada, que cheirava a desinfetante.

Era também uma forma de esquecer a tragédia dos cavalos.

Aquela carnificina sem sentido as afetara de diferentes formas, mas nenhuma delas poderia esquecê-la. Os símbolos adquirem vida própria, e quando alguém destrói o símbolo vivo de uma pessoa querida que você perdeu, é quase como sofrer novamente a dor original. Mais uma vez, a cidade parecia solidária em seu luto.

Por que alguém mataria aqueles pobres cavalos? Era mais do que uma brincadeira de mau gosto. Não havia motivação financeira. Somente havia vítimas, nenhum beneficiário.

O lugar do passeio daquela noite não fora anunciado, mas algumas das viúvas acharam que poderia ser a estábulos da polícia. O líder da terapia considerava importante encarar o sofrimento. *Estampe-o no rosto*, dissera ele certa vez, *e você conseguirá que ele ocupe o lugar dele.*

Algumas das viúvas gostariam de estampar outra coisa naquele rosto pomposo.

Mesmo assim, o tratamento parecia dar algum resultado, e por isso as viúvas confiavam nele. Daí esperarem pacientemente por ele dentro do veículo branco e abafado.

Depois de algum tempo, um homem magro — bem-vestido, sem características peculiares — abriu a porta do lado do motorista. Sentou-se e em seguida virou-se para as mulheres, com um sorriso nos lábios.

— Boa noite, senhoras. Meu nome é Ken Martin, e sou seu motorista. O Dr. Haut me pediu que as levasse ao lugar onde as encontrará. Estão prontas? Alguma pergunta?

Não havia perguntas. Imaginavam o que o Dr. Haut poderia ter preparado e se enchiam de coragem para mergulhar novamente em sua dor. Nenhuma delas queria ver estábulos nem placas na parede que recordassem seus maridos. Mas se aquilo acabasse por fazê-las sentirem-se melhor...

— Muito bem — disse Martin, que o FBI conhecia como Sqweegel, enquanto ligava o motor.

— Eu não queria o dinheiro — disse Franks. — Disse a ela que nunca tinha pensado no dinheiro.

— Que dinheiro? — repetiu Dark.

Franks olhou para ele e suspirou.

— Depois do 11 de Setembro, o capitão do meu batalhão mandou um grupo nosso procurar as viúvas que tinham perdido os maridos. A intenção era boa. Para alguns de nós era uma forma de encontrar paz. Para outros, foi um tormento que durou seis meses. E alguns encontraram...

— Você encontrou uma esposa — disse Dark.

— Sim — disse Franks.

— Você era casado na época?

— Era casado, sim. Dois filhos. O casamento é complicado, principalmente na minha profissão. Você arranja uma mulher que não entende as exigências de seu trabalho e isso acaba com você, não importa o que você faça. Não é possível obrigar alguém a sentir-se feliz. Imagine, então, quando se encontra alguém que deseja ser feliz novamente. Alguém que a gente pode fazer feliz. Foi assim comigo e Barb.

Dark concordou com a cabeça.

— E o dinheiro?

— Muitas viúvas depois do 11 de Setembro receberam seguros multimilionários. Por isso foi particularmente difícil rejeitar uma vida nova quando a vida atual era ruim e eu passava a maior parte do tempo pensando em como sair daquela. Você entende o que quero dizer?

Mais um elemento, pensou Dark. Outra vez a retidão moral. Sqweegel não estava fazendo um julgamento sobre a polícia como instituição e sim sobre a instituição do matrimônio.

— Sei o que você quer dizer — disse Dark.

Tirou do bolso uma lista de nomes das viúvas e a entregou a Franks.

— Você conhece essas mulheres?

— Conheço, sim. São amigas de Barb. Elas frequentam um grupo.

Ao pronunciar o nome dela, Franks se emocionou novamente. Dark precisava que ele se recuperasse por mais alguns instantes. Depois ele teria todo o tempo do mundo para pensar em como refaria sua vida.

— Precisamos ligar para elas. Agora.

Capítulo 69

O telefone celular de Debra Scotts tilintou. Ela enfiou a mão na bolsa, passando pela carteira, spray de pimenta para espantar assaltantes e alguns brinquedos pequenos que a filha de 8 anos costumava colocar, como travessura. *Puxa, mãe, não sei como isso foi parar em sua bolsa... Talvez você precise de uma maior... assim você pode me dar a velha.* A "bolsa velha" de Debra custava 350 dólares. A filha sonhava com ela.

Encontrou o telefone e o levou ao ouvido.

— Alô?

— Debbie, sou eu, Jim.

— Oh, Jimmy — respondeu a voz dela. — Onde é que Barbara foi hoje? Esperamos por ela o máximo possível, mas depois...

A voz da mulher foi afogada por um grito angustiado de Jim Franks, que começara a chorar. Dark estendeu a mão para pegar o telefone, mas Franks não o podia ver com os olhos cheios de lágrimas.

— Jimmy, que foi? Algum problema?

Exasperado, Dark tirou o aparelho das mãos dele e fez um gesto para que ficasse calado.

— Alô, Sra. Scott. Escute bem. Meu nome é Steve Dark, e trabalho no FBI. É muito importante que a senhora...

— Trabalha para quem? Espere, não estou ouvindo bem. Vou chamar de volta já, já.

— Não! Sra. Scott, faça o que quiser, mas fique na...

Porém, no instante seguinte, Dark falava com um telefone desligado.

Debra percebera que alguma coisa não estava bem quando a van branca fez uma curva fechada ao sair da ponte de Brooklyn, afastando-se da linha de arranha-céus de Manhattan em direção à margem do rio.

— Ei, este não é o caminho para os estábulos da polícia montada — disse ela. — Motorista? Acho que o senhor está indo pelo caminho errado. Ei, motorista!

— Eu não disse que íamos aos estábulos — disse Ken Martin, em voz baixa.

— Não é para lá que estamos indo?

— Não — disse ele. — O Dr. Haut explicará tudo.

Aquilo não fazia sentido para Debra e as outras três viúvas. Não havia nada ali; estavam sob a estrada que margeia o East River. Para que o Dr. Haut quereria que elas fossem àquele lugar?

Dark voltou-se para Jim Franks, que escondera o rosto entre as mãos.

— Sr. Franks, a menos que queira que a morte de mais quatro mulheres venha a pesar em sua consciência, trate de se recompor e me ajude.

— Desculpe — disse Franks. — Sei que fui treinado para esse tipo de emergência, mas...

Dark sabia que aquela era uma mentira machista. Alguém pode ser treinado para tratar do sofrimento e dor alheios, e para executar certas atividades que poderão salvar as vidas de pessoas estranhas. Porém, ninguém, absolutamente ninguém, está preparado para ver o corpo da pessoa amada enforcado em um porão úmido, com excremento escorrendo pelas pernas e um bilhete de suicídio ao lado.

Mas Dark precisava que ele fingisse naquele momento e acreditasse em sua própria mentira. Parecia estar dando certo. Franks parou de soluçar e respirou fundo.

— Se andarmos depressa talvez possamos pegar o sujeito que fez isso com sua mulher — disse Dark.

— De que você precisa?

— Você tem carro?

Capítulo 70

Debra observava os olhos do motorista pelo espelho retrovisor. Ele percebeu que ela o espiava e rapidamente desviou os olhos para a rua.

A van ia agora descendo uma rampa, em direção à beira do rio. Inicialmente Debra achou que o Dr. Haut pretendesse levá-las ao "Marco Zero" — o lugar onde antes se erguiam as torres gêmeas —, coisa que ela tinha dito não desejar fazer, apesar de toda a pregação do médico sobre a maneira de enfrentar a dor. Não se sentia preparada para ir até lá e não sabia se jamais poderia fazê-lo.

Debra olhou o telefone que tinha nas mãos. Desde a manhã de 11 de Setembro ela nunca se separava dele. Tinha sido seu último laço com Jeffrey, que procurara tranquilizá-la ao máximo, dizendo que ia subir à torre para salvar aqueles que pudesse, que ela não se preocupasse, que o pior já tinha passado, que a chamaria logo que fosse possível, mas que tinha de desligar, querida.

Querida tinha sido a última palavra que ouvira dele.

Debra continuou agarrada ao telefone quando as torres desabaram, rezando para que Jeffrey tivesse conseguido escapar antes do desastre e que estivesse correndo para encontrar um telefone e assegurar que estava bem, que ela não se preocupasse, e que além disso tinha conseguido salvar muita gente. Ela ficou esperando a chamada... e continuou a esperar nos dias e semanas seguintes. Sabia que não fazia mais sentido, mas jurou que nunca mais ficaria sem o telefone.

Isso a animava agora, pois via que alguma coisa estava errada com aquele motorista e com o lugar para onde as levava. Viu a ponte de Brooklyn erguer-se diante de seus olhos. Era uma bela vista, que aparecia em muitos filmes, mas naquele momento a encheu de terror. O Dr. Haut não as faria ir ali. Tudo aquilo parecia muito estranho.

Aquele homem que telefonara minutos antes tinha dito que era do FBI?

Não tinha importância.

Debra apertou o botão de rediscar. Ouviu a conexão ser feita. Ouviu uma voz baixa dizer:

— Sra. Scott?

Debra pigarreou e disse, em voz alta:

— Por que motivo o Dr. Haut quer nos encontrar debaixo da ponte de Brooklyn? Isso faz sentido para alguém?

O motorista, no entanto, não lhe deu atenção. A mão direita dele se aproximou do controle de ar-condicionado, enquanto com a esquerda pareceu levar alguma coisa ao rosto. O que estaria fazendo?

— Está quente aqui dentro — disse ele, com voz abafada. — Vamos refrescar o ambiente um pouco, enquanto esperamos o Dr. Haut.

O vapor frio saiu pelas várias aberturas no teto do veículo. Havia um cheiro doce de amêndoas.

— Sra. Scott, está me ouvindo?

Muitos pensamentos passavam pela cabeça da Sra. Scott; aquele passeio repentino e estranho, o homem do telefone dizendo que era do FBI, Jeffrey, *querida*, as amêndoas. Mas ela esqueceu tudo porque o ar ficou denso como xarope e ela de repente sentiu muito, muito sono.

Capítulo 71

Na verdade não foi preciso muito gás, somente o suficiente para que Sqweegel tivesse tempo de estacionar a van, retirar os corpos inconscientes das viúvas, deitá-las no chão, despi-las, amarrá-las, preparar a tocha de acetileno e esperar que acordassem.

Sentia um perverso prazer em utilizar o mínimo de material. Naquele caso, apenas uma pequena ampola de gás do sono, que ele colocara diretamente no sistema de refrigeração do carro. Havia experimentado em muitos veículos ao longo dos anos até descobrir o volume necessário em relação ao peso dos corpos. O aperfeiçoamento tinha exigido muito tempo, mas no fim das contas o custo fora de apenas alguns centavos.

A corda e a tocha não chegavam a 20 dólares.

Não era preciso uma corda muito forte. Bastava saber como dar os nós para que apertassem mais com os esforços das vítimas.

Agora elas começavam a acordar e a protestar. Praguejar contra si mesmas e contra ele.

Não podiam ver muita coisa... ainda.

Sqweegel girou o maçarico, pegou o isqueiro no cinto e acendeu a chama.

Agora elas podiam ver onde estavam. Era um pequeno pátio de concreto diretamente sob a ponte, no ponto mais baixo de uma rampa íngreme em relação ao nível da rua.

Um pedacinho de Manhattan que todos tinham esquecido, menos os ratos e os pombos. Seus excrementos brancos cobriam o chão. Sqweegel ficou pensando se as mulheres seriam capazes de sentir a imundície sob os seios e barrigas nuas.

— Onde diabo estamos? — gritou uma das viúvas. — O que é que você fez conosco?

Sqweegel caminhou em redor delas enquanto falava.

— Seus maridos combatiam incêndios para ganhar a vida. Vocês se apaixonaram por eles e eles trabalharam duro para que vocês tivessem uma vida tranquila. Mas logo que os corpos deles foram consumidos naquelas torres — ele deu um chute nos joelhos de uma das mulheres, separando-lhe um pouco as pernas —, vocês abriram as pernas para gente desconhecida. Transformaram em dinheiro vivo aqueles gordos cheques do seguro. Roubaram os chefes de outras famílias. Agora chegou a hora de sentir o mesmo que seus maridos sentiram. Sem a menor *esperança*, sabendo que as chamas do inferno estão prestes a cair sobre vocês.

Sqweegel caminhou por entre elas, passando a chama azulada do maçarico por cima das cabeças delas. Por um instante o fogo brilhou mais forte. O ar úmido ficou cheio do cheiro acre de cabelos queimados.

Com o pé fez uma das viúvas virar-se — a que tinha atendido o telefone. Naturalmente ela não podia ficar deitada de costas, com os tornozelos amarrados aos pulsos. Ficou apoiada sobre o braço e a perna do lado direito, procurando arrastar-se para se afastar dele e lutando para livrar-se dos nós. Sqweegel via a pele dela colorindo-se de rosado com o esforço.

Com a mão enluvada ele a deteve, segurando o cotovelo esquerdo. Com os braços e pernas bem amarrados, é preciso pouco para manter uma pessoa completamente imóvel.

Em seguida usou o maçarico como se fosse uma lanterna, a fim de iluminar o corpo dela. Ela se sobressaltou, como se já sentisse o intenso calor.

— Quero que você se foda — disse Debra. A voz dela ecoou no concreto e metal.

— O mundo não precisa ter de olhar para isto — disse Sqweegel, apontando para o hiato entre as pernas dela. — Portanto, as chamas da justiça destruirão suas partes pecaminosas.

Ela gritou, mas ele fingiu não ouvir. Abaixou o maçarico para que a chama ficasse entre os joelhos da mulher, e em seguida ergueu-a lentamente na direção do corpo dela. Sentia as tentativas dela de recuar e contorcer-se, completamente incapaz de afastar-se.

Perto dali, um telefone celular tocou.

Vinha de dentro da van, estacionada junto ao pátio.

— Ora — disse Sqweegel —, deixou o telefone ligado? Vai ser pior para você. Quem poderia estar ligando?

— Por que não atende para saber? — disse Debra.

A curiosidade de Sqweegel foi mais forte. Poderia esperar para queimá-la. Precisava saber quem era. Dirigiu-se rapidamente para a van. Encontrou o telefone no chão quando tilintava pela quarta vez.

Levantou o aparelho, encostando-o ao rosto. Aquilo poderia ser divertido.

— Alô?

— Sqweegel — disse uma voz. — Aqui é um velho amigo. Você está me vendo?

O rosto de Sqweegel mostrou incerteza. Era o seu perseguidor? Onde?

Ele não pôde deixar de responder.

— Não — murmurou.

— Ótimo.

As viúvas nuas gritaram quando o estampido de um tiro ecoou sob a ponte.

Capítulo 72

A bala fez Sqweegel girar sobre si mesmo. O telefone e o maçarico caíram de suas mãos. O maçarico rolou pelo chão de concreto e ele foi atirado de costas contra a van. As viúvas gritaram, pedindo socorro.

No horizonte, ao nível da rua, Sqweegel viu Dark saltando para baixo, com a arma na mão. Descia o declive e atirava ao mesmo tempo.

Sqweegel esquivou-se para a direita enquanto duas balas se encravavam no veículo. Ouviu-se um ruído metálico e vidros que se estilhaçavam.

Ele se abaixou e procurou correr, sentindo a dor no ombro esquerdo.

Esqueça a dor. É apenas um sinal de advertência de um conjunto de fios que correm por seu corpo. Concentre-se no corpo. O corpo vai ajudar você a escapar, a dor não. A dor somente o fará perder a concentração.

Sqweegel se apressou, meio correndo e meio se arrastando, em direção à ponte. Já tinha escolhido um lugar para o caso de uma emergência. Há mais de dez anos isso não tinha sido necessário. Como Dark o encontrara tão facilmente?

O telefone. Aquela puta tinha deixado o telefone ligado.

Quando Sqweegel passava para o outro lado da ponte, desaparecendo de vista, mais tiros soaram, cortando o ar à sua volta.

Ele tratou de colocar em prática uma parte de seu plano de fuga, destinado a confundir seu perseguidor por um instante, talvez o suficiente para permitir-lhe escapar. Ou talvez não.

Embora a dor no ombro parecesse queimá-lo como um ferro em brasa, Sqweegel enfiou os dedos na fresta enferrujada da porta e puxou com força. O movimento provocou nova agonia em seu sistema nervoso...

É apenas um sinal de advertência de um conjunto de fios...

Puxou novamente...

O corpo o ajudará a escapar, a dor não...

Puxou até abrir caminho para seu esconderijo.

Dark passou pela esquina da ponte a tempo de ver os círculos concêntricos que se ampliavam na superfície do East River.

Parou no chão de terra e pedras, apontou a arma e atirou quatro vezes contra um relógio imaginário na água: nove, onze, uma, três.

Nada.

Com os olhos fixos na água, Dark desceu mais ainda, recarregando o revólver. Sabia que pelo menos um bala tinha acertado o filho da puta. Onde diabo estaria ele? Não precisaria voltar à superfície para respirar? Mas a água tranquila do rio nada revelava. Dark ficou observando até se dar conta do que estava fazendo.

Estava novamente se comportando como um investigador racional.

Não estava pensando como o monstro.

Capítulo 73

Dark voltou-se e olhou os alicerces de alvenaria da ponte — uma grossa coluna que suportava o peso de milhares de automóveis e pedestres indo e vindo entre Manhattan e Brooklyn diariamente. Para qualquer outra pessoa, seria um beco sem saída. Quem quisesse escapar do braço da lei certamente iria correr para longe da ponte.

Mas o monstro, não.

Dark percebeu isso ao ver a tabuleta já desbotada, com letras pretas sobre fundo amarelo, no antigo abrigo antiatômico pregada à parede de tijolos ao lado de uma porta corroída pela ferrugem.

Recarregou a arma, abriu a porta e entrou. O odor desagradável de mofo encheu-lhe as narinas e ele sentiu como se alguém lhe tivesse coberto a cabeça com um capuz. A escuridão era absoluta e completa. Seus sapatos esmagavam cacos de vidro à medida que ele caminhava, com a arma na mão.

Procurou não se preocupar com a espessa escuridão. Tentou imaginar-se novamente na sombria *Mater Dolorosa* em Roma. Naquela ocasião, não fora a visão, e sim outro sentido, o que o fizera chegar perto de Sqweegel.

Era nesse sentido que ele confiaria agora.

*

Sqweegel mal continha a satisfação que percorria suas veias, mesmo com o sangue escorrendo do ombro. Caminhou para as profundezas do esconderijo, passando por grandes caixas de papelão e tambores de metal oxidado. O velho abrigo de proteção contra radiação atômica já tinha sido em grande parte esquecido pela cidade de Nova York após o fim da Guerra Fria. Sqweegel, ávido leitor de livros de História, não se esquecera. Nunca executava sua santa obra sem conhecimento do terreno em que pisava, e a base da ponte lhe proporcionava um esconderijo perfeito.

Jamais lhe passara pela cabeça que Dark chegaria tão rapidamente ao local, e nem mesmo que o seguiria àquela cripta escura.

Dark realmente começava a ouvir suas mensagens.

O agente começava a ultrapassar suas limitações humanas, a caminho do pleno potencial. Ia se tornando novamente uma figura divertida.

Dark se sentiu tentado a pegar o telefone celular, que podia funcionar como lanterna. No entanto, o monstro estava lá dentro e não precisava de lanterna. Sabia por instinto para onde dirigir-se.

Adiantando-se alguns passos, Dark sentiu alguma coisa afiada rasgando-lhe a camisa, perto da barriga.

Não era uma faca. Ele estendeu a mão e apalpou o contorno arredondado de um tambor de metal. À esquerda, o ângulo de uma caixa. Estava em uma espécie de depósito.

Agachou-se, de costas para a pilha de caixas de papelão. Orientou-se ao longo da pilha, resistindo à tentação de pensar racionalmente sobre o lugar em que se encontrava e em vez disso pensando nas *putas* amarradas do lado de fora.

Aquelas prostitutas imundas que tinham ficado com o dinheiro e com o prazer, pensou Dark, *enquanto o resto da cidade ainda respirava as cinzas de seus maridos mortos. Elas têm de pagar por seus pecados...*

Houve um movimento súbito à direita de Dark. Um estremecimento. Um leve ruído de látex.

— Como vai ela? — perguntou uma voz.

Dark voltou-se rapidamente para a direita, apontando a arma, mas resistiu à vontade de atirar. Naquele lugar haveria estranhas reverberações acústicas e a voz poderia vir de qualquer outra parte; além disso, o clarão do tiro revelaria sua própria posição. A profunda escuridão lhe conferia uma vantagem momentânea, e ele não queria perdê-la.

— Como vai o meu bebezinho?

Dark estava bem perto agora. Sqweegel se sentia impressionado com o progresso dele.

A missão dele, porém, não deveria cumprir-se ali, naquela cripta de suprimentos mofados, instrumentos médicos antiquados e água engarrafada. Não, aquele lugar era simplesmente uma etapa intermediária no rumo do destino final.

Sqweegel subiu silenciosamente em uma pilha de cinco caixas e apalpou a parede de alvenaria com os dedos da mão enluvada. Havia uma pequena chaminé de ventilação que subia pelo interior da base da ponte. Os construtores provavelmente haviam imaginado que era demasiadamente estreita para dar passagem a um ser humano. Não haviam, no entanto, levado em conta o elemento divino.

Apesar da dor, Sqweegel estendeu os braços para cima e encontrou apoio na coluna oca de ventilação. Seria difícil subir por ela apoiando-se somente em três membros, porém não impossível.

Sqweegel estava prestes a enfiar a cabeça pela abertura quando a luz inundou a cripta.

Capítulo 74

Dark ergueu o celular e viu imediatamente a parte de baixo do corpo do monstro — duas pernas finas apoiadas no topo de uma caixa com a inscrição DEFESA CIVIL — BISCOITOS DE SOBREVIVÊNCIA. As pernas estava cobertas pelas vestes sagradas de Sqweegel, o látex branco que cobria cada centímetro de seu corpo.

Dark apontou e apertou o gatilho.

As pernas se ergueram e desapareceram. As balas ricochetearam na parede, espalhando fragmentos de concreto por toda parte. Dark sentiu o gosto da poeira de pedras centenárias invadindo-lhe as narinas e a boca.

O agente correu pela cripta, esquivando-se das caixas, tonéis, cobertores e tábuas como se fosse um jogador de futebol americano. Corria tão depressa que esbarrou na parede do outro lado, arranhando as costas da mão que erguia a arma e apontava diretamente para o alto da abertura de ventilação por onde Sqweegel desaparecera. Dark apertou várias vezes o gatilho, ouvindo o som oco e vendo as fagulhas das balas que ricocheteavam no interior da ponte.

Esperava ver pequenos fragmentos brancos.

Esperava ver pingar um líquido vermelho.

Ansiava ouvir um grito e o baque de um corpo caindo no chão.

Nada aconteceu, porém.

O monstro tinha escapado novamente, como uma aranha que se esgueira para um nicho impossível de se detectar a olho nu.

Do lado de fora, Dark viu que Jim Franks havia esquecido seus problemas do momento e que seu treinamento de bombeiro voltara a prevalecer. As mulheres já estavam livres das cordas e enroladas nos restos de suas roupas. As viúvas se consolavam mutuamente, reconfortando-se, chorando juntas, recordando-se de que estavam vivas e que isso era o mais importante. Dark as olhou e um verso do poema de Sqweegel ecoou em sua mente.

Quatro por dia vão suspirar.

Sqweegel já estava bem alto, bem acima da cripta, onde as balas de Dark não o alcançariam. Felizmente para ele a abertura ia se alargando, o que lhe proporcionara espaço de manobra. Se fosse uma chaminé normal para ventilação, em vez de um capricho arquitetônico da ponte, sua missão sagrada teria terminado no piso da cripta.

Mas não havia tempo para refletir sobre o quanto estivera perto do fim. Dark ia subindo, e Sqweegel precisava deixar imediatamente a ponte a fim de preparar-se para o encontro final.

Precisava pegar um avião e cuidar do ferimento de bala. Tinha um compromisso importante ao qual comparecer e antes precisava pegar seus instrumentos especiais.

Para penetrar no cérebro de um louco, acesse grau26.com.br
e digite o código: treinar

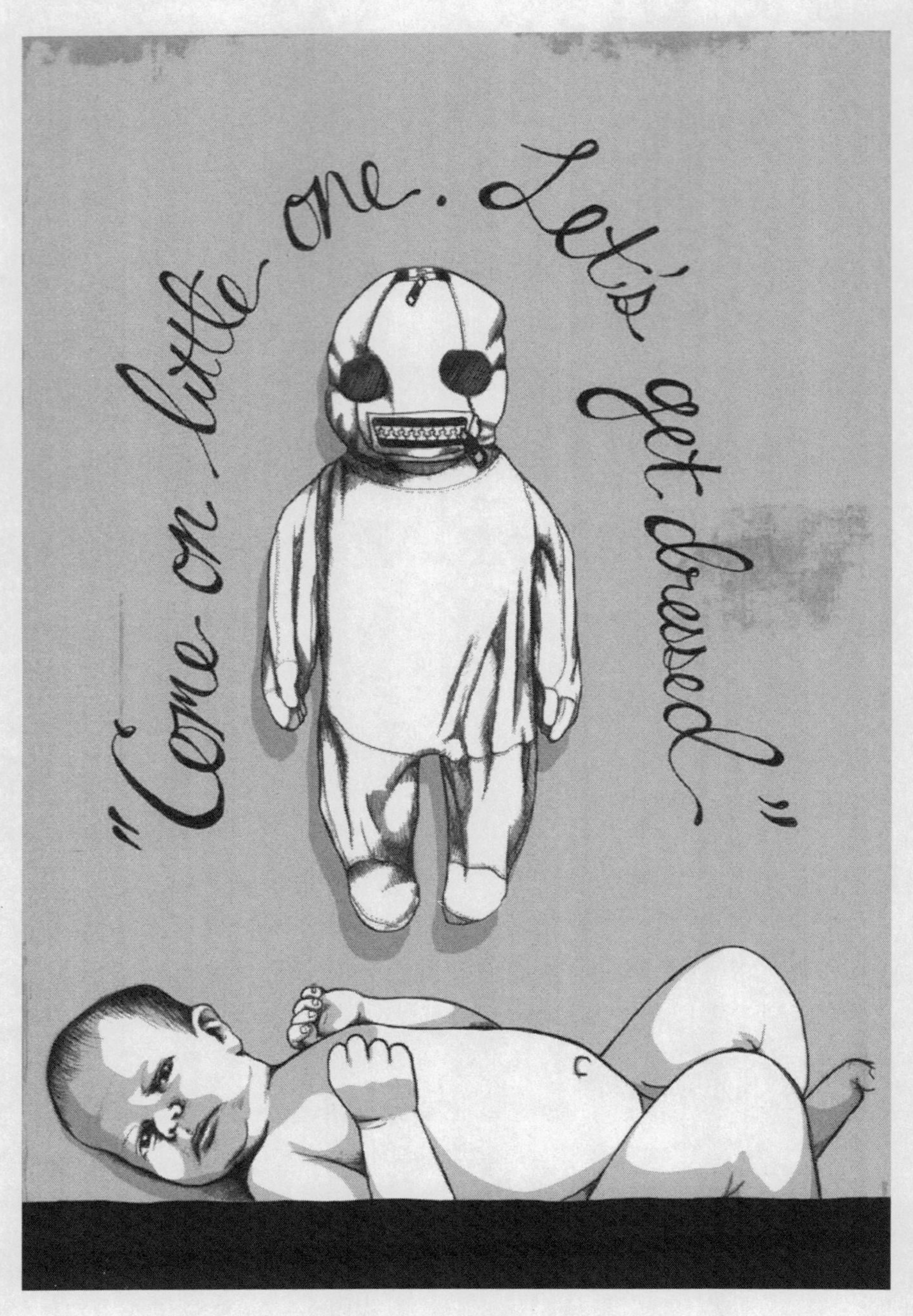

"Venha, meu bebezinho. Venha se vestir."

Capítulo 75

Aeroporto Internacional de Newark
Sábado / 8 horas

Dark sentou-se em sua poltrona junto à janela do avião, procurando desesperadamente acalmar a respiração. Tinha conseguido embarcar no primeiro voo disponível para Los Angeles, que sairia às 8h20 da manhã, e a parte lógica de seu cérebro ainda procurava compreender os acontecimentos.

Sqweegel levou um tiro há poucas horas. Você viu a bala atingir o corpo dele. Não vai embarcar em um voo comercial com um ferimento de bala, seja ele quem for atrás daquela máscara. Você vai voltar para perto de Sibby muito antes que ele desembarque em Los Angeles.

Nesse caso, por que motivo ele tinha tanta dificuldade em respirar? Ter chegado perto de Sqweegel não servira de nada antes e não lhe serviria de nada agora. O monstro dentro de sua cabeça continuava a atormentá-lo.

Como vai ela? Como vai o meu bebezinho?

A tripulação fez a verificação final da cabine. O avião estava prestes a partir. Dark olhou o celular. Tinha acabado de mandar uma mensagem a Riggins pedindo informações atualizadas e estava esperando a resposta.

Não se preocupe. Ela está em segurança. Riggins está cuidando de tudo. Você costumava confiar sua vida a Riggins, por que motivo não confiaria nele agora? Por que esse ímpeto de tomar os controles do avião e pilotá-lo para voar mais depressa, danem-se os regulamentos, mais depressa, mais depressa, porra, até chegar à Costa Oeste...

Chegou uma mensagem de texto, justamente no momento em que um comissário de bordo, alto demais para a cabine, passou ao lado dele.

— Desculpe, senhor, mas tenho de pedir que desligue seu celular para a decolagem.

Dark olhou a tela. Não era uma mensagem de Riggins, e sim de um desconhecido. Apertou a tecla.

— Senhor?

No início foi difícil entender a imagem. Havia sangue e pontos em um ombro humano. Mas onde? O alto de um edifício por trás do ombro parecia conhecido. Viam-se as letras ÊNCIA por cima de uma varanda.

Emergência.

O Hospital Socha.

Merda.

— Senhor, ouviu o que eu disse?

— Cale a porra dessa boca.

Dark discou rapidamente para Riggins e deixou às pressas uma mensagem oral.

Hospital Socha
Trinta minutos depois

Riggins caminhava atrás do policial à paisana, falando em um microfone auricular.

— O suspeito está em movimento. Elevador dos fundos. Fiquem alerta.

Em seguida, inexplicavelmente, as luzes estremeceram e se apagaram.

— Não há luz — disse Riggins. — Toda a ala E. O que está acontecendo?

Houve um estalo e em seguida um ruído de motor. O gerador de emergência tinha sido ligado. As luzes amarelas voltaram a se acender.

— Vamos em frente. Vamos tirá-la daqui.

Riggins não sabia se tinha sido um problema passageiro no hospital, uma pane no sistema elétrico da Califórnia, ou algo pior, mas não ia perder tempo ficando ali para saber. Tinha de manter Sibby em segurança e queria que Dark soubesse.

O que lhe dava esperança era saber que afinal de contas Sqweegel parecia ser humano. Dark tinha baleado o filho da puta em Manhattan. Agora, pela primeira vez, possuíam uma amostra de seu sangue, que estava a caminho do Centro de Comando da Divisão em Los Angeles. Provavelmente não proporcionaria grandes revelações, mas já era alguma coisa. Significava que o monstro era mortal e não uma criatura sobrenatural, decidido a atormentá-los eternamente. Bastava isso para dar a Riggins alguma coisa que há muito não sentia.

Esperança.

Especialmente agora que Sibby se encontrava sob a guarda de três policiais à paisana, escolhidos a dedo por Riggins. Eles a levariam a outra moradia particular, também escolhida especialmente por Riggins, cuja localização somente ele conhecia e onde ficaria sob vigilância até que tudo acabasse.

Pela primeira vez, Riggins acreditou que seria possível chegar ao fim. Chegou a dizer isso a Wycoff, o que fez o secretário parecer aliviado e em seguida entusiasmado, prometendo-lhe todo o apoio de que necessitasse em Nova York. Riggins disse que o manteria informado.

Observou seus homens colocando Sibby na ambulância. Dois entraram atrás com ela e o terceiro fechou as portas, encaminhando-se para o lado do motorista.

O plano era simples. Riggins iria na frente pela interestadual 405 e depois pela 118, até uma casa em Simi Valley. O local escolhido não tinha ligação ostensiva com ele e nem tampouco com Dark, ou com qualquer pessoa conhecida. Os guarda-costas de Sibby também não sabiam. Por isso Riggins os guiaria até lá.

Depois, Dark voltaria e eles acabariam de uma vez por todas com aquele filho da mãe.

Riggins queria dizer a ele: *Temos uma amostra de seu sangue, seu safado. Em breve teremos seu cadáver.*

A paciente abriu os olhos, esquivando-se das luzes brilhantes da ambulância.

— Tudo bem, Sra. Dark — disse o auxiliar de enfermagem. — Vamos levá-la para um lugar seguro e seu marido vai nos encontrar lá.

Ela concordou com cabeça, parecendo adormecer outra vez.

O homem abriu o armário de aço inoxidável junto ao piso do veículo, retirando ataduras limpas e arrumando-as na bandeja, para o caso de rompimento de algum dos pontos com o sacolejar do carro. Era uma viagem inusitada para ele. O auxiliar se orgulhava de nunca ter saído do município de Los Angeles e agora se via a caminho de Simi Valley, lugar estranho, com um par de agentes federais sentados atrás da maca conversando em voz baixa sem lhe dar atenção. Pelo menos iam pagar-lhe horas extras. Passaria algum tempo no tráfego de Los Angeles e depois as enfermeiras no novo local cuidariam de tudo; talvez até conseguisse chegar em casa a tempo de assistir ao jogo de beisebol.

Olhou novamente a paciente e depois curvou-se para o armário baixo. Estranho: as ataduras remanescentes pareciam não estar mais da mesma maneira em que as deixara.

Em seguida, começaram a mover-se.

O auxiliar pensou estar tendo alucinações, pois não havia motivo para que na pilha de ataduras brancas surgissem dois olhos negros. Espere, não; era apenas um reflexo na porta, vindo do outro armário de aço, atrás dele.

O auxiliar pensou ter ouvido um leve estalo e um fluxo de fluido logo depois que dois braços pálidos agarraram os flancos de sua cabeça e a torceram. Quando a luz se apagou, seu último pensamento foi que ouvira o som do rompimento de sua coluna vertebral.

Sibby acordou quando a ambulância passou por algum buraco na estrada, ou pelo menos foi o que ela imaginou, porque alguma coisa pesada parecia haver batido no chão atrás dela. Ouviu o ruído reconfortante dos pneus no asfalto, abaixo da maca. Riggins lhe explicara rapidamente o que ia acontecer, mas tudo parecia um sonho confuso. Para ela, o importante era que Steve estava vindo a seu encontro; ele tinha precisado ir a algum lugar para uma missão muito importante, mas agora já estava voltando.

Houve um estalido metálico sob a maca, mas ela achou que era normal também, até que surgiu uma mão, colocando uma máscara sobre seu nariz e boca.

Duas tiras se apertaram pressionando a máscara sobre o rosto dela.

Sibby estendeu os dedos para o alto ao sentir a agulha da seringa de soro sendo retirada das costas da mão esquerda. Tentou tirar a máscara, mas os dedos pareciam grossos e sem tato, semiadormecidos. Por que era tão difícil? Oh, meu Deus, estava acontecendo outra vez, e ela não conseguia fazer uma coisa simples como retirar a máscara do próprio rosto...

Capítulo 76

Hospital Socha

Sqweegel tinha precisado de apenas três segundos de escuridão para esconder-se no pequeno espaço sob a maca do hospital. Tinha deslizado pelo chão de linóleo como uma aranha e se acomodado naquele lugar antes que a luz voltasse.

Ninguém suspeitara de nada.

Também tinha sido fácil provocar aqueles breves momentos de escuridão. Bastou colocar um fusível com controle remoto em uma das muitas caixas de circuito elétrico no porão do prédio. Mais fácil ainda fora entrar no hospital sem ser notado. Precisava apenas de paciência e uma planta.

A viagem para o Oeste, atravessando o país, não fora fácil e nem barata. Décadas antes, ele já havia percebido a importância de deslocar-se com grande rapidez. Com nomes falsos, abrira contas em meia dúzia de empresas de táxi aéreo, e com 20 mil dólares viajara rapidamente do aeroporto JFK a Burbank em pouco menos de quatro horas. Durante esse tempo, fez curativos no ombro e experimentou algumas técnicas novas. A tripulação do avião não o incomodou. Usar a vestimenta adequada e apresentar o número correto da conta no cartão de crédito consegue operar milagres.

Tudo isso lhe possibilitou estar em condições de sequestrar a mulher e a preciosa carga que ela trazia no ventre.

O resto era apenas executar um balé que já havia ensaiado mentalmente milhares de vezes.

Um segundo depois de pressionar a máscara sobre o rosto dela, Sqweegel atirou a primeira granada de gás. A explosão levou os dois policiais a agachar-se, gemendo, tapando os ouvidos com as mãos. A ambulância balançou quando eles caíram no chão. O gás asfixiante os fez tratar de respirar e agarrar as armas ao mesmo tempo. Isso os distrairia por alguns segundos.

Sqweegel aproveitou a oportunidade para sair de seu esconderijo e empunhar seu próprio revólver. Também estava usando máscara e tampões nos ouvidos.

Naquela altura o motorista da ambulância já tinha percebido que alguma coisa estava errada. A explosão da granada devia ter ecoado como um tiro de canhão. Sqweegel sentiu que ele procurava estacionar a ambulância na margem da interestadual 405.

Exatamente como ele esperava.

Quando o veículo parou, Sqweegel já tinha metido uma bala na nuca de cada um dos dois guardas, coisa simples. O projétil de pequeno calibre ficaria alojado na cavidade craniana, atingindo o cérebro.

Isso também lhe deu tempo para atirar na cabeça do motorista. O pequeno calibre era também importante, pois o sangue espalhado no para-brisa poderia atrair a atenção de alguém. A bala fez o que deveria: explodir os miolos e atravessar a massa cinzenta e alguns vasos sanguíneos no restante da curta trajetória.

Terminada aquela atividade ele voltou à mulher e retirou a máscara do rosto dela. Sibby começou a engasgar.

— Calma — disse ele, tirando a própria máscara. — Durma. Ainda temos muito caminho a percorrer.

...muito caminho a percorrer.

Ela não queria dormir.

Não queria dormir.

Não queria dormir.

Não queria dormir.

Sibby enterrou as unhas nas palmas das mãos até sentir a pele queimando e o sangue escorrendo do corte.

Ia prestar atenção, observando as referências. Conhecia as estradas do sul da Califórnia melhor do que ninguém. Não ia ficar como uma menininha assustada, indefesa na traseira de uma porcaria de ambulância dirigida por um monstro de roupa branca.

Não podia dar-se ao luxo de ser uma menininha assustada porque estava prestes a tornar-se mãe — era ela quem deveria espantar os monstros.

Apertou ainda mais as unhas na palma da mão, até achar que tinha atingido os ossos.

Ela *não* ia dormir.

Riggins apertou o freio até o fundo, passou para o acostamento da estrada, puxou o revólver e saiu correndo pela interestadual 405... mas viu que era tarde demais.

A ambulância arrancou, passando por ele num relâmpago de luz vermelha e fumaça do escapamento.

Ainda deu três tiros no veículo, mas sem pontaria, especialmente pelo temor de que uma bala pudesse penetrar na carroceria e acertar Sibby.

Oh, meu Deus. Sibby.

Como aquilo podia ter acontecido? Se Dark havia ferido Sqweegel em Nova York, como ele poderia ter chegado a Los Angeles em poucas horas? Riggins ficou pensando que talvez Sqweegel fosse uma criatura sobrenatural, afinal de contas, capaz de resistir a ferimentos de bala e dotada da capacidade de abrir asas de dragão para voar através do continente.

Mesmo correndo de volta a seu carro, Riggins sabia que seria tarde demais. Ela estava em poder de Sqweegel. E a ambulância já desaparecera.

A 11.500 metros de altura, por sobre o estado da Pensilvânia, Dark apertava o apoio dos braços na poltrona até sentir o plástico esmagar-se sob a pressão. Ainda faltavam mais de três horas para conseguir receber notícias pelo celular. Começou a achar que alguma coisa tinha dado errado.

E ele nada podia fazer.

Capítulo 77

Em algum lugar no sul da Califórnia
Várias horas mais tarde

Inicialmente, ela viu somente uma pequena luz vermelha num canto do quarto.

Sentiu que alguma coisa lhe tocava o pé direito.

Sibby sobressaltou-se, mas percebeu que não podia se mover. Seus pulsos e tornozelos estavam amarrados. Apertando os olhos na luz avermelhada, era capaz de ver o que a prendia. Grossos braceletes de couro e metal mantinham os braços presos aos lados da maca e os joelhos dobrados em um ângulo desconfortável.

— Quem está aí?

Sibby ouviu um som sibilante e depois sentiu dedos frios envoltos em plástico que lhe tocavam de leve o tornozelo esquerdo. Ainda estaria no hospital? Olhou para a barriga volumosa e viu um vulto magro e fantasmagórico. Devia ser uma alucinação causada pelos sedativos, pensou ela. Nada daquilo fazia sentido.

O fantasma franzino começou a soltar o laço que prendia o pé direito dela.

De repente, lembrou-se de tudo. Das mensagens de texto, do cheiro de amêndoas, dos músculos doloridos, das palmas das mãos feridas e sangrando, dos pontos de referência e da ambulância.

O monstro ao volante.

Então, ali estava ele — o maníaco que os atormentava.

O homem esquálido como um fantasma parou repentinamente, como se alguém tivesse apertado a tecla PAUSA em seu sistema nervoso central. Nenhuma parte de seu corpo se movia. Parecia haver cessado de respirar. Nem sequer a roupa colante denotava movimento; não havia elevações nem pregas.

Em seguida ele girou lentamente a cabeça na direção de Sibby. Aqueles horríveis olhos negros a espreitaram por trás dos orifícios da máscara. Sibby procurou energicamente não reagir ao olhar, mas existe algo essencialmente aterrador em um rosto que prefere ficar oculto.

— Não chegue perto de mim — disse ela.

— Ora, mas é tão bom ficarmos juntos, Sibby — disse ele. Estendeu o braço e colocou a mão enluvada na barriga dela. Sibby fez um esforço para não recuar. — Você não sente a conexão entre nós dois?

— Não se atreva a me tocar!

— Não estou fazendo nada que não tenha feito antes — disse Sqweegel. — Temos muito que conversar, muita coisa para *colocar em dia*...

ELE PEGOU SIBBY

Dark sentiu o coração disparar incontrolavelmente, enquanto corria pelo aeroporto de Los Angeles. As palavras da última mensagem de Riggins ainda estavam gravadas em sua mente.

Aquela não tinha sido a única mensagem. Riggins enviara diversas, em rápida sucessão, que iam chegando à caixa postal dele no instante em que o telefone começara novamente a receber transmissões.

Cada uma parecia um dardo de metal que apunhalava seu coração, arranhando as costelas no caminho.

A primeira tinha sido uma advertência:

AN ATRÁS DE VOCÊ

Isto é, a Artes Negras o perseguia. Durante todo o tempo Riggins vinha monitorando a falsa identidade usada por Dark. Até a viagem para Nova York tudo tinha corrido bem, mas já em meio ao voo de volta o nome "Gregg Ridley" tinha surgido em uma lista de vigilância do Departamento de Segurança. Aquilo significava apenas que Wycoff havia descoberto a identidade postiça e advertira a Artes Negras.

Dark sabia que aquele truque não duraria muito tempo. O incidente sob a ponte de Brooklyn sem dúvida alertara os capangas de Wycoff. Bastava um exercício de eliminação para compilar uma lista de pessoas que tinham viajado a Nova York e outra das que haviam regressado durante aquele lapso de tempo, e em seguida compará-las para que a identidade falsa fosse revelada.

A segunda mensagem foi curta mas aterrorizante:

SQ DETEVE AMBULÂNCIA NA 405

Depois:

3 MORTOS

Finalmente:

ELE PEGOU SIBBY

Qual seria o verso do poema homicida? Sqweegel tinha em seu poder as duas pessoas mais importantes da vida de Dark. Iriam chorar? Uma delas iria morrer?

Dark achou que tinha ouvido aquele poema durante toda a vida — ruídos confusos que ele conseguira deixar de lado até já ser tarde demais. Agora era impossível esquecê-lo, afastá-lo da mente a fim de poder pensar com clareza. Era apenas um jogo infantil para atormentá-lo. Uma rima tola de um maníaco doentio, que queria fingir que suas palavras possuíam algum tipo de poder feiticeiro sobre o mundo inteiro. Não significava nada. Ele não era nada. E quando estivesse morto, as palavras desapareceriam.

No entanto, ele ainda ouvia a voz de seu inimigo sussurrando o poema em seu cérebro:

Um por dia vai morrer.
Dois por dia vão chorar.

Em breve a fita negra que amarrava os pulsos e tornozelos dela foi cortada e seu algoz a puxava pelo braço, fazendo-a levantar-se sobre os pés inchados. Ela rezou desesperadamente para que os pinos que sustentavam o fêmur esquerdo e a fíbula direita não se soltassem.

Desde o acidente Sibby não tinha saído da cama, e sentiu uma tonteira desagradável ao se colocar em posição vertical. As dores no ventre a angustiavam e todo o tórax latejava.

Não adiantava resistir. Ela poderia cair e fazer mal ao bebê.

— Caminhe — disse o maníaco mascarado, colocando o braço dela por cima de seu próprio pescoço ossudo e áspero. Ela sentiu asco em tocá-lo, mesmo sobre o látex, ou fosse lá o que ele vestia. — Caminhe — repetiu ele, um pouco mais rispidamente.

Ela não conseguia andar. Não conseguia mover-se. Poucos dias antes tinha passado por uma cirurgia complexa, e desde então não caminhara sozinha. A exaustão lhe dava a impressão de que quatro barras de concreto tivessem sido ligadas a cada um de seus quatro membros.

Ele empurrou a perna esquerda dela com o pé, fazendo-a dar um passo. Com o peso apoiado naquela perna, ele empurrou a outra.

— Por que está fazendo isso?

— Caminhar acelera o trabalho de parto — disse ele.

— Não. Não quero ter o bebê aqui neste porão sujo...

— Caminhe — berrou ele, empurrando o pé esquerdo dela e depois o direito. Sibby desejou poder esmagar a cara dele com as pedras de concreto que sentia estarem presas a seus braços. Mas tinha de concentrar-se em evitar cair ao chão.

— Assim — disse ele.

O pé esquerdo. O direito.

— Não pare de caminhar — disse Sqweegel. — A noite vai ser longa para todos nós. Mas vai ser *uma ótima noite*.

Capítulo 78

Dark formulou rapidamente um plano enquanto corria pelo terminal aéreo, passando pelos restaurantes de fast-food, bancas de revistas, lojas de artigos de luxo e exposições de arte. Passaria pelas portas do aeroporto e se jogaria em um táxi para levá-lo à garagem onde guardara seu Yukon.

Não, espere. Não em seu próprio carro, que tinha um aparelho de GPS. Seria interceptado. Precisava roubar alguma coisa. Um carro cujo dono não desse pela falta durante as doze horas seguintes.

Nesse momento viu um dos homens de Wycoff encostado a uma máquina distribuidora de carrinhos de bagagem, próximo à saída. Era fácil reconhecê-lo. Dark se lembrava dele no cais de Santa Monica, circulando à sua volta como uma gaivota atrás de migalhas de pão na praia. Tinha os cabelos cortados à escovinha. Provavelmente perto dali estaria seu colega de dedos cortados.

Não vestiam ternos pretos, como os seguranças, pelo menos por enquanto. Dark achava que deveriam ser camaleões profissionais. Aquele trajava roupas comuns de trabalho sem grande cerimônia — camisa social, mangas curtas, calças com vinco marcado. A própria imagem de funcionário de alguma firma que tivesse vindo buscar um colega no aeroporto antes de ir tomar uma cerveja no bar mais próximo, com uma porção ou duas de asas de frango fritas e bem temperadas.

Dark estava desarmado. Não tinha nada que pudesse servir de arma. Tinha deixado o revólver em Nova York, pois não queria perder tempo preenchendo a declaração e identificando-se como policial. Não tinha pensado que precisaria de uma arma no momento em que descesse do avião.

De pé junto à esteira de bagagens em movimento, esperando até pensar em alguma estratégia para escapar, Dark viu o homem de cabelos à escovinha olhar em sua direção, arregalando ligeiramente os olhos.

Aparentemente *ele* também tinha boa memória para rostos.

Sqweegel curvou-se para a frente e encostou um dedo ossudo no queixo de Sibby. Ela já não caminhava mais; sentia-se sonolenta, apesar dos esforços desesperados para permanecer desperta.

— O segundo método para provocar o parto é tomar óleo de rícino — disse ele, com o hálito quente no rosto dela. — Causa espasmos intestinais. Beba.

Entregou a Sibby um pequeno frasco escuro, mas ela se recusou a beber.

— Não.

Sqweegel pegou um canivete na mesinha a seu lado. Abriu a lâmina e encostou-a ao canto do olho de Sibby, junto ao canal lacrimal. Ela gemeu, mas depois controlou-se. *Não dê esse prazer a ele.*

— Beba — repetiu ele.

Ela sentiu a ponta afiada, como se já tivesse penetrado em seu olho e chegado ao cérebro. Pegou o frasco com dedos trêmulos.

— Vamos, tome tudo.

Ela abriu a tampa à prova de crianças, desajeitadamente, e em seguida encostou o frasco nos lábios e bebeu. Um pouco do líquido escorreu-lhe pelo queixo. Era como engolir metal líquido e oleoso.

Sqweegel fez um ruído baixo, como um riso, e fechou a lâmina, afastando-a do olho dela. Ela percebeu que ele a tinha ferido. Os nervos danificados sob a pele enviaram a mensagem em um relâmpago doloroso, antes mesmo que ela sentisse a dor. Sibby esperou que o gotejar morno o confirmasse.

— Beba — disse Sqweegel —, ou tirarei o bebê com a faca.

O sangue agora escorria pelo rosto dela, da maça do rosto até o canto dos lábios. *Beba o óleo de rícino, não seu sangue. Se provar seu próprio sangue, vai ficar enjoada e isso pode fazer mal ao bebê. Beba o óleo e esqueça-se do resto; feche os olhos e tente pensar em alguma maneira de escapar desse pesadelo.*

Quando o agente de cabelos escovinha se aproximou, Dark olhou rapidamente para as esteiras de metal que traziam as malas do voo rodando em um círculo sem fim, até que os donos as pegassem. Também espreitou pelo canto do olho. Viu que o agente tirava algo do bolso, com naturalidade, como se fosse apenas um pacote de chicletes.

Dark, porém, sabia do que se tratava. O homem retirava a tampa protetora de plástico, expondo a agulha da seringa.

Ele sem dúvida não queria provocar um escândalo. Precisava apenas de dois segundos para espetar a agulha, apertar o êmbolo da seringa e esperar que a quetamina agisse. Depois conduziria o amigo bêbado para o carro, a fim de levá-lo para casa e claro, *daqui em diante vou cuidar para que ele não chegue outra vez perto de uma garrafa...*

O Escovinha estava a dois passos, com a seringa na mão, porém oculta.

Dark abaixou-se e agarrou, um tanto ao acaso, uma frasqueira arredondada, com uma alça de borracha no topo.

Ele avançou, dando o bote.

Dark girou o corpo e ergueu a bolsa. A agulha penetrou em um lado do pano.

Em seguida Dark golpeou o nariz dele com a testa.

O óleo de rícino deslizou lentamente pelo sistema digestivo de Sibby, e somente os movimentos reconfortantes do bebê a impediam de vomitar.

— Comida bem temperada — disse Sqweegel, após alguns minutos. — Você vai adorar o que preparei.

Ela foi novamente obrigada a sair da maca e caminhar até uma pequena mesa coberta com uma toalha branca, improvavelmente enfeitada de renda. Seria assim que os monstros recebiam seus convidados? Não parecia estar certo. Sibby quase teve vontade de rir, mas não podia, porque se risse começaria a chorar, e isso ela não queria fazer. Não diante daquele degenerado.

O cheiro de pimentas ardidas, molho espesso de tomate, feijões gordurosos e queijo congelado imediatamente lhe deu náuseas. Ela se esforçou para impedir um espasmo.

Sqweegel já preparava uma garfada da mistura, que parecia uma enchilada, cortando um pedaço grande com a beira do talher.

— Experimente. Você vai gostar.

Segurava o garfo diante da boca dela.

Sibby cuspiu no rosto dele.

O algoz não se mexeu. Em vez disso, espetou o garfo no lábio trêmulo dela. Os temperos se misturaram com o sangue, queimando-a.

— Tenho um aparelho de abrir a boca, que poderei usar — disse Sqweegel —, mas isso dificulta a mastigação, e na verdade a comida não chega à língua como deveria. É preciso sentir o gosto dos temperos para que seja eficaz.

Sibby procurou engolir rapidamente a comida que estava na boca, mas ele já a segurava, fazendo-a mastigar. Ela ficou pensando se teria forças para tentar agarrar o garfo e enfiá-lo no olho dele. Seria preciso improvisar, dali em diante. Sentindo os dedos dele apertando-lhe a boca e a mandíbula, ela percebeu o quanto ele era forte e ágil. Sedada, grávida e recuperando-se de uma cirurgia, não teria energia suficiente para vencê-lo. Tinha de pensar em outra coisa.

— Mastigue — disse ele. — Saboreie. Esse prato me deu muito trabalho.

Enquanto corria, Dark tocou a testa com a mão. *Sangue*. Não sabia se era dele próprio ou do Escovinha, ou de ambos. Mas aquilo não tinha importância. Estava em movimento e o outro temporariamente fora de combate, cambaleando em torno da esteira de bagagens, assustando os passageiros que tinham vindo a Los Angeles para tomar um pouco de sol e divertir-se.

Dark passou pelas amplas portas automáticas, correndo pela calçada e procurando alguma porta aberta na rua. Qualquer porta. Até mesmo um ônibus serviria para afastá-lo de seu perseguidor.

Ouviu uma série de gritos atrás de si, seguidos pelo estampido de um tiro.

Capítulo 79

Em algum lugar no sul da Califórnia

Foi um pouco mais tarde. Talvez alguns minutos, talvez uma hora. Sibby tinha vontade de vomitar, mas não parecia capaz de reunir a energia necessária. Detestava sentir-se tão debilitada. Suas entranhas ardiam de raiva, mas nada disso se refletia em seus membros inúteis.

O fantasma grotesco se pôs outra vez diante dela, com as mãos estendidas, apresentando diversas pílulas grossas que pareciam casulos de insetos na palma da mão dele.

— Cimicifuga e Caulophyllum — anunciou ele, como se estivesse descrevendo um prato especial. — São ervas cujo efeito comprovado é induzir o trabalho de parto. Experimente algumas e depois verificaremos a dilatação.

Sibby pegou as pílulas e engoliu-as com água, como um autômato. De repente recobrou o ânimo e bateu com o copo na cabeça de Sqweegel. Houve um som oco e em seguida o copo caiu ao chão e quebrou-se.

Ela sabia que de nada adiantaria, mas não podia ficar ali sentada sem fazer nada.

Sqweegel agarrou-a pelos cabelos e puxou-a para trás, expondo-lhe a garganta.

Sibby tinha de enfrentá-lo com a única coisa que lhe restava — a mente.

— Esta é a quarta tentativa, querida. Mas não precisamos ficar esperando que essas pílulas façam efeito. Não, nada disso. Melhor irmos adiante. Quer saber qual vai ser a quinta?

— Não. Por que não veste um avental e faz outra enchilada, seu veado?

— Ora, ora. O quinto passo é *sexo*, naturalmente — disse ele, cuspindo a palavra como um menino de escola que quisesse impressionar os coleguinhas.

— Você não vai nem chegar perto de mim.

— Mas nós já fizemos isso antes — disse Sqweegel, com voz doce. — Eu tenho sonhado muito em repetir.

— É só assim que você consegue? Drogando as mulheres? Amarrando-as?

— Então você se lembra. Já fizemos isso antes. Vai ser muito mais interessante com você acordada. Por favor, tente resistir.

O monstro a fez mudar de posição novamente, puxando-a um pouco para fora da maca antes de virá-la de bruços. A barriga de gestante não lhe permitia virar-se completamente, o que a obrigou a adotar uma posição desconfortável, apoiando no quadril direito o peso da parte superior do corpo.

Ele avançou, erguendo-lhe os braços. Sibby sentiu o frio do metal na pele. No instante seguinte, suas mãos foram algemadas ao trilho da maca; as pernas já estavam imobilizadas pela necessidade de sustentar o corpo. Os pés dela tocaram o chão frio, com os dedos do pé flexionados contra o piso de concreto, como se pudessem escavar um caminho para a liberdade. Não podia fazer mais nada.

Nada, a não ser esgrimir a única arma que lhe restava.

— Fui eu quem trepou com você para gerar essa criança — disse Sqweegel. — Agora vou foder você e trazê-la ao mundo.

Sibby ouviu o som do zíper se abrindo.

— É isso o que você pensa? — disse ela, procurando usar o tom mais zombeteiro possível. — Acha mesmo que é o pai do bebê?

Sibby sentiu o hálito quente dele junto à orelha.

— Você sabe a verdade.

— Você é apenas um *garoto* — ela riu. — Não tem ideia da ligação entre uma mãe e o filho ainda no ventre. Eu sei muito bem que esse bebê não é seu. Não é somente uma possibilidade, porque meu corpo teria rejeitado qualquer coisa que tivesse vindo de você. Teria sido abortado. *E eu o jogaria na descarga da privada.*

Sibby o olhou por cima do ombro. O monstro ficou imóvel, como se alguém tivesse apertado outra vez a tecla PAUSA. O olhos a fitaram pelos buracos da máscara.

Em seguida ele virou a cabeça para a direita.

— Muito bem, *mamãe* — disse Sqweegel. — E se eu só trepar com você para acelerar o processo?

— Espere — disse Sibby. — Está acontecendo.

— O que é isso?

— O bebê está nascendo...

O monstro mascarado a olhou com desconfiança, mas Sibby não estava fingindo.

Oh, meu Deus, porque logo *agora* e naquele lugar horrível...

As contrações eram fortes e dolorosas, como se alguém tivesse enrolado uma cinta gigantesca em torno do estômago dela e a apertasse, apertasse...

— Imagino que temos de passar ao sexto passo — disse Sqweegel. — O corte das membranas.

Sibby estava de novo amarrada, com os pés separados, as pernas bem abertas e as mãos imobilizadas nos lados da maca.

Sqweegel olhou-a, colocando uma luva de borracha por cima da mão já enluvada. Estaria querendo fazer graça? Provocando-a, em meio a todos aqueles tormentos?

— Vou cortar as membranas para separar a bolsa amniótica da parte inferior do útero — explicou ele cuidadosamente, devagar, como se esperasse uma confirmação da parte dela e talvez até um agradecimento pela informação.

— Odeio você, seu merda — Sibby conseguiu dizer. As contrações se tornaram mais intensas e ela quase não tinha forças para falar. No entanto, continuava lutando, louca para dizer algo que a libertasse. — Você vai fritar na cadeira elétrica por causa disso.

— Ora, é isso o que você acha? Conto com Dark para muito mais.

Capítulo 80

13 horas, Costa Oeste
Exterior do aeroporto de Los Angeles

Dark estava caído no chão.

O agente Nellis se aproximou cuidadosamente, com a arma apontada para baixo. As pessoas em torno pareciam ter enlouquecido. Os guardas do aeroporto estavam a caminho, provavelmente seguidos por um batalhão de seguranças. Era preciso acabar com aquilo rapidamente, sem confusão, como uma operação policial normal.

Precisava requisitar um táxi à força. Jogar o corpo no assento traseiro e levá-lo a algum lugar onde pudesse desfazer-se dele sem testemunhas. Eram ordens do próprio Wycoff.

O agente Nellis dispunha de um minuto para fazer tudo isso.

Sabia que não deveria ter dado o tiro. Fazer isso em público era muito arriscado. O alvo era astuto, sempre sabendo como se esconder. Mas a cabeçada no nariz realmente o havia enraivecido. Esquivar-se da agulha, bem, aquilo fazia parte do jogo. Mas o diabo da cabeçada? O nariz parecia ter sido esmagado com um paralelepípedo e depois incendiado. Acima de tudo ele não queria enfrentar Wycoff com o nariz quebrado e tendo de informar que Dark escapara.

Com o pé virou o corpo caído no chão, preparando a arma, se fosse preciso.

Naquele momento, Nellis percebeu que tinha cometido outros dois erros.

Tinha se esquecido de verificar se havia sangue no chão em volta de Dark. Um tiro como aquele teria feito um estrago.

Também se esquecera de retirar a seringa da frasqueira, na esteira de bagagem. Se o tivesse feito, perceberia que ela já não estava lá.

Dark a segurava na mão.

De repente, estava espetada na coxa de Nellis. O líquido o derrubaria em dois segundos.

Um...

Em algum lugar no sul da Califórnia

Aquele era o momento que Sqweegel esperara ansiosamente, desde que o concebera.

O trocadilho era completamente intencional.

Mediu a cavidade vaginal — dilatação de 6 centímetros. Deu a informação a Sibby, mas ela parecia não ouvir.

Voltou-se para a bandeja de novos instrumentos. Em um deles brilhava uma tênue luz azul. Por enquanto, ainda não.

Aproximou-se mais dela. A etapa final exigia um toque correto.

Ergueu um dedo ossudo, esfregou-o algumas vezes em uma barra de manteiga e depois colocou-o sobre o bico do seio de Sibby, traçando a circunferência. Em volta, em volta...

Ela se agitou em seus laços, movendo o tórax, procurando libertar-se. Mas ele continuou a rodar, rodar o dedo, mesmo assim.

Ela queria parar de fazer força. Queria deter o inevitável, mas ele não permitiria que isso acontecesse. Depois de algum tempo, parou e foi olhar entre as pernas dela. Em seguida retirou-se para um canto e curvou a cabeça, como se estivesse rezando.

Para confirmar que a prática conduz à perfeição, acesse grau26.com.br e digite o código: parto

TERCEIRA PARTE

As virtudes celestes

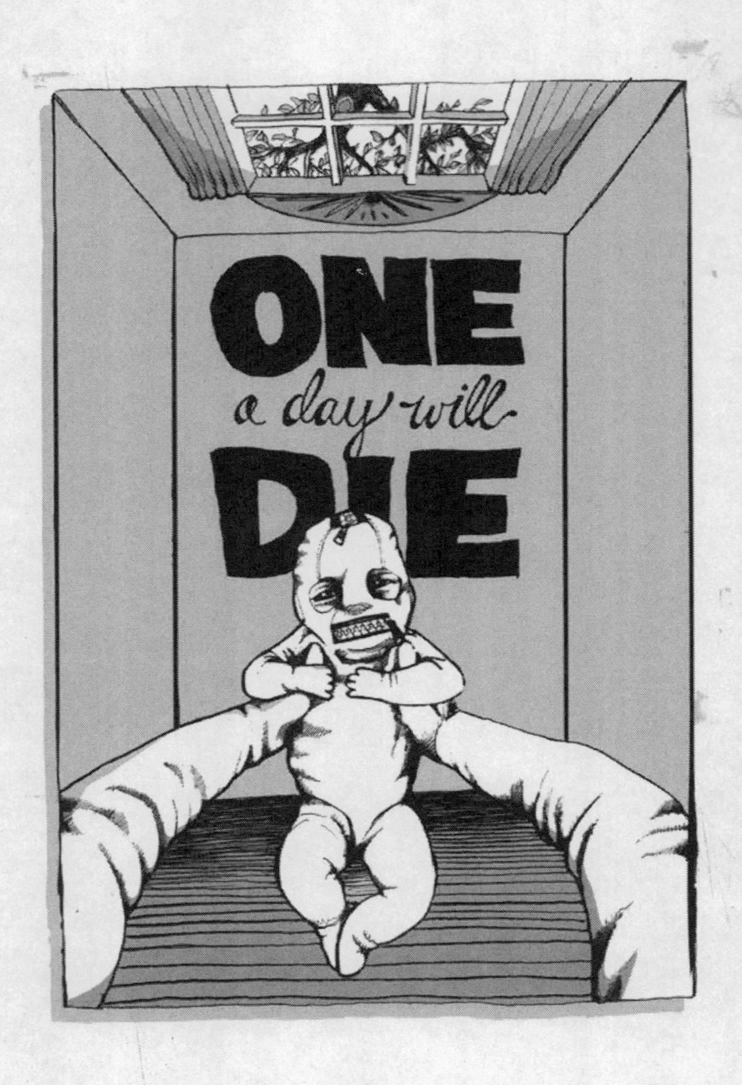

"Um por dia vai morrer."

Capítulo 81

14h30

Constance Brielle encontrara Sqweegel.

Pelo menos tinha razoável certeza disso.

Ela tinha descoberto que a pena de ave achada na casa de Dark pertencia a uma espécie específica: um tentilhão dos Açores, o mais raro de sua família. Não era encontrado nos Estados Unidos, e nem podia ser vendido legalmente. Fazia parte de uma lista de animais em perigo crítico — a apenas dois passos da total extinção.

Sabia-se da existência de apenas uma loja em toda a região sul do estado que comercializava aquelas aves. Constance encontrara o nome — Exóticos Neuróticos — na internet, em um fórum sobre esses pássaros.

Naturalmente, a loja não anunciava espécies em perigo crítico à venda. Em vez disso, pelo que ela descobriu, os traficantes de pássaros usavam códigos, como o seguinte:

Bullsore Finch, Arizona, US$1.100

Depois de ter ido à Exóticos Neuróticos, a fim de confirmar que havia "tentilhão *bullsore*" à venda, Constance esteve com Dark para narrar o que descobrira. O código era um anagrama, suficientemente simples para que um colecionador de pássaros pudesse entender.

A abreviatura do estado do Arizona é AZ.

Separando a palavra *bull* de *sore*, restavam letras suficientes para formar a palavra *Azores*.* Em seguida, juntando *bull e finch*... pronto, um pássaro ilegal e altamente cobiçado.

A pergunta era: quem teria comprado um tentilhão dos Açores ultimamente?

Tinha sido pago com cartão de crédito?

A Divisão de Casos Especiais não tem autorização para acessar registros financeiros particulares de cidadãos norte-americanos. Nenhum ramo dos oficiais da lei pode fazê-lo sem ordem judicial. Desde o advento da Lei Patriótica,** no entanto, havia certas áreas indefinidas, e Constance gostava de lançar mão delas de vez em quando.

Na equipe havia um perito em segurança de computadores, chamado Ellis, especialmente competente para espionar extratos de conta de cartões de crédito. Muitas vezes é possível definir uma pessoa conhecendo suas compras. Era um instrumento útil para determinar o perfil de alguém.

— Ellis — chamou ela.

— Connnstannnce — respondeu ele. Parecia um tanto leviano. Constance achou que provavelmente há várias semanas ele não falava com uma mulher.

— Vou dar a você o nome de uma loja de animais — disse ela.

— E eu vou violar a lei — completou Ellis. — Já sei, já sei. Vamos em frente.

Constance deu o nome e o endereço e ouviu o som das teclas enquanto ele digitava com grande rapidez. Em breve descobriram que

---

**Bullfinch* é o nome do tentilhão, em inglês; *Azores* é o arquipélago dos Açores. (*N. do T.*)

**Legislação adotada após o atentado de 11 de setembro de 2001, que conferiu ao governo federal poderes especiais de vigilância sobre cidadãos para a detecção de possíveis terroristas. (*N. do T.*)

certo número de tentilhões dos Açores tinham sido vendidos nos últimos três meses, todos ao mesmo comprador.

— Imagino que você queira que eu entre na conta dele e descubra o endereço, não é? — perguntou Ellis.

— Se você não se importa — respondeu Constance.

— Claro, mas você terá de me dizer: isso é por causa de Sqweegel?

— Não se preocupe com isso.

Ellis digitou ainda mais velozmente, rápido demais para que ela conseguisse acompanhá-lo.

— OK, o sujeito tem uma caixa postal. Mas você quer saber o endereço real?

— Seria ótimo — disse Constance.

— É sobre Sqweegel, não é? Vamos, você tem de me dizer.

— É sim, e vou mandar você ir pegá-lo sozinho, quando me der o endereço. Vamos, isso é só informação geral. Você sabe.

Finalmente ele deu o endereço. Constance agradeceu antes que Ellis a convidasse para jantar ou para alguns martínis. Ela tinha cometido o erro de procurar fazer amizade com ele durante alguns dias, no início da carreira dele. Achou que um gênio de computação seria um bom aliado. Nisso, tinha razão, mas Ellis não parecia haver entendido que o interesse dela se esgotava aí. Desde então, o relacionamento profissional de ambos tinha sido uma longa e embaraçosa coreografia, como se o trabalho dela já não fosse suficientemente difícil.

Finalmente ela tinha um nome: Kenneth Martin.

E sabia também o endereço.

Não importa o que dissesse a Ellis — poderia ser Sqweegel?

Capítulo 82

Algum lugar no sul da Califórnia
15h45

ruído maníaco ecoava na masmorra subterrânea.

Tchactchactchactchactchac TCHACTCHACTCHAC.

TCHAC.

TCHAC.

TCHAC.

O pé de Sqweegel impulsionava o pedal. Com as mãos delicadas ele ia empurrando o pano do zíper para diante, diretamente sob a cabeça de metal que subia e descia, aplicando as costuras. Tinha de ser perfeito.

Afinal, era para o bebê.

Despido, Sqweegel prosseguia seu trabalho, enquanto a mulher amamentava o bebê recém-nascido. Ainda estava amarrada, menos um braço, para poder segurar a criança.

Ele os observou por algum tempo, para ter certeza de que o neném sugava o seio. Alguns custam a fazê-lo, o que exigiria outros métodos. Nada, no entanto, é melhor do que o leite materno.

O colostro — o primeiro jato de leite materno — é um coquetel poderoso de vitaminas e hormônios, como se fosse um último toque divino antes de uma vida de labuta e sofrimento no plano mortal da existência. É um rápido gole de invulnerabilidade temporária, incluindo anticorpos contra todos os resfriados, gripes e outras doenças com que a mãe tenha tido de lutar em sua própria vida. Sqweegel ficou tentado a provar umas gotas, somente para saber o que lhe tinha sido negado ao nascer. Não o fez, porém. O bebê precisaria ser forte para poder suportar os sacrifícios que viriam.

Sqweegel havia olhado a criatura recém-nascida e viu que estava perfeitamente tranquila. Certamente ainda coberta com graça divina. O choque da chegada ao plano terreno ainda não a havia atingido.

Sqweegel olhou a pequena fisionomia e, claro, sem dúvida notou a semelhança.

No momento, porém, estava concentrado em terminar o primeiro presente para o neném.

Ergueu-o com ambas as mãos, a fim de admirá-lo.

A primeira roupinha de bebê.

Dois pequenos buracos para os olhos. Um zíper para a boca — para quando chorasse muito. Duas aberturas para o nariz, para que pudesse sentir o cheiro de tudo. Um outro zíper que ia do alto da cabeça até as nádegas macias.

— Venha, meu bebezinho. Venha se vestir.

Capítulo 83

Ele vinha pegá-lo, e Sibby nada podia fazer, a não ser conservar-se viva e proteger a criança.

Seu lindo bebezinho.

Tinha os membros algemados àquela porcaria de maca, exceto o braço esquerdo. Mas isso era inútil para defender-se, porque com ele Sibby segurava a preciosa filhinha, que sugava os primeiros goles de leite materno. Ela havia sonhado com aqueles momentos de absoluta paz, que conhecia somente por haver lido a respeito ou por ter ouvido alguma amiga contar. Nunca imaginara que os passaria em um porão úmido e asqueroso, em companhia de um louco.

Um louco que agora estava ao lado da maca, estendendo os braços para pegar o bebê.

As únicas armas de que Sibby Dark dispunha agora eram a voz e a vontade de sobreviver, para poder cuidar da criança.

— Você não vai chegar perto de meu bebê — disse Sibby.

— *Meu bebê, meu bebê* — zombou ele, imitando-a. — Veja como você é egoísta, Sibby. Nem está pensando no pai.

— Você não é o pai dele, seu degenerado. E eu não vou soltá-lo.

— Tenho certeza de que não está falando sério — disse Sqweegel. — Mas veja as coisas como são na realidade. Ou você o entrega a mim gentilmente ou eu vou cortar seus pulsos com um machado e retirá-lo dos dois tocos de seus braços. Quer que os primeiros sons que seu bebê escute sejam seus gritos aflitos de piedade? Quer que ele prove as gotas do *sangue da mamãe*?

Talvez aquele monstro vestido de branco e cheio de tiques nervosos tivesse sido uma daquelas crianças maltratadas que crescem para fazer mal ao resto da humanidade. Não era possível negociar com ele, mas talvez pudesse assustá-lo.

— Pare com isso agora mesmo — exclamou ela, olhando-o diretamente nos olhos negros. — Não tenho medo de você e nem de suas ameaças. Conheço o tipo de gente que você é. Você se esconde porque tem medo de entrar no mundo real. Já ri de gente como você *e estou rindo agora*.

O monstro a encarou por um instante e depois virou a cabeça lentamente para a esquerda, como se os músculos do pescoço trabalhassem em câmara lenta.

De repente, sem aviso prévio, um punho enluvado se abateu sobre o rosto dela. Sibby nunca tinha sentido dor tão forte nem tão intensa. O golpe deslocou alguns dentes e fez a boca sangrar.

Ela sentiu que o peso que tinha no braço diminuía... e depois desaparecia.

Oh, meu Deus, não.

Com a visão já mais clara, percebeu que o monstro segurava sua filha nos braços.

— Não faça mal a ela — disse Sibby, sentindo o gosto salgado de seu próprio sangue na língua. A boca parecia mais espessa e inchada. O tom angustiado de sua voz a surpreendeu. — Por favor, farei qualquer coisa, mas não faça mal a ela.

— Não vou matá-la — disse Sqweegel, sacudindo a cabeça. — Se quisesse, ela já estaria morta.

— Não faça mal ao meu bebê.

O monstro mascarado soltou um ronco e afastou-se, com a criança nos braços. Sibby o viu caminhar e ficou admirada ao vê-lo tratá-la com carinho. Aparentemente, as criancinhas significavam alguma coisa para aquele homem-inseto que a tinha espancado, cortado e tentado estuprá-la.

Ele se dirigiu a uma pequena geladeira e retirou uma barra de manteiga. Colocando a criança sobre a mesa, começou a untar todo o corpinho rosado.

O bebê não chorou. Simplesmente olhou-o com curiosidade. Seria isso o que acontecia depois de nascer? Seria assim que o mundo funcionava?

— Está vendo? — disse Sqweegel para Sibby. — Ela gosta do pai.

Capítulo 84

16h45

Constance saiu para o ar livre, ao sol da tarde californiana, levando uma garrafa de água. Girou a tampa, tomou um gole e voltou a fechar a garrafa, que estava quase cheia.

Em seguida jogou-a em uma lata de coleta de lixo para reciclagem de metais e entrou novamente no edifício.

Após cerca de um minuto, um rapazinho se aproximou, patinando em um skate. Abriu a tampa da lata de lixo e retirou o saco de plástico que estava dentro, fechando a tampa. Depois partiu, levando o saco. Qualquer pessoa que estivesse por ali imaginaria que o menino a levaria a um centro automático de reciclagem, onde receberia talvez 1 ou 2 dólares para juntar e comprar uma cerveja, um pouco de maconha ou um amplificador.

Na verdade, o saco ia ser entregue a Dark, que pagara 20 dólares pela tarefa — menos de dois minutos de trabalho. Seria uma grande ajuda para comprar a cerveja, a maconha ou o amplificador.

Com Wycoff e os capangas da Artes Negras vigiando todos os seus passos — tanto no mundo real quanto no espaço virtual — Riggins, Constance e Dark rapidamente chegaram à conclusão de que a única maneira de comunicar-se seriam os velhos métodos de espionagem, coisa que ninguém mais usava.

Por exemplo, a mensagem escondida na garrafa cheia de água.

Na verdade, não estava cheia; tinha um fundo falso no meio, rapidamente preparado por Constance com uma segunda garrafa, um pouco de cola plástica e uma tesoura. A parte de baixo ficava cheia de água, assim como a de cima, mas a mensagem inserida permanecia seca.

Dark abriu a garrafa, apalpando a separação por baixo do rótulo. Retirou a mensagem escrita à mão, que continha simplesmente um endereço.

6206 Yucca

Ele conhecia a rua; era uma transversal do Hollywood Boulevard. Aquilo fazia sentido. O endereço ficava a poucos quarteirões da igreja metodista que Sqweegel havia incendiado. Estaria sempre por ali? Isso explicava como ele se movimentava tão facilmente em Los Angeles.

Talvez Sqweegel não tivesse se mudado para lá somente para atormentá-lo. Talvez até morasse ali.

Capítulo 85

17h10

Dark voltou ao quarto alugado — em um motel da cadeia Super 8 — e entrou no banheiro. Fechou a porta atrás de si e acendeu a luz. Não havia janela externa, o que reduzia a iluminação ao mínimo.

Sabia que não tinha muito tempo: em breve iriam pedir a Constance que relatasse o que tinha conseguido saber com os recibos de cartão de crédito, e nesse ponto Wycoff e os demais também ficariam conhecendo o endereço.

Um homem como Wycoff não se interessaria em salvar Sibby, por mais que isso pudesse favorecê-lo. Não queria saber de relações públicas. Queria acabar com seu algoz, junto com qualquer outra pessoa que conhecesse o caso.

Inclusive Dark e Sibby.

Dark já ouvia os helicópteros passando pelo ar morno da tarde, ao sol que descambava para o Pacífico. Estavam circulando, esperando informações. Tinha de agir mais depressa do que eles. Pensar mais depressa do que eles. Constance e Riggins não poderiam inventar muitos subterfúgios.

Ele havia roubado um carro — já um tanto antigo, maltratado, que não seria notado, e o deixara abandonado na esquina da Vista del Mar.

Não havia muitas casas naquela parte de Yucca. Vários prédios de apartamentos e depósitos, muito próximo do famoso edifício da Capitol Records. Provavelmente haveria muitos músicos por ali, que precisavam estar perto daquele ícone, pelo menos para manter vivas suas esperanças.

Seria Sqweegel um músico fracassado? Alguém que desejava superar Charles Manson? Aquele poema doentio revelava uma espécie de ouvido musical.

Não, o problema dele não era a fama. Para ele, o importante ia além dos cuidados e preocupações triviais dos mortais. Era uma tarefa divina. Sqweegel estava dando uma lição à humanidade, por meio de cadáveres.

Dark encontraria outra parábola naquele lugar?

O prédio de número 6206 era uma casa solitária, pintada de azul-claro e precisando de nova demão de tinta. Não havia automóvel diante dela e nem luzes do lado de dentro.

Dark saltou por cima do pequeno portão de ferro batido e atravessou rapidamente o gramado, agachando-se ao ver algumas janelas de porão em um lado da casa. Totalmente fora das vistas.

Prestou atenção. Nenhum ruído vinha de dentro. À sua volta havia somente o zumbido normal das ruas de Los Angeles.

As janelas do porão eram de vidro comum. Dark sentia os segundos se esgotarem e teve vontade de avançar, invadir e dar seu bote.

Mas não. Faça como se deve. *Como ele faria.*

Tirou o cortador de vidro de uma pequena bolsa presa ao cinto. Girou a lâmina e retirou a peça cortada por meio da ventosa. Estendeu a mão para dentro. Abriu o trinco enferrujado. A janela se abriu. Dark deslizou para o interior.

O chão de cimento estava coberto de fezes de algum animal. Teias de aranha nos cantos. No andar de cima, a mesma coisa, além de boa quantidade de cardápios de restaurantes chineses diante da porta da frente e vários cartões de agentes de companhias imobiliárias.

Na cozinha, nada, a não ser um refrigerador fedorento. Um pote de sal no balcão. Um par de tesouras de jardineiro.

A sala estava vazia, com exceção de algumas estantes ainda cheias de livros empoeirados. Com um rápido olhar às lombadas arrumadas em ordem, Dark percebeu que nenhum deles era posterior à década de 1970. Um dos livros, no entanto, atraiu sua atenção, porque estava ligeiramente deslocado em relação aos demais.

O título era *Pecadores e sádicos*, uma compilação barata de artigos sobre assassinos famosos na História mundial. Leitura doentia para mentes depravadas. Dark soprou a poeira da capa e ao abri-lo viu que uma das páginas tinha um canto dobrado. Naquela página havia um texto curto sobre Lizzie Borden, que tinha sido acusada de haver cortado a mãe e o pai em pedacinhos com um machado, mas que nunca fora condenada. Borden tinha sido a O.J. Simpson de sua época, personagem da cultura pop antes que existisse a cultura pop.

Tudo, desde o fato de aquele volume estar ligeiramente fora do alinhamento até a página dobrada e à própria coleção de livros, era demasiadamente estranho para ser coincidência.

Mas com que objetivo? O que estaria Sqweegel querendo dizer-lhe? Ele nunca tinha sido tão explícito antes. Era como se um assassino em massa deixasse para trás uma cópia de *Helter Skelter.**

Dark continuou a revistar a casa.

Nada nos armários, banheiros, quartos. Nenhum sinal de habitantes nem de vida, a não ser uma cama de solteiro num quarto dos fundos. Exceto isso, não havia mobília de qualquer espécie. Mas tal-

---

*Referência ao assassino Charles Manson e a uma música dos Beatles com o mesmo nome. Manson acreditava ter poderes divinos para castigar pecadores. (*N. do T.*)

vez não fosse essa a finalidade daquela casa. Talvez ele não morasse ali. Nesse caso, para que serviria?

Pense como ele. Você moraria em um lugar visível? Ou utilizaria uma casa como aquela para praticar ocultar-se em pequenos esconderijos?

Sim. Talvez.

Dark começou a examinar todos os espaços que tivessem dobradiças ou que pudessem ser abertos. Não poupou os assoalhos e os tetos até que os tivesse experimentado com os punhos ou os dedos. Nenhum espaço foi desprezado por ser demasiado pequeno.

Ainda assim, nada. Nenhum sinal de que alguém tivesse estado ali.

Ouviu o ruído dos helicópteros no ar, parecendo agora estar mais perto. Talvez Constance não tivesse podido atrasá-los por mais tempo e eles já estivessem chegando.

Voltou ao quarto nos fundos e à única pista. Uma cama de solteiro. Para uma criança? Pequena demais para ele? Mas por quê? Dark passou um dedo pelo lençol fino cujas extremidades estavam sob o colchão. Não havia cabelos nem manchas visíveis. Ele se ajoelhou e olhou debaixo da cama.

Ali viu um pedaço de papel marrom-claro, tipo pergaminho, com um laço cor-de-rosa preso ao centro, colocado em cima de um livro. Imaginou a paciência necessária para preparar um belo objeto e escondê-lo naquele lugar tão feio. Uma grande maldade precisa do toque de um artista. Dark compreendeu que não era mais do que um elemento em um desempenho magistral, o equivalente a uma nota musical cujo objetivo somente pode ser entendido a partir das demais notas a seu redor, o resultado final de um estarrecedor *crescendo* tocado por cem instrumentos que executassem uma melodia composta de pequenas notas individuais, sem significado. Notas que somente adquiririam sentido quando fizessem parte do arranjo de um virtuose.

*P*ara ler a participação do nascimento, acesse grau26.com.br e digite o código: semdigitais

Capítulo 86

18 horas

Sibby não conseguia ver muita coisa. Somente alguns relâmpagos prateados na escuridão. O monstro tinha algum problema com a luz. Ou muita, ou muito pouca. Nunca apenas a necessária.

Houve um ruído metálico, seguido por outro, e mais um. Agora ela distinguia a forma. Um tripé.

Os braços finos dele colocavam uma câmera de vídeo em cima.

Em certo momento ele fez uma pausa e virou a cabeça — lentamente, sempre lentamente — para olhar na direção dela. Os olhos negros como contas fizeram gelar o sangue dela. *Por favor, não olhe para mim. Continue a fazer o que estava fazendo. Simplesmente me deixe em paz.*

No entanto, era evidente que ele ainda se ocuparia dela.

O pescoço de Sibby estava preso à maca do hospital com uma tira de couro em que havia botões de metal. A fivela metálica machucava-lhe o queixo. Era apertada e impedia que ela virasse a cabeça. Enquanto isso, seus pulsos e tornozelos tinham sido novamente amarrados à maca. As mãos e os pés começavam a ficar dormentes.

Ele também ainda não tinha terminado com o bebê.

Onde estaria a criança?

Que teria feito com ela? Sqweegel estava preparando alguma coisa, algo muito mais alto do que ele. Desdobrou um fio elétrico de extensão, ligou-o a algum ponto no chão, e em seguida...

Uma luz brilhante feriu os olhos de Sibby.

CAPÍTULO 87

Hollywood
18h20

Dark saiu da casa na Yucca Street no momento em que o primeiro furgão da Artes Negras parava diante dela. Três agentes saltaram, todos vestidos de preto. Dark ficou pensando se o do nariz quebrado estaria entre eles. Ou será que tinha pagado o preço de sua incompetência no aeroporto?

Dark também estava de preto e conseguiu esgueirar-se e saltar o portão sem ser notado. Não demorou muito a ver-se novamente no laboratório no subsolo do prédio 11000 da Wilshire, sozinho, procurando alguma pista ou sinal no papel pergaminho que o monstro tinha deixado para ele.

Um por dia vai morrer passou para outro cinema perto de você.

Não havia impressões digitais. DNA? Tampouco. Resíduos físicos? Zero.

Dark bateu com os punhos na mesa, quase derrubando um microscópio de 10 mil dólares no chão de concreto. Queria gritar, queria sair correndo, queria encontrar qualquer pequenino indício que o levasse a Sibby.

Em vez disso, saiu silenciosamente pela porta do subsolo e foi ao estacionamento onde deixara o carro. Sabia que não poderia ficar por muito tempo no laboratório sem que Wycoff ficasse sabendo. Alguma coisa tinha de acontecer em breve e ele queria poder movimentar-se quando isso ocorresse.

Ao girar a chave na ignição o celular vibrou. A tela informou que a chamada era de Sibby. Claro que ele sabia que não seria ela.

— Estou indo pegar você — disse Dark.

— Sei disso, Steeeeve — disse Sqweegel, arrastando a sílaba. — Arranje um laptop. Nossa última conversa vai começar em breve.

— Escute, seu filho da...

Mas a chamada terminou.

Três segundos depois, apareceu um texto com um endereço IP e uma mensagem de duas palavras: "30 MINUTOS".

Não havia tempo para subterfúgios. Dark precisava de Constance e Riggins já. Claro que precisava dos computadores da Divisão e da capacidade deles de procurar sinais, mas precisava ainda mais do cérebro dos dois.

Quaisquer que fossem os planos de Sqweegel, ele queria que Dark observasse sozinho. Mas Dark estava cansado dos jogos doentios do monstro.

Constance manteve a calma ao atender.

— Brielle.

— Sou eu.

— Fale depressa. Estamos muito ocupados.

— Vou mandar a você um endereço IP — disse Dark. — Esconda-o se puder, mas por enquanto não é importante. Localize o sinal como for possível.

— Sim — disse ela, e fez uma pausa. — Vou ver o que posso fazer. Como disse, estamos muito ocupados.

— Avise-me, também.

— Claro, claro. Já não é quase meia-noite aí? É melhor você ir para casa.

— Obrigado.

— Chega de me perturbar. *Até logo*.

Capítulo 88

18h51

De novo em seu modesto quarto de hotel, Dark abriu o laptop e acessou o navegador. Um boxe cinzento surgiu imediatamente e ele ficou conectado ao link da Divisão de Casos Especiais. Constance tinha ficado esperando por ele para operar em rede.

Se alguém da Artes Negras estivesse prestando atenção, provavelmente o localizaria em poucos segundos por meio de seu sinal. Dark tinha a esperança de que estivessem ocupados com alguma outra coisa, pelo menos por algum tempo. A questão era saber se Wycoff e seus capangas estariam ou não contando com a Divisão.

Uma imagem de vídeo ocupou toda a tela. Era uma filmagem ao vivo, feita com uma webcam, um tanto trêmula. Inicialmente havia apenas um parede nua, luzes que se moviam e certa distorção digital.

Em seguida a tela estremeceu um pouco mais e a imagem focalizou uma cadeira de madeira. Passaram-se três minutos — Dark via os segundos se escoarem no relógio do laptop — e em seguida houve um ruído. Um grito agudo. Um choro de bebê.

Os dedos de Dark se crisparam, agarrando o computador. Foi preciso dominar-se para não quebrar a estrutura de plástico, destruir a máquina e perder a conexão.

E para não perder a cabeça.

O bebê continuava a chorar; depois ouviu-se um suave farfalhar de tecido e... passos. Passos leves sobre uma superfície de concreto.

Em seguida, como uma aparição fantasmagórica, uma forma esbranquiçada surgiu na tela.

Era Sqweegel, vestido com sua roupa de látex branco — a roupa de assassino.

Segurava um bebê, também vestido com roupa de látex, idêntica à sua.

— Vou castigar você de um jeito que nem Deus conhece — exclamou Dark.

Sqweegel sacudiu a cabeça. Curvou-se para mais perto da filmadora. A voz dele brotou dos pequenos alto-falantes do laptop.

— Não precisa gritar, Steeeeve. Podemos ouvi-lo muito bem. Não é verdade, queridinha?

Ouviu o seu nome pronunciado daquele jeito zombeteiro. Ninguém o chamava de "Steve", a não ser Sibby. *Ele sabe disso. Tem me espionado. Tem nos escutado. Sabe quais fraquezas explorar, porque abriu o cérebro e estudou os circuitos.*

Então, abra o cérebro dele, disse Dark para si mesmo. *Depois arranque todos os fios que encontrar.*

Na tela, a mão enluvada de Sqweegel se aproximou da câmera, e por um instante parecia que atravessaria o laptop e agarraria a garganta de Dark. Em vez disso, a palma da mão encheu toda a tela e por entre os dedos brancos Dark percebeu que Sqweegel deslocava a filmadora.

Apontava-a para Sibby.

Ela estava amarrada à maca. Nua. Indefesa. Pálida. Aterrorizada. Tremendo.

— Vamos, querida — disse Sqweegel. — Diga olá para o seu homem.

Sibby parecia estar drogada. Perdida, com dores. Mexeu a cabeça para lá e para cá como se fosse cega, procurando encontrar alguma coisa — qualquer coisa — que pudesse focalizar. Depois olhou a câmera e viu Steve.

— Não se preocupe comigo — disse ela. — Salve o bebê deste maní...

Nesse ponto, Sqweegel rapidamente virou a câmera em sua direção. O rosto dele encheu a tela.

— Ela tem razão, Steeeeve. Não se preocupe com ela. Preocupe-se com *o maníaco que está com o bebê*.

Capítulo 89

Wilshire Boulevard, 11000

Constance colocou as duas mãos nos ombros do agente que estava gravando a transmissão e ao mesmo tempo analisando-a. O homem se sobressaltou, mas acalmou-se ao ver que era Constance. Tinha estado em vigília durante muitas horas e seus olhos doíam de tanto encarar a tela.

— Que foi? — perguntou ele. — Viu alguma coisa?

— Volte para a mulher — disse Constance.

O agente congelou a imagem e voltou ao rápido segmento onde se via Sibby amarrada à maca.

— Aí mesmo — disse ela. — Pare aí.

— Ei — disse Riggins, olhando para eles. — Encontraram alguma coisa?

— Ali... acima da cabeça dela. Está vendo?

Riggins apertou os olhos.

— É um quadro na parede?

— Não — disse Constance. — Acho que é uma janela. Há um pouco de luz natural que entra por ela. Está um tanto fora de foco, mas posso perceber alguma coisa...

Enquanto isso, o restante da Divisão se ocupava do endereço de IP por todos os lados, rastreando-o até o provedor do serviço e procurando a localização aproximada. Alguém gritou:

— Ele está na região de Los Angeles.

Ali a maioria das buscas de IP tinha de terminar. Para ir adiante era necessário obter uma ordem judicial ou entrar ilegalmente nos arquivos do provedor. Aquele endereço, no entanto, era diferente. Parecia levar a um provedor improvisado, que pirateava as bandas de uma dúzia de outros provedores. Era como se alguém roubasse alguns tostões por dia de vários bancos até reunir recursos suficientes para abrir seu próprio banco.

— Em que parte de Los Angeles? — perguntou Riggins.

— Estou tentando descobrir.

— Tente mais. — Em seguida, voltou-se para Constance. — O que foi que você viu?

O agente tinha feito o zoom para a janela e depois a ampliara. Era possível ver o pico de uma montanha coberta de neve.

Riggins sacudiu a cabeça.

— Pensei que você tinha dito que o sinal vinha de Los Angeles.

— É verdade — gritou alguém. — Isso nós já determinamos.

— Onde fica a estação de esqui mais próxima?

Vários nomes surgiram: Bear Mountain, Mount Baldy, Mountain High, Snow Valley, Snow Summit — todos a nordeste da cidade, nas montanhas além de Antelope Valley.

— Não — disse um dos agentes que rastreavam o endereço de IP. — Não vem dessa direção. Achamos que vem do sul.

— Não é possível — disse Constance. — Aquilo é sem dúvida uma montanha coberta de neve. Se conseguirmos identificar o pico, talvez possamos fazer uma triangulação....

Hollywood

Dark ficou olhando a tela escurecida, esperando que algo acontecesse. Aquilo não podia terminar assim. Sqweegel queria alguma coisa. Queria jogar a partida final.

Nesse caso, por que o silêncio?

Nesse momento, a voz dela atravessou a neblina digital.

— Steve?

— Sibby, estou aqui. Que está acontecendo? Ele está aí com você?

— Estou em movimento... rolando...

— Estou aí com você. Lembre-se disso. Mesmo que a comunicação seja cortada e você não possa me ouvir mais, lembre-se de que estou aí. Vou falar com você. Vou buscar você.

— Sei que você virá. E depois vamos para a Disneylândia. Nós todos.

— Certamente, querida.

— Oh, meu Deus. Steve, você precisa ver o bebê. Nunca vi coisa mais lin...

Nada mais, a não ser o guincho de rodas sobre um chão de concreto.

Dark chegou para mais perto da tela, procurando algum resto de imagem, alguma pista sobre o que poderia acontecer em seguida.

Houve um ruído estranho que aos poucos se transformou em gargalhada. O filho da puta estava rindo. Depois a tela estremeceu e ficou completamente escura.

A transmissão terminara.

Mas isso não importava. Sibby tinha fornecido a ele aquilo que toda a Divisão de Casos Especiais, todos os agentes, analistas e recursos não haviam conseguido.

A pista.

Disneylândia.

Estariam perto de Anaheim? Era alguma coisa, mas tão vaga que poderia ser inútil. Se aquele monstro filho da mãe não tivesse cortado a comunicação, Sibby poderia ter dado outra pista.

Mas já era alguma coisa.

Dark mandou um texto a Constance:

TENTE A REGIÃO DE ANAHEIM. DISNEYLÂNDIA.

Wilshire Boulevard, 11000

— Que diabo aconteceu? — perguntou Riggins.

— Perdemos a conexão... — murmurou um operador, debruçado sobre o teclado.

— Então recupere.

— Consigo fazer a chamada, mas a ligação fica bloqueada.

— Tente novamente.

— Estou tentando.

— Tente melhor, porra!

Enquanto isso, do outro lado da sala, Constance leu o texto de Dark e olhou novamente para a tela. Uma montanha coberta de neve.

Anaheim.

Sentiu então um daqueles maravilhosos momentos de prazer que para ela representavam a realização da vida, mas que não eram notados — a doçura inefável do instante da compreensão.

A montanha coberta de neve não era real. Era o cume do Matterhorn reproduzido na Disneylândia. Os pais a levavam todos os anos à Disneylândia — isto é, todos os anos até se divorciarem.

A casa de Sqweegel ficava em algum lugar bem próximo do lugar mais inocente do sul da Califórnia.

Capítulo 90

Hollywood
19h13

Dark esmurrou a parede do quarto do hotel. O gesso despedaçou sob o impacto de seu punho, abrindo um buraco. Não tinha sido algo muito inteligente. Um gerente atento poderia ter ouvido e a qualquer momento bateria à porta.

Mas era preciso descarregar a raiva. Não podia ficar confinada em seu sistema nervoso.

Dark estava louco por matar alguém ou alguma coisa, e sua mente racional o impedia a custo.

Fazia anos que ele não se sentia daquele jeito. Pelo menos desde que perdera a família adotiva. Daquele ponto em diante, o coração dele tinha se tornado uma espécie de supernova, com o centro da alma transformado em uma esfera superdensa, uma bola de ferro sem sentimentos. Havia levado aquele ferro aos quatro cantos do mundo, esmagando com ele tudo o que acreditava estar entre si e o monstro que lhe causara aquela desgraça. E depois disso, após um ano de fracasso sangrento, frustrante, negro, rotundo, tudo o mais se queimara dentro de seu corpo, como se seus sentidos ficassem em brasa e depois frios como o gelo... calcinados, sem que nada sobrasse.

Sibby havia agitado as cinzas e encontrado algum calor em lugares que ele durante muito tempo considerara estéreis. Aos poucos ela remexera as cinzas, reavivando o fogo, fazendo-o sentir-se novamente humano.

Mas agora que ela estava em poder de um maníaco, era como se alguém tivesse explodido uma bomba no peito de Dark. Ele sentia as entranhas queimando, explodindo, desmoronando.

Não havia nada que ele desejasse mais do que destruir Sqweegel... mas nada podia fazer exceto olhar o laptop apagado e resistir ao ímpeto de lançá-lo contra a parede do quarto, arrancar a tela e o teclado com os dedos.

— Espere... Sim! A terceira vez é a boa. Temos conexão.

Riggins e Constance correram para a tela, completamente tomada pelo rosto de Sqweegel. A boca coberta pelo zíper parecia um rasgão na tela, do qual a qualquer momento sua língua surgiria.

— Constance Brielle — disse ele. — Sei que você está aí. Isto também tem a ver com você.

Todos se voltaram ao mesmo tempo. Mas ela não lhes deu atenção, vidrada na imagem da boca de Sqweegel, como se fosse a boca de Deus, pronta para recitar seus pecados em voz alta.

— Temos muito a conversar — disse Sqweegel. — Todos nós.

Logo depois, o rosto de Sqweegel desapareceu e a câmera foi apontada para Sibby.

— Steve?

— Estou aqui — disse Dark, tocando a tela de LCD com as pontas dos dedos. Sentiu o calor dos pixels, fazendo de conta que era ela.

— Então estamos todos conectados? — disse Sqweegel, trazendo de volta a câmera para si. No braço direito segurava o bebê, ainda vestido com a roupa de látex branco. — É importante esclarecermos algumas coisas antes do final.

Quanto mais Constance olhava Sqweegel, mais se convencia de que ele era capaz de vê-los. Percebia isso pelas múltiplas pequenas reações dele. Não estava falando a uma plateia imaginária; ele os via.

Deve haver algum tipo de câmera de segurança naquela sala. Talvez mais de uma.

Como?

Constance mantinha os olhos na tela mas apalpando em volta encontrou uma caneta e um bloco de notas adesivas. Escreveu:

Continuem triangulando EM SILÊNCIO. Precisamos saber o local o mais depressa possível. Resposta por escrito só para mim.

Entregou a nota ao agente que estava a seu lado, apertando a mão dele com os dedos para ter certeza de que tinha sido entendida.

Sqweegel alisou algumas pregas imaginárias em sua roupa de látex e em seguida virou a cabeça, encarando a câmera como um apresentador de TV. Estava confiante, com o corpo ereto. Completamente à vontade diante da plateia.

E diante da plateia reunida, começou a falar.

Capítulo 91

Pouco depois da meia-noite / Dia dos Pais

— Vim à Terra para livrar a humanidade dos pecados e recordar-lhe as virtudes celestes — disse Sqweegel, para a câmera. — Viúvas cobiçosas que perderam toda esperança e trepam para ficar com o dinheiro que o governo paga por seu silêncio, ou padres pederastas que esqueceram a religião e abusam de crianças, pensando que podem escapar das chamas eternas por meio da confissão. Delinquentes juvenis privilegiados que procuram emoções mas não pensam nas consequências, ou o defensor hipócrita do país que nem sequer é capaz de defender o filho ilegítimo.

— Vou destruir você — disse Dark, olhando a tela.

Sqweegel levantou os olhos para ele, com um sorriso de escárnio por trás da máscara. Dark percebeu pelo movimento do látex.

— Ou então um agente federal fracassado que não foi capaz de proteger a família adotiva de um pequeno ser humano mortal.

— Você não tem nada contra mim — disse Dark. — Só vê pecado à sua volta, mas não enxerga seus próprios pecados. Quer matar a humanidade inteira? Mandar todos para o inferno? Pode tentar. Mas espero que já tenha feito as malas, porque quando eu o pegar você vai se juntar a eles.

Sqweegel torceu a cabeça para um lado.

— Não tenho medo, Steeeeve. Quis que conversássemos hoje por dois motivos. Primeiro, quero perdoar seus pecados.

— Foda-se — disse Dark.

— Essa parece ser sua resposta para tudo. Foda-se. Foda-se eu, foda-se ela. Mas sabe o que acontece quando você fode? Sua mãe adotiva lhe ensinou, talvez pondo a mão na frente de suas cuecas para mostrar? Isso excitou você? Ainda tem fantasias sobre ela, Steve?

— Seja mais claro.

— Quando você *fode*, faz um filho. Pelo menos foi isso o que Deus tinha em mente. E você teve um bebê.

— Tive, e ele está agora no seu porão. E eu vou aí para buscá-lo, seu demente filho da mãe.

— O bebê é *seu*? — perguntou Sqweegel. — Tem certeza?

Sqweegel riu com escárnio. Não conseguia controlar-se. Quando começava, era difícil parar. Era um riso animalesco que tinha desde a infância. E aflorava sempre que as emoções tomavam conta dele. Durante décadas conseguira manter um tênue grau de controle. Mas agora a jornada estava quase terminada, e parecia que seu corpo sabia.

As coisas tinham ficado mais sérias. Não é sempre que alguém consegue destruir o inimigo mortal com apenas algumas palavras.

— O que quer dizer com isso? — perguntou Dark.

— O bebê não é seu — disse Sqweegel. — É meu.

— Mentiroso.

— Não, não. Veja, eu fiz Sibby dormir na noite em que você esqueceu a virtude e enfiou o pau em Constance Brielle.

O sangue gelou nas veias de Dark.

Oh, meu Deus. *Ele sabia.*

Capítulo 92

Constance sentiu-se nua no Centro de Comando, rodeada por homens que viam todos os defeitos, contornos e sardas de seu corpo.

Como ele poderia saber? Ela não contara a ninguém, nem mesmo à mãe, na Filadélfia. Era um segredo que estava disposta a levar para o túmulo, para ser julgada mais tarde. Parecia, no entanto, que o dia do julgamento tinha chegado.

— Ela abortou a criança, Steeeve — disse Sqweegel. — Mas você já sabia disso, não sabia? Até ofereceu dinheiro a ela, qual foi o cheque? Ah... cheque número 1183, para ajudar a pagar os... *serviços*? Mas ela o rasgou e jogou-o fora, onde *qualquer pessoa* poderia encontrá-lo. Isto é, qualquer pessoa que tivesse tempo de sobra e um pouco de fita adesiva.

Constance se lembrou de que tinha feito aquilo. Na época, o golpe da indiferença de Dark, a frieza dele, a tinham enfurecido. Mas ela se recuperara. Seguira em frente. Não podia ver o rosto de Dark, mas ficou imaginando se ele estaria reagindo.

— Ora, não fique zangado — disse Sqweegel, na tela. — Constance queria guardar segredo. Não queria causar problemas para você. Sabe como é, uma outra vida perturbando você, pedindo atenção. Seria muito ruim para você, não é mesmo, Steeeeve?

Constance ouviu a voz de Dark ecoando no covil de Sqweegel. A voz reverberou a todo volume, saindo distorcida pelo alto-falante do laptop.

— *Cale a boca!*

— Quero morrer agora, se estiver mentindo — disse Sqweegel. — Cortaria minha língua aqui mesmo, diante da câmera. Aceito o castigo por meu pecado. Nunca mais seria capaz de mentir. Mas *não* estou mentindo, não é, Dark?

Era um louco dizendo falsidades. Nada mais. Sibby tentou bloquear as palavras e concentrar-se no bebê. Tudo o que importava agora era que a filhinha deles pudesse sair viva daquele inferno. O resto não tinha importância — nem ela, nem Steve, nem coisa alguma.

Mas mesmo assim as palavras entravam em seu consciente.

...enfiou o pau em Constance Brielle...

...ela abortou, Steeeeeve...

Sibby lembrou-se da noite em que dera a Steve a notícia de sua gravidez. Tinha sido muito cuidadosa, mais do que em qualquer outra coisa que tivesse feito. Ao ver o lampejo de felicidade nos olhos dele, teve certeza de que tudo correria bem dali em diante.

Isso é maravilhoso, ele dissera.

Sibby, eu tentei contar tudo a você, dizia ele agora.

A voz de Constance, também agora:

A culpa foi minha, Sibby. Foi apenas uma noite. Sei que foi uma coisa feia. Fiz o aborto porque não queria estragar a vida de vocês. Assumo toda a responsabilidade.

Steve, outra vez:

Eu também. Tentei contar tudo a você.

— Calem-se, merda, calem-se todos, todos vocês, mas tirem meu bebê deste pesadelo — gritou Sibby.

— Estão vendo a que ponto nos odiamos uns aos outros quando esquecemos os ensinamentos celestes? — disse Sqweegel para a câmera. — Todos temos pequenos segredos. *Eu* mato gente, *vocês* matam gente. Pelo menos, quando eu mato não faço segredo.

Em seguida ele retirou a câmera do tripé e a tela mostrou unicamente seu rosto.

— Todos aqueles que mandei para o inferno mereceram — disse Sqweegel. — Você e Constance acabaram com uma vida, e por isso eu e Sibby vamos fazer o mesmo. Olho por olho, e o mundo ficará cego.

"Devo confessar... que vai ser difícil abortar esta. Fiquei ligado a ela."

Com essas palavras, ele desligou a conexão da internet.

Os técnicos da Divisão entraram em pânico, tentando controlar o problema, mas logo perceberam que era a corrente elétrica que desligava e ligava, ligava e desligava, como se uma tempestade repentina tivesse desarmando os disjuntores.

Depois de alguns segundos, porém, a energia voltou e uma nova imagem em preto e branco surgiu nos monitores.

Para ver esse filme "ao vivo", acesse grau26.com.br e digite o código: assistapordiversao

11:05:43
11:05:40
TICK TOCK

Capítulo 93

As imagens eram apenas vistas gerais do coração do próprio inferno.

Mãos enluvadas de látex deitando um bebê numa caixa aberta de metal. O bebê sente frio. Chora, procurando a mãe...

A imagem estremece.

Os pulsos da mãe são libertados dos laços. Ela é ameaçada com uma navalha. No peito. Nas pernas. Nos dedos dos pés. Cruelmente, impiedosamente, como um açougueiro atormentando um frango que está prestes a esquartejar. A mãe fica paralisada de medo, mas de nada adianta. O carrasco está decidido.

A imagem estremece.

Os tornozelos da mãe são libertados, ela acerta uma joelhada no rosto do monstro, escapa da maca de hospital, cega, coxeando, fugindo, correndo, gritando...

A imagem estremece.

A mãe grita para a câmera, grita para todos nós, e nós somos o açougueiro que a persegue, navalha na mão, saltando, correndo e perseguindo, correndo pela masmorra de pesadelo e por um longo corredor até que ele finalmente a domina...

A imagem estremece.

O açougueiro ergue a navalha no ar. Parece estar resolvido a arrancar a pele daquele animal prestes a ser sacrificado.

A imagem estremece, como se não suportasse assistir ao que foi obrigada a gravar.

Agora o carrasco segura o bebê nas mãos ensanguentadas, erguendo-o como uma oferenda a algum deus antigo e esquecido.

— Que merda é essa?

Todos os presentes no Centro de Comando da Divisão de Casos Especiais se voltam para encarar o secretário de Defesa Norman Wycoff. A camisa lhe saindo das calças e o rosto tem olheiras profundas. Alguns fios de cabelo estão de pé no alto da cabeça, fazendo com que ele pareça um patinho que acaba de sair do ovo.

O agente que chefiava a busca no computador foi o primeiro a falar.

— Achamos que ele está em Anaheim.

Era o que Riggins mais receava. Esperava que Wycoff fizesse o que fazem todos os figurões — que ficasse de longe e os deixasse trabalhar. Wycoff adorava dar ordens ríspidas, mas nunca entrava diretamente na batalha. O fato de ter ido ali confirmava a opinião de Dark. Para ele era uma questão totalmente pessoal.

Era também um grave abuso de poder.

— Acham? — Perguntou Wycoff. — Vocês têm alguma coisa concreta ou estão apenas nos fazendo perder tempo, como o endereço da Yucca Street?

O agente rapidamente deu a ele informações atualizadas, fazendo questão de registrar que a descoberta do Matterhorn tinha sido na verdade ideia sua, *sim senhor.* Constance murmurou algo para Riggins sobre ter de ir ao banheiro e começou a se retirar do Centro de Comando.

Wycoff a viu.

— Agente Brielle. Um *instante*.

Constance suspirou e em seguida aproximou-se do secretário de Defesa. Este se curvou, tão perto dela que se quisesse poderia virar a cabeça e morder-lhe a orelha.

— Eu lhe disse que queria todas as informações no *nanossegundo* em que a senhora as recebesse — falou ele. — Que pensa que está fazendo?

— Estamos fazendo nosso trabalho — respondeu Constance. — Literalmente, acabamos de juntar as pontas há poucos segundos. O senhor quer pegar esse monstro ou não?

Wycoff olhou para ela de cima a baixo, durante um momento. Os cabelos, os lábios, e depois os seios. Ele tinha bebido. Ela sentia o cheiro do uísque saindo por seus poros. Os olhos de Wycoff vagaram dentro das órbitas, incapazes de focalizar alguma coisa por muito tempo.

— Conseguimos! — gritou um dos operadores.

Merda, pensou Constance. Será que conseguiria fazer o que pretendia?

— Deixe-me confirmar — disse ela, caminhando para o operador. Mandou-o tomar nota rapidamente em uma folha de papel, para que não houvesse engano, explicou. Em seguida levou o papel a outra mesa, escreveu alguma coisa nele e o levou a Wycoff.

— Vamos embora — disse o secretário. — Vocês poderão escrever todos os relatórios depois que esse filho da puta estiver morto e enterrado.

— Aqui está — disse ela, entregando-lhe uma folha de papel. — Só queríamos ter certeza do lugar exato. O senhor não há de querer colocar em perigo os cidadãos que moram na área da Disneylândia, senhor secretário.

— Disneylândia? — repetiu ele. Em seguida olhou o papel, onde estava escrito:

1531 Playa del Rey
Anaheim

Wycoff saiu da sala como um foguete, sem sequer um aceno de despedida, com o telefone celular ao ouvido, lendo o endereço em voz alta.

— Tomou nota? Mande a porra da cavalaria. Execute todos os alvos. Sim, agora mesmo, merda! Fuzilem tudo o que se mover...

O operador que tinha encontrado o endereço levantou-se, atônito.

— Espere... agente Brielle, creio que houve um engano...

Riggins deslizou até onde estava o operador, colocando as mãos nos ombros do homem e fazendo-o sentar-se novamente em sua cadeira com rodízio.

— A agente Brielle sabe o que está fazendo — disse ele. — Agora, sente-se aí e passe-me todas as informações sobre o endereço que encontrou.

Poucos momentos depois Constance entrou no banheiro, fechou a porta do último cubículo, levantou a saia, abaixou as calcinhas e sentou-se. Durante alguns instantes ficou olhando a porta de metal pintada de cinza, um tanto confusa sobre o ponto a que havia chegado sua carreira.

Em seguida recuperou-se e apertou uma tecla, ligando para Dark.

— Que foi que você conseguiu? — perguntou ele.

— Você viu uma janelinha num canto da tela?

— Não — confessou Dark. — O que era?

— É a melhor pista que já tivemos neste caso. Conseguimos fazer uma triangulação e pegamos um endereço. Mas há um problema: a tropa de Wycoff já está a caminho.

— Preciso de um pouco de tempo.

— Você vai ter — disse ela. — Dei a ele o endereço errado. O correto é 1531 San Martin Drive, em Anaheim. Você tem cerca de 15 minutos até que eles descubram o verdadeiro. Vá.

— Obrigado, Constance. Se eu pudesse...

— Vá *logo*.

Dark apertou com força o acelerador do carro roubado e disparou pela 405, em direção à Disneylândia.

Capítulo 94

San Martin Drive, 1531, Anaheim, Califórnia

A casa parecia ter surgido de repente, vinda de outra década e caída ali por acaso, nos tempos atuais, no meio daquela região residencial. Ao contrário das residências ao redor, o prédio do número 1531 da San Martin Drive era uma mansão de arquitetura vitoriana, com telhado saliente sustentado por traves e varanda da frente cercada de treliça. Dava a impressão de ter sido construída antes que as pessoas tivessem chegado a uma conclusão sobre a aparência que deveriam ter as moradias no sul da Califórnia, imitando um estilo importado da Nova Inglaterra no final do século.

Do lado de dentro, toda a decoração era branca. Chão, paredes, teto — até mesmo as vidraças das janelas eram de um branco esfumaçado. Vestido completamente de preto, Dark caminhava cuidadosamente por sobre o carpete alvo, com a pistola dotada de visor laser presa ao cinto do lado direito e uma pequena bolsa do lado esquerdo. Pensou em uma frase de Raymond Chandler: *Ele se destacava como uma tarântula em cima de um pão de ló.*

Sem dúvida Sqweegel tinha predileção pela claridade e a escuridão. Não importava. Dark somente precisava que o pontinho vermelho pousasse sobre alguma parte vital do corpo magro dele — talvez a testa. Bastava apertar o gatilho e tudo terminaria.

Havia uma porta branca de madeira com uma mancha de sangue junto à maçaneta. Somente uma tabuleta dizendo POR AQUI poderia ser mais óbvia.

Era claro que Sqweegel o esperava.

Degraus de mármore branco levavam ao subsolo. Dark seguiu pegadas de sangue — manchas esparsas e disformes. Seguiam em ambas as direções, como se alguém tivesse caminhado até a porta, mudado de ideia e voltado.

Seriam as pegadas de Sibby?

Dark parou no umbral. Havia pouca iluminação no subsolo. Em silêncio, ele retirou da bolsa um espelho preso a uma fina haste de metal, usado pelos franco-atiradores para olhar além de uma esquina.

O reflexo revelou Sibby, amarrada à maca do hospital, coberta de sangue. Havia tantos ferimentos e cortes que era difícil saber onde começavam e onde terminavam.

Não pense em sua família adotiva. Não pense no que o monstro fez com eles. Sibby está viva; isso é o que importa. Seja o que for que ele tenha feito, ela poderá recuperar-se. Todos podemos nos recuperar juntos.

Tudo o que você tem a fazer é destruir o monstro, pegar sua mulher e sua filha e ir para casa.

Dark deixou cair o espelho, sem se importar mais com a cautela. Não havia mais regras. O jogo acabara. Puxou a arma e virou a esquina. Ali estava Sqweegel.

Segurava o bebê em frente ao peito.

— *Achei* que você não ia querer perder isto — disse ele. — Está pronto para cumprir seu destino?

Capítulo 95

Dark apontou a arma para a testa de Sqweegel. Havia pouca luz, mas não tão pouca que não lhe permitisse ver o corpo dele, branco como um verme. No andar de cima Dark estivera muito visível, mas a roupa branca de Sqweegel o fazia ficar praticamente brilhante. As juntas dele saltavam como pistões, como se estivessem ligadas a alguma música que tocasse somente dentro de sua cabeça.

O bebê também se destacava.

— Ponha o bebê no chão, ou eu...

— Você o que, Steeeeve? Vai me matar? Provavelmente não se atreverá a atirar. Uma bala perdida poderia atingir o meu bebê tão precioso.

— *Ele não é seu* — silvou Dark.

— Por que não nos mata para saber? Basta um exame de sangue dos dois. Descubra finalmente a verdade. A verdade sempre aparece. *Sempre.* Agora você sabe disso. Deus está sempre nos observando.

Dark fez um esforço para encontrar a mira. O pontinho vermelho dançava erraticamente em torno do corpo de Sqweegel. Queria desesperadamente atirar.

Porém, no instante em que a mira eletrônica encontrava um ponto exato, Sqweegel recuava alguns centímetros e mudava a posição do bebê, usando-o como um escudo humano. O subsolo estava escuro demais. A margem de erro era elevada.

O bebê começou a chorar. Não estava gostando daquela movimentação para os lados, para cima e para baixo. Fazia frio e havia um cheiro de morte naquele lugar. O que estaria passando por aquela cabecinha?

Meu Deus, ali estava ele, pensando no bebê como se fosse uma coisa. Dark nem sabia qual era o sexo — ele e Sibby tinham resolvido esperar para saber. A maioria dos pais e mães recebem a notícia segundos após o nascimento. Aquela criança tinha chegado ao mundo dentro da masmorra no porão de um louco. Os primeiros sons que ouvira tinham sido os gemidos torturados da mãe, além das mentiras de um lunático.

Agora ela via a luz vermelha do visor de laser do revólver do pai. *Bem-vindo ao mundo, bebezinho. É um lugar ainda mais estranho do que você poderia imaginar.*

— Algum problema? — desafiou Sqweegel. — Quer um pouco mais de luz?

Com o cotovelo ele tocou uma placa de metal e em um instante toda a masmorra se inundou de luz fluorescente. Centenas de monitores montados nas paredes se acenderam.

O esconderijo secreto de Sqweegel estava iluminado; o esconderijo que ele conseguira ocultar durante três décadas.

Durante anos a Divisão presumira que Sqweegel possuísse algum tipo de base, um covil para onde podia levar suas vítimas com relativa facilidade. Especulava-se que teria de possuir vários tipos de equipamento, e o que era mais importante, que fosse à prova de som.

Agora que Dark finalmente o conhecera por dentro, estremeceu de horror.

Capítulo 96

Aquele lugar parecia ter sido construído com dois tipos de material: monitores de vídeo e cadáveres humanos.

Observando bem, quem tivesse sorte poderia ver somente os monitores, cada qual ligado a uma câmera oculta em diversas localizações: no Air Force 2; em Quantico; no Centro de Comando da Divisão de Casos Especiais; na casa de Dark em Malibu; no quarto de hospital que Sibby ocupara, agora vazio. Além disso, em dezenas de outros interiores — casas, apartamentos, escritórios, todos apresentando um portal para espaços que Sqweegel já invadira. Evidentemente ele gostava de continuar vigiando lugares onde havia estado.

Sqweegel também gostava de reunir lembranças.

Estas enchiam os espaços entre os monitores — restos de corpos humanos. Caveiras, ossos, juntas, veias, músculos rosados, globos oculares opacos, cérebros brancos esponjosos, tudo conservado por meio de plastificação. Serviam de argamassa para sustentar os monitores e o equipamento de informática. Mostravam o desprezo final de Sqweegel pela forma humana.

— Você é o primeiro a contemplar a obra de minha vida, Steeeeve — disse ele. — Vamos. Olhe em volta. Explore. Talvez reconheça aqui e ali os fragmentos de um crânio. Talvez um pouco de seu próprio

DNA desperte seu sangue. Estou interessado em saber. Foi preciso fazer muitas pesquisas em resíduos médicos para encontrar a amostra correta, e não quero ter me enganado.

— Você matou...

— Muito mais do que qualquer pessoa poderia imaginar — disse Sqweegel. — Só de vez em quando deixo um cadáver, para mandar uma mensagem. Ninguém, no entanto, parece compreender minha obra... a não ser você. Você esteve perto, quando falou com Constance. Gostei da expressão que você usou... São Pedro, não foi? Não era perfeito, mas estava próximo.

— Você esteve observando tudo.

— O quê? Com este equipamento? Não, não. Isto não é mais do que a visão múltipla de uma mosca comum comparado com a visão onipotente do Pai. Não, Dark, apenas observei você e as pessoas que gravitavam em sua órbita. Durante anos gravei toda a sua vida em fitas. Observei todos os seus movimentos. Ouvi todas as conversas. Observei cada segundo de cada hora e de cada dia. Não há nada que eu não saiba sobre você e sobre ela, sobre Riggins, Constance e nosso traiçoeiro secretário Wycoff.

Dark deu um passo na direção de Sqweegel.

— Você não é Deus.

— Não — reconheceu Sqweegel. — Mas Ele me enviou. Você não percebe isso agora?

— Isso é uma porra de uma alucinação sua...

— Não, simplesmente narro uma parábola. Deixe de lado sua carapaça mortal e ouça com sua alma — prosseguiu Sqweegel. — Sei que pelo menos uma parte de você é capaz de me ouvir. Não teria chegado até aqui se não fosse assim. E não teríamos nos encontrado outra vez em Roma.

Encontrado outra vez?, pensou Dark. Não, Roma foi a primeira vez. *Ele está tentando me confundir. Use a simplicidade. Abra a cabe-*

ça do monstro. Siga os fios que correm pela mente doentia dele. Arranque os fios. Arranque-os e estrangule-o com eles.

— Você está tentando mostrar a nós, pecadores, que estamos no caminho errado.

— Não, não estou interessado em punir o pecado — replicou Sqweegel. — Em vez disso, eu sou como um farol, como um guia a serviço de Deus e de Suas virtudes celestiais.

Houve um estalo na mente de Dark. Sete. Não eram os pecados. Todos conheciam os pecados. Mas quem pensaria no contrário: as sete virtudes cardeais?

— Sem dúvida você as conhece — disse Sqweegel. — Afinal, sua família postiça matriculou você naquela escola dita católica. Vamos, recite-as para mim. *Prudência...*

A mente de Dark vagou entre o passado e o presente. A definição de virtude, comparada com a carnificina recente. Não podia evitar lembrar-se dela. Não podia deixar de pensar nos assassinatos.

A prudência tem a ver com julgar as coisas de maneira adequada. Se Sqweegel se considerava exemplo de prudência, nesse caso a lição teria sido dada em Nova York.

— As viúvas do 11 de Setembro — disse Dark, em voz baixa.

— Ah, está vendo? Eu tinha certeza de que você entenderia! E a *justiça*?

Os culpados serão punidos, e o castigo será proporcional ao crime.

— Os rapazes que queriam comprar cerveja.

— E a *fé*?

— Os padres. Castigar os seis pelos atos de outros, que perderam a fé e abusaram de crianças.

— *Esperança.*

— Você não matou as mulheres, apenas os cavalos. Tinha a esperança de que elas se aperfeiçoassem. Depositou esperança nelas.

— Fantástico, Dark! Agora, as virtudes de hoje, começando pela *caridade.*

— Você ajudou Sibby a dar à luz.

— *Temperança*?

— Permitiu que o bebê vivesse.

— Finalmente... a *coragem*.

— Você e eu. Aqui, neste porão. A capacidade de enfrentar seus maiores temores. Será isso? Estamos aqui para nos enfrentarmos, seu filho da puta? Você tem medo de mim?

Sqweegel segurava o bebê junto ao peito e começou a emitir um silvo estranho enquanto contorcia o corpo, como se houvesse uma laranja dentro de sua caixa torácica e ele quisesse espremer o suco. Um fio de bílis negra escorreu-lhe pela boca, pingando na cabeça da criança, coberta de látex.

— Esperei muito tempo por este momento — murmurou ele. — Você não tem ideia.

Capítulo 97

Acima da cabeça de Sqweegel, em diversos monitores de vídeo, Dark viu um enxame de corpos vestidos de uniforme que se aproximavam correndo. Reconheceu-os: era a equipe da Artes Negras de Wycoff, saindo dos furgões como abelhas, com os rifles nas mãos. Chegavam para o bote final. Agora, no entanto, não eram apenas dois. Pelo menos meia dúzia, ao que Dark podia ver.

Tinham chegado em muito menos do que 15 minutos.

— Enfrente seu temor, meu caro — disse Sqweegel.

— Não faça isso!

Mas foi o que ele fez. Com as duas mãos Sqweegel atirou a criança para o ar, descrevendo um arco por sobre a cabeça de Dark.

Não, não, não, NÃO...

Dark largou a arma, virou-se rapidamente e deu dois passos largos com os braços estendidos. O bebê ia voando pelo espaço, alto demais, depressa demais, longe demais...

Ouviu atrás de si um ruído metálico, *mas deixe isso de lado, concentre-se no bebê...*

A criança já estava caindo, muito mais depressa do que ele esperava, em direção ao chão de cimento.

Dark se atirou para a frente com ambas as mãos abertas, cegamente, sem pensar como cairia, porque sabia que isso não tinha importância. O importante era salvar o bebê. O bebê de Sibby. O *seu* bebê...

Sentiu os dedos tocarem o crânio ainda mole da criança e ambos caíram juntos ao chão.

As mãos de Dark tinham conseguido proteger a frágil cabecinha.

Ele se esforçou por recuperar-se do esforço. Perdera o fôlego ao cair ao chão, mas isso também não importava. Respirar não era importante; poderia respirar mais tarde. O importante era tirar Sibby e o bebê dali.

Agarrou a criança e levantou-se. Segurando a filhinha com um braço, apanhou a arma com a outra mão. Onde estaria ele? Onde se teria metido aquele escorregadio filho da...

Ali.

Um traço fugidio de látex branco em movimento.

Não conseguiu acertar, porém; ouviu uma risadinha de Sqweegel.

— Você errou — disse ele.

Dark avançou com ímpeto. Não ia permitir que a história se repetisse. Não estava na igreja em Roma. Não estava subindo em andaimes. O monstro estava encurralado em seu próprio covil e Dark iria correr, atirar, perseguir, golpear até que o encontrasse, onde quer que ele se escondesse...

Ali.

Contorcendo-se debaixo do que parecia ser uma pesada bancada de trabalho. Uma perna magra encolhendo-se, ocultando-se atrás de uma porta de madeira...

Dark correu para a frente e deu um vigoroso pontapé na mesa, fazendo-a deslizar para um lado. Atirou uma, duas vezes, diretamente na abertura, como se atirasse na boca aberta de um animal. O bebê começou a chorar...

Nada. Sqweegel não estava ali dentro.

Merda!

Mas logo em seguida...

Ali. Uma aparição branca, que nem parecia um ser humano, se esgueirava por um corredor. Dark apertou o bebê contra si — não iria deixá-lo, não naquele porão — e correu atrás do vulto, rezando para poder dar pelo menos um tiro direto. Uma bala que atravessasse o látex, a carne e os nervos, talvez até mesmo um osso, suficiente para detê-lo por alguns segundos, porque precisava apenas de alguns segundos...

Dark deu três passos e alguma coisa explodiu.

Sentiu um impacto firme em seu bíceps direito, fazendo-o tropeçar. Dark se endireitou e voltou-se.

— *Uh-uh-uh* — fez Sqweegel, como se cantasse, e em seguida atirou novamente.

Desta vez a bala atingiu a perna de Dark, derrubando-o ao chão. O bebê escorregou de seus braços e começou a chorar de medo, com o rostinho de um vermelho brilhante. Dark procurou alguma coisa na bolsa presa ao cinto. Seus dedos apalparam a lâmina afiada que ele sabia estar lá dentro...

— Não tem graça se você não lutar — disse Sqweegel. — Vamos, venha! Lute! O mundo está nos vendo!

Dark se virou. O bebê choramingava em algum lugar, naquele chão desagradável, perto dele. Sqweegel estava agora muito próximo, com um hálito fétido que invadia as narinas de Dark, olhos negros como contas a poucos centímetros de distância...

— Cale a boca — disse Dark, agarrando o fecho zíper da máscara e puxando com força. O monstro coberto de látex se aproximou mais ainda, com um sorriso macabro estampado no rosto, e com um golpe rápido Dark passou o cortador de vidro pela garganta dele.

A lâmina atravessou o látex e o pescoço de Sqweegel, abrindo um rasgão que pareceu libertar os vapores do próprio inferno de dentro dele. Um sangue enegrecido esguichou mais de três metros além.

Sqweegel tentou gritar, mas saiu apenas um gargarejar grosso como xarope.

Dark arrancou-lhe a máscara, rasgando o látex na base da cabeça. O tecido se abriu em um círculo em volta do pescoço arfante e ossudo, enquanto mais sangue escorria pela roupa virginalmente branca.

Dark olhou o rosto nu de Sqweegel e viu que era completamente... comum.

Olhos negros opacos, que agora não pareciam tão ameaçadores. Cabeça raspada, sem cabelos. Testa estreita, ausência de sobrancelhas. Pele manchada. Era um adulto disforme. Um menino vítima de abusos que nunca conseguira vencer o ódio e portanto crescera odiando a todos.

Um ódio tão poderoso que fizera com que seu sangue se tornasse negro.

— Você gosta de poemas — disse Dark. — Tenho uns versos para você. Talvez já os tenha ouvido antes. Na verdade, sei que já ouviu.

Os dedos do monstro encontraram o corte no pescoço, como se pudessem fechá-lo com as mãos. Seus braços tremiam. Os olhos reviraram-se nas órbitas.

Dark levantou-se, apesar da intensa dor dos ferimentos no braço e na perna. Olhou em volta da câmara de torturas e imediatamente viu o que precisava. Sqweegel somente era capaz de engasgar, tossir e cuspir.

Dark voltou-se e ficou de pé segurando o pequeno machado prateado acima do corpo de Sqweegel, que se contorcia a seus pés.

— *Lizzie Borden pegou o machado* — recitou Dark — *e deu quarenta machadadas na mãe. Quando viu o que tinha feito, deu no pai quarenta e uma...*[*]

E ao pronunciar a palavra "uma" o machado se abateu sobre ele, cortando o braço direito na altura do ombro.

---

*Poema folclórico alusivo ao caso de Lizzie Borden, acusada de matar a mãe e o pai a machadadas em 1927. *Lizzie Borden took an axe/gave her mother forty whacks./And when she saw what she had done/she gave her father forty-one.* (N. do T.)

Dark ergueu novamente a lâmina e desta vez cortou o raquítico braço esquerdo, separando-o do ombro. O membro cortado rolou para um lado. Sangue escuro jorrou da ferida, sujando a lâmina do machado antes que Dark se preparasse novamente para usá-la em outro lugar.

A perna direita, logo abaixo da junta com o quadril.

Depois, a esquerda.

As pernas raquíticas do monstro, com as quais ele se esgueirava e se escondia dobrando-as, já não faziam mais parte de seu corpo. Eram agora pedaços inúteis de carne e osso. Não voltariam a crescer. Somente poderiam esfriar, esvair-se em sangue e apodrecer até virar pó.

Dark brandiu o machado no ar e sentiu gotas mornas de sangue fétido caindo-lhe no rosto. O cheiro era intolerável, como se nas veias do monstro corresse enxofre líquido.

Olhou para baixo e viu que Sqweegel o olhava também, com o rosto completamente tranquilo. Os olhos negros penetravam nos dele, como se esperassem alguma coisa.

Ei! Era isso o que você estava esperando!

Era por isso é o que você suplicava...

Dark deixou escapar um grito de alegria,

... todo ...

virou o pulso para ajustar o ângulo

... este ...

e enterrou a lâmina no pescoço de Sqweegel.

... tempo!

A força do golpe atravessando os ossos da espinha lançou a cabeça do monstro rodopiando pelo chão da masmorra.

Enquanto Sqweegel ouvia Dark recitando o poema, uma santa paz o envolveu, mesmo quando o machado cortava o braço direito na articulação do ombro. Depois a perna, na altura da coxa. Dark era musculoso, mesmo ferido com dois tiros. A lâmina penetrou com facilidade, cortando carne e ossos. Sqweegel ficou olhando um pouco de seu próprio sangue escapar da força da gravidade e explodir no ar, acima de sua cabeça.

O machado decepou a outra perna e o outro braço, mas ele *ainda estava vivo*.

Isso era uma sorte. Não queria perder nem um minuto do que estava acontecendo.

Ainda ficou consciente por algum tempo enquanto a lâmina lhe cortava o pescoço até bater no chão. Estranhamente, ele ouvia o som da espinha se partindo, não com os ouvidos, e sim dentro do cérebro. Aos poucos Sqweegel foi perdendo a consciência, esforçando-se por se manter no plano mortal ainda por mais alguns segundos.

Tinha trabalhado com afinco durante muito tempo em sua missão celestial e sabia que merecia descansar, mas desejava desesperadamente agarrar-se a este mundo, a fim de ver como tudo terminaria.

Foi uma pena que Dark tivesse feito o primeiro corte em sua garganta. Sqweegel não esperava por aquilo. Naqueles primeiros momentos de sua morte, ele ainda achou que seria possível fechar o rasgão e pronunciar as últimas palavras; mas somente conseguiu produzir horríveis sons roucos de um animal. Era realmente uma pena.

Ele tinha tentado com todas as suas forças dizer a ele uma última palavra.

Tinha tentado *agradecer*.

Capítulo 98

Do andar térreo ouvia-se o barulho ensurdecedor de janelas espatifadas, portas derrubadas, botas correndo pelo chão. Dark ficou ouvindo, ainda que fosse apenas para saber quanto tempo lhe restava para ficar com Sibby. Quanto tempo até que encontrassem a maçaneta suja de sangue e os degraus de mármore. Depois...

Sibby também não tinha muito mais tempo. O maníaco havia maltratado selvagemente seu corpo, com precisão cirúrgica. Havia cortado os seios dela, e as pernas e o estômago apresentavam marcas de facadas.

— Vamos tirar você daqui — disse Dark, colocando o bebê na maca e chegando mais perto de Sibby. A pele dos pulsos e tornozelos estava pálida. Ele os beijou, por serem praticamente a única parte do corpo que não sangrava.

Sibby o olhou, sacudindo a cabeça. Tentou falar, mas somente cuspiu uma bola de sangue.

— Ei, vai dar tudo certo — murmurou ele, suavemente, sabendo perfeitamente que não era verdade. Ela estava entrando em estado de choque. As pupilas se estreitaram.

— Não — disse ela. — Não vai. A voz saíra áspera, em golfadas, mas sorriu docemente para ele e depois engoliu o sangue que se formara na boca.

— Não fale.

— Seus piores pesadelos se materializaram — disse ela. — Você é pai de uma linda menina.

Até mesmo Dark teve de sorrir com aquelas palavras. Eles haviam brincado sobre o assunto quando Sibby ficara sabendo que estava grávida. Dark tinha dito que rezava para ter um menino, porque uma menina acabaria com ele. Teria de ficar eternamente de guarda para espantar os namorados.

— Se ela ficar parecida com a mãe, vai ser um grave problema para mim — dissera ele.

Sibby sorriu e engoliu novamente.

Ficaram ali, olhando um para o outro, até que todos os gracejos e fantasias desapareceram e nada mais havia a não ser duas almas, unidas em um nível além dos sentidos costumeiros. As palavras já não tinham muito significado. Ambos sabiam quem eram, onde haviam estado e o que iria acontecer. Havia um perfeito e dilacerante entendimento entre eles. O coração de Dark elevou-se e implodiu simultaneamente.

— Tome conta dela — disse Sibby. — Arrumei o quarto para ela. Espero que você goste.

O quarto *dela*. Era uma menina.

Agora tinham uma filha. Parabéns, papai.

— Embale-a comigo no coração.

Sibby engoliu novamente...

Tudo terminou.

Antes que a Artes Negras invadisse o porão.

Certa vez, Sibby Dark teve um sonho. Conhecera um homem num supermercado. Viveram juntos diante do mar, casaram-se e iam ter um filho; um dia o homem de seus sonhos a convidou para jantar no restaurante preferido dela, e ela sorriu para ele à luz das velas e sentiu-se cheia de gratidão, gratidão pela vida que tinha, pela vida que os dois trariam juntos ao mundo, e isso era tudo o que importava.

E o sonho não terminou nunca.

Capítulo 99

— Não, porra, não faça isso.

Todos se voltaram, inclusive Dark.

Ele nem tinha se importado em virar-se quando os dois agentes irromperam na masmorra. Dark somente podia imaginar que fossem os capangas de Wycoff, o de cabelos à escovinha e o que não tinha dois dedos. Empunhavam as armas, berrando ordens para levantar os braços e deitar-se no chão com as mãos na nuca.

Também não tinha se virado quando eles começaram a vomitar ao ver o que os cercava. Os cadáveres, os monitores, o mau cheiro, a poça de sangue negro escorrendo do corpo do monstro esquartejado, que costumava esconder-se debaixo de camas e dentro de armários.

— Meu Deus, Jesus, que merda é essa, porra?

Mas pouco depois ouviu outra voz, uma voz que Dark conhecia.

Era Riggins, dizendo aos agentes da Artes Negras que não, porra, não.

Nesse ponto, Dark finalmente se voltou.

Riggins tinha os braços levantados, as palmas das mãos abertas, mostrando que não estava armado. Olhava os agentes nos olhos.

— Antes que vocês façam alguma besteira — disse ele —, olhem em volta, rapazes. Isso parece ser uma operação normal? Vejam o bebê nos braços daquele homem. Vejam a mulher ao lado dele. O nome dela é Sibby Dark, e hoje de manhã ela ainda estava lutando para viver. Aquele é o marido dela. Nos braços dele está a filhinha dos dois, que nasceu nesta bosta de masmorra há poucas horas. Sei que vocês receberam ordens, e sei qual é o trabalho de vocês. Também é o meu trabalho. Mas estou pedindo que pensem no que vão fazer, e olhem em volta. É isso mesmo o que querem?

Nellis já tinha passado bastante tempo observando aquele policial de meia-idade para saber que provavelmente ele falava sério. As ordens eram aniquilar tudo o que estivesse dentro daquela casa. Mas um bebê? Nascido de uma mulher que tinha sido sequestrada e torturada ali, naquele depósito de ossos humanos?

Não, certas coisas eram macabras demais, até para a Artes Negras.

Os horrores naquele porão... Que diabo, ele teria sorte se fosse capaz de algum dia varrer aquelas imagens da memória, quanto mais da face da Terra. Havia perguntas, incerteza demais.

E ao longo dos últimos dias ele tinha sentido certa afeição pelo policial alquebrado que tinha diante de si, embora jamais confessasse isso a alguém.

— Calma — disse Nellis a McGuire.

Dark viu Constance aproximar-se, de braços abertos. Era como se fosse uma espécie de sonho, um sonho de outra vida.

— Posso? — perguntou ela.

Inicialmente Dark não entendeu. Em seguida abaixou a cabeça e percebeu que estava segurando um bebê. Sua filhinha. Em certo momento ele a tinha apanhado no chão. Estranhamente, não se lembrava quando. Teria sido antes de ir para junto de Sibby? Ou depois? Quando a Artes Negras já invadia o porão? Os poucos minutos anteriores pareciam um borrão. Ele tinha a vista enevoada.

Sentiu que Constance retirava o bebê de seus braços, mas o peso permaneceu. Parecia que grandes blocos de granito tinham sido colocados sobre seu peito. Recuou, cambaleando até encontrar uma parede e deixou-se escorregar até o chão.

Constance ficava bonita segurando um bebê, pensou Dark. Ela devia ter ficado com o filho.

O filho dela.

Deles.

Dele.

Dark nem sequer tinha olhado o bebê. Não conseguia. Teria sido por que vira alguma coisa nos olhos dela?

Alguma coisa que *absolutamente não era dele*?

Riggins tocou-lhe o ombro.

— Vamos embora daqui, porra.

Capítulo 100

Dark sentou-se na beira da cama do hospital. Os médicos finalmente tinham aparecido. Não conseguiram acabar com a dor. Pelo menos não exatamente. Empurraram a dor para um lado e o estimularam a pensar em outra coisa. *Veja, olhe para isso. Uma imensa mistura embaralhada feita de coisa alguma. Não é interessante? Preste atenção a isso, e não à dor. A dor não vai desaparecer. A qualquer momento ela volta.* Ele estava prestes a ter alta. Queria ter alta. Melhor acabar a recuperação em casa e não ali, naquele hospital que somente lhe recordava Sibby e os horrores que ela havia suportado.

Em algum ponto do emaranhado cinzento um pensamento atravessou sua mente. Sobressaltou-se. O crispar dos músculos fez alguns dos pontos doerem, mas isso não tinha importância.

— O bebê — disse ele.

Para sua surpresa, alguém respondeu.

— Está sob os cuidados do Conselho Tutelar — disse Constance. — Vão fazer exames completos. Disseram que poderá sair daqui amanhã.

Havia dois visitantes junto à porta do quarto do hospital — Constance e Riggins. Constance se aproximou da cama, encostou a mão macia e fresca no rosto dele e sorriu.

— É uma menina, não é? — perguntou Dark. — Não era isso que eu esperava, não é?

— Isso mesmo, Steve. Uma menina linda e saudável.

Então nem tudo era confusão. Havia algum sentido, afinal de contas. Mais além da carnificina, da dor, dos poemas, das mentiras e do sangue, havia aquilo. Ainda havia vida. Sibby não tinha morrido. Sibby viveria para sempre na filha deles. O monstro não podia tirar-lhe isso.

Mas junto a essas palavras, novamente alguma coisa lhe aguilhoou a mente e ele percebeu o que lhe tinha causado sofrimento ainda maior do que a cirurgia e os pontos. Eram as palavras do monstro, acima do emaranhado e da névoa.

Por que não nos mata para saber? Basta um exame de sangue dos dois. Descubra finalmente a verdade. A verdade sempre aparece. Sempre.

— Preciso de um favor — disse Dark, de repente. — Chamem uma enfermeira. Tirem uma amostra de sangue.

— Para quê? — perguntou Riggins. — Está sentindo alguma coisa?

— Não, não é isso. A criança. Preciso saber se ela é minha filha.

— Você precisa descansar, amigo...

— *Eu preciso saber.*

Riggins concordou com a cabeça. Pela expressão de seu rosto, Dark percebeu que o outro compreendera a inutilidade de qualquer argumentação e que o repouso e a recuperação teriam de esperar até que ele soubesse a verdade.

— Vou chamar a enfermeira.

Para confirmar os resultados do teste de paternidade, acesse grau26.com.br e digite o código: pai

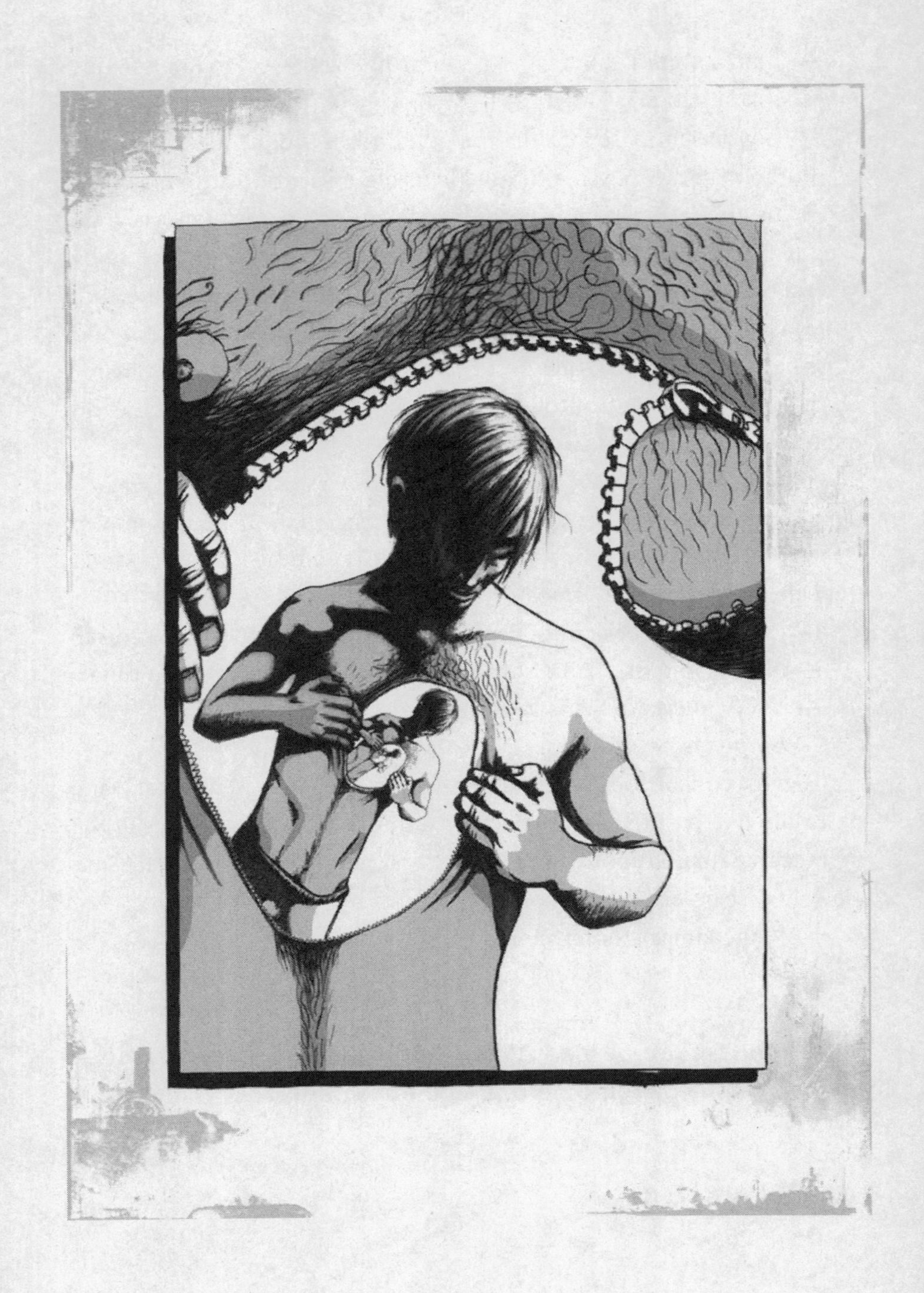

Capítulo 101

Normalmente, existem regulamentos para esse tipo de assunto. Os cadáveres de assassinos em série ficam congelados durante algum tempo. Às vezes, certas repartições reivindicam algumas partes do corpo — principalmente algumas agências científicas. Consideram que os matadores compulsivos de seres humanos pertencem a uma espécie ligeiramente diferente, que precisa ser mais bem estudada. A notícia do fim de Sqweegel vazou para a comunidade científica e todos queriam um pedacinho dele.

Afinal, era um novo tipo de predador. Um monstro como o mundo nunca conhecera antes.

Um assassino grau 26.

Dark, no entanto, não iria deixar que isso acontecesse.

Não só por causa dos pesadelos — isso já era um problema. Imagens da mão desmembrada, ainda enluvada, rastejando pelo chão do porão como uma tarântula e carregando o próprio braço em direção ao torso. Veias que se retorciam como vermes, desesperadas para reintegrar-se ao corpo. Os olhos dele — aqueles terríveis olhos negros — revirando nas órbitas. E também o corpo reanimado que saía de baixo do berço do bebê, estendendo as mãos para ele, e a criança que fazia ruídos infantis, sem entender o que era aquilo que vinha buscá-la.

Sim, eram mesmo pesadelos horríveis.

Além disso, havia também a sensação de que Sqweegel continuaria vivo de alguma forma, ainda que fosse num tubo de cultura de células em algum laboratório oficial. Era uma espécie de imortalidade que Dark não podia permitir. Tudo precisava ser destruído. As carnes, incineradas, os ossos, transformados em cinzas. Cada célula derramada para fora de sua membrana e dissolvida no nada.

Sqweegel tinha passado a vida adulta esforçando-se para não deixar pegadas. Dark achava que o desejo do filho da mãe deveria ser cumprido também na morte.

Por isso estavam ali naquele momento, em um crematório particular, com uma caixa de papelão grosso que continha os restos mortais de Sqweegel. Riggins havia desrespeitado pelo menos uma dúzia de leis para que aquilo pudesse acontecer — mas o que poderia dizer naquele ponto: *não é possível, Dark*? Não, ele tomara as providências sem queixas nem discussão. Dark suspeitava de que Riggins também desejava fritar o miserável, tanto quanto ele.

Sqweegel tinha afirmado que era o pai do bebê de Sibby. Felizmente, o teste de paternidade provara o contrário. Depois daquele dia, nenhum traço da vida mortal do monstro permaneceria na face da Terra.

Dark fez um sinal e os funcionários do crematório puxaram a alavanca. A caixa começou a mover-se na esteira, entrando no forno. Dentro, as chamas se acenderam.

Inicialmente, os funcionários tinham olhado com desconfiança para aquela caixa — quem poderia trazer um cadáver numa caixa de papelão? Além disso, um cadáver esquartejado, jogado na caixa como sucata. Braços e pernas decepados. Uma machadada no peito. Cabeça separada do corpo, com os olhos ainda abertos.

Mas Riggins mostrara seu distintivo e os funcionários trataram de colaborar.

A caixa cambaleou um pouco a caminho da boca do forno, que gerava uma temperatura de quase 1.000 graus centígrados.

As chamas lamberam gulosamente a caixa. Esta se encolheu, agitou-se e queimou primeiro, mas o corpo que estava dentro dela parecia imune ao calor.

Os funcionários se adiantaram para fechar a porta do forno crematório, mas Dark levantou um braço para impedi-los.

Queria observar até o último detalhe.

Queria *ficar sabendo*.

Aproximou-se mais do forno, tão perto que podia sentir o calor esquentando-lhe os poros do rosto. Os olhos negros de Sqweegel o fitaram, como se o desafiassem, recusando-se a ceder ao fogo.

Finalmente, no entanto, foram derrotados, derretendo-se em pequenas poças. Os farrapos de carne que tinham formado o corpo dele se enegreceram sob as intensas labaredas. Os ossos carbonizados se desfizeram ao calor.

Cerca de uma hora depois os funcionários do crematório rearrumaram os despojos, usando barras de metal, a fim de assegurar a cremação adequada e completa.

Passada outra hora, restavam somente cinzas e pedaços renitentes de cálcio, que seriam recolhidos e moídos em finas partículas.

Sqweegel não existia mais.

O assassino de grau 26 desaparecera para sempre da face da Terra.

Até mesmo a masmorra tinha sido limpa, sem que ficasse qualquer traço físico, inclusive os restos mortais de suas vítimas.

No entanto, durante muitos dias, o cheiro acre de carne queimada permaneceria nas narinas dos faxineiros, por mais que usassem detergentes, trapos e finalmente soluções salinas para acabar com o odor. Dark e Riggins tinham o mesmo problema.

O odor não é uma névoa e nem uma fumaça. Na verdade é constituído de partículas da matéria cujo cheiro se sente, que penetram na cavidade nasal e se ligam às papilas receptoras.

Enquanto Dark alimentava a filha ou lavava seu próprio rosto, ou se olhava no espelho do banheiro, empunhando o aparelho de barbear... bastava respirar para que Sqweegel retornasse.

No meio da noite, poucas horas depois da cremação, Dark despertou e percebeu que havia cometido um erro terrível.

Devia ter guardado um pouco do DNA. Apenas uma amostra para conservar como referência futura em caso de crimes não resolvidos. Para que o mundo ficasse para sempre livre de Sqweegel, era preciso que seus atos fossem catalogados, compreendidos, arquivados. Não se deve fingir que a assombração não existe: é preciso levá-la ao gabinete do cientista e mostrar ao mundo que é apenas um homem fracassado, nada mais.

Horas depois, olhando fixamente para o teto, Dark lembrou-se de que *existia* um lugar onde ainda seria possível encontrar o DNA de Sqweegel.

Riggins se ofereceu como voluntário.

Tinha notado a expressão do rosto de Dark quando este explicou o que precisava ser feito. Dark procurara mostrar-se alheio e adotar uma atitude clínica, mas Riggins sabia o que estava passando pela mente dele. Dark se armava de coragem para colher DNA no cadáver de sua mulher. Era uma experiência que nenhum homem deveria ter de enfrentar, especialmente depois do que ele já passara.

Por isso, Riggins foi em seu lugar.

No necrotério, ergueu a mão de Sibby e passou um palito sob uma unha, como quem enxuga uma lágrima no canto do olho de um bebê. Pensou na coragem que tinha sido necessária para que aquela mulher resistisse lutando, a fim de assegurar que levaria para o além um pedaço de seu assassino ao rasgar com as unhas a roupa de látex, e levar para fora daquele porão uma parte da carne dele para que estivesse esperando por eles agora, quando mais precisavam dela.

Examinou pessoalmente a amostra e esperou os resultados no laboratório. Não sabia se poderia fazer uma identificação, mas achava que existia uma boa possibilidade de localizar um parente. Um *ding* do computador anunciou o resultado.

Sete dentre onze alelos correspondiam.

Não, pensou Riggins. *Essa merda não é possível.*

Pouco depois, Dark perguntou sobre o resultado.

— Nada — disse Riggins. — Não achei nada. O filho da puta realmente era único.

De todas as mentiras ditas por ele, essa tinha sido a mais difícil.

Capítulo 102

Cemitério de Hollywood / Wilshire Boulevard

O enterro de Sibby foi como um borrão de ternos pretos e cruzes brancas, flores de perfume pungente e terra revolvida, cujo cheiro doce permaneceu no ar de verão.

A família dela tinha vindo do norte da Califórnia. Dark não se animava a olhá-los. Riggins também estava lá, naturalmente, junto a Constance e, pelo que ele pôde perceber, também a maioria dos integrantes da equipe da Divisão de Casos Especiais. Dark não acompanhava o que ocorria e nem prestava muita atenção. Só prestava atenção em Sibby.

A filha de ambos, Sibby, que recebera o nome da mãe.

A criança segurava uma rosa na mão, completamente alheia. Dark tinha certeza de que ela seria capaz de sentir o perfume, mas isso era tudo. Para os bebês, durante as primeiras semanas de vida, o mundo era simplesmente uma mancha frenética. Graças a Deus.

A pequena Sibby tinha o rosto encostado no peito de Dark, acariciando-o através da camisa. Dark tardou um instante para compreender o que ela queria fazer.

Tinha fome e procurava a mãe.

Sibby era quem deveria estar ali. O bebê queria Sibby.

O padre falava em salvação, amor e o reino do céu, mas Dark na verdade não o ouvia. Não podia ouvi-lo, porque escutar aquelas palavras e descarregá-las na mente causaria um desastre. Ele não iria cair de joelhos naquela hora. Não com a pequena Sibby nos braços. Percebeu, no entanto, que o padre tinha acabado de falar e que as pessoas estavam olhando para ele. Portanto, tinha chegado o momento. Adiantou-se até a beira do túmulo, pisando na grama artificial que os coveiros tinham colocado para que os presentes não sujassem os sapatos. Tirou a rosa dos dedinhos de Sibby, que eram claros, macios e cheios de dobradinhas. Em seguida colocou a flor sobre o caixão. O sol da manhã já adiantada esquentou-lhe a nuca.

— Descanse em paz, Sibby.

Dark olhou novamente para a filha, cujo rostinho ainda estava encostado em seu peito. Sabia que ela não podia entender o que se passava, que anos depois não se lembraria de nada. Sabia, porém, que ele próprio jamais esqueceria aquele momento, do olhar da menina enquanto o caixão da mãe descia lentamente para o fundo da terra. Era um momento que ele não queria esquecer.

— Prometo — disse Dark em voz baixa, e depois curvou a cabeça. Não estava dizendo aquilo para alguém. Nem mesmo para Sibby. Era um lembrete para si mesmo.

Tinha perdido o que mais amava anteriormente, tudo lhe tinha sido arrancado, e ele se escondera como uma criança ferida.

Não podia dar-se àquele luxo agora.

Capítulo 103

A procissão fúnebre se dirigiu ao caminho asfaltado onde todos tinham deixado os carros. Riggins caminhava ao lado dele mas nada disse. Apenas tocou levemente as costas de Dark a fim de encaminhá-lo à limusine.

Riggins lhe contara a programação daquela tarde:

Aguentar até o fim do almoço.

Deixar a criança com os pais de Sibby, que estavam ansiosos por passar algum tempo com a netinha.

Em seguida ir com Riggins ao bar mais próximo no Hollywood Boulevard, onde tratariam de tomar uma incrível, imensa bebedeira.

— Se não acabarmos em Santa Monica vestidos somente de cuecas e sujos de vômito, ficarei absolutamente decepcionado — dissera Riggins.

Dark nada disse. Ia, sim, tomar uma cerveja com Riggins e deixaria Sibby com os avós. Mas a época de esconder a realidade já tinha passado. Ele já havia tentado e não dera certo. Tinha de haver outro meio. Outras pessoas que tinham sofrido perdas semelhantes, e até mais, conseguiam fazer a representação. Dark queria saber os segredos delas.

No entanto, ao chegarem à limusine, o assistente de Wycoff, Robert Dohman, destacou-se da procissão para chegar até eles.

— Dark. Riggins. Brielle. Preciso de um minuto com vocês.

Riggins ficou vermelho de raiva.

— Agora? Você está louco ou é só idiota?

— Já demos o tempo de que vocês precisavam — disse Dohman. — O enterro terminou. Temos assuntos a tratar.

Riggins olhou para Dark, que não demonstrou nenhuma emoção. *Tudo bem. Deixe-o dizer o que quer e acabemos com isso.*

— Fale rápido — disse Riggins.

Dohman sorriu, como quem diz: *Tomarei o tempo que quiser.*

— O presidente é um homem compreensivo. Mesmo assim, foram cometidos crimes contra a lei federal. Não se pode escapar disso sem consequências. Vocês poderiam ser condenados à prisão perpétua.

— Mas...? — disse Riggins.

— Mas o presidente tem outras ideias.

— Que quer dizer com *outras ideias*? — perguntou Dark.

— Vocês terão de trabalhar para pagar o que fizeram.

Riggins sacudiu a cabeça.

— Não, não. Já pedi demissão. Para mim, chega.

— Então será preso imediatamente.

— Sabe — disse Riggins —, você é um idiota igual a seu velho chefe.

— Lamento o que aconteceu — disse Dohman. — Mas fiquem preparados. A próxima missão vai ser comunicada em 48 horas.

Dohman e o resto da equipe do Departamento de Defesa saíram do cemitério depois dos outros convidados da cerimônia, que já estavam a caminho do lugar do almoço, deixando Dark, Riggins e Constance no calor e no silêncio do mar de túmulos.

Capítulo 104

Georgetown, Washington, D.C.

Eles iam chegar em breve.

Normalmente, Wycoff preferia aquela hora da noite. A hora em que o resto do mundo está dormindo, especialmente os filhos sempre reclamando, a mulher passiva-agressiva. Finalmente podia estar à vontade. Servir-se de um trago, sentar-se ao computador. Por alguns minutos, esquecia-se de que era o secretário de Defesa.

Para conhecimento público, Wycoff estava em licença de alguns dias a fim de "passar mais tempo com a família", desculpa que justificava muitos pecados e excessos. Para a mulher, Wycoff se sentia cansado daquele trabalho. Para os filhos... bem, eles não se importavam. Não davam a mínima. Estavam no andar superior, pregados em seus iPods ou mandando mensagens para os amigos igualmente mimados.

A verdade era que o secretário tinha pedido uns dias de férias a fim de resolver alguns assuntos pendentes. O caso Sqweegel poderia ter significado um pesadelo capaz de acabar com sua carreira, se ele não tivesse tomado algumas precauções.

Wycoff consultou o relógio de pulso.

Eles chegariam a qualquer momento.

Wycoff ficou pensando no menino. Nem a mulher e nem os filhos sabiam da existência do menino. O filho ilegítimo que nunca saberia que o pai tinha sido secretário de Defesa do país mais poderoso do planeta... e que a mãe era ainda aluna do ensino médio quando fora assassinada por um maníaco. Wycoff pertencia a uma família privilegiada, e aquele menino era produto de mentiras e de horror. Quem poderia dizer se o filho teria mais possibilidades de sucesso? Wycoff tinha tido todas as vantagens, e agora se via acossado.

Ele esperava a chegada de dois matadores secretos.

Não, não à sua casa.

À casa de Bob Dohman, seu fiel assistente.

Afinal, em Washington a merda sempre cai em cima do mais fraco. Wycoff era importante demais para que alguma coisa como a tragédia de Sqweegel o fizesse descarrilar. Mas a máquina federal exigia um cordeiro para ser sacrificado, e infelizmente Bob Dohman era o melhor candidato.

Não seria tão ruim assim. Dohman sentiria apenas a leve picada na carótida, e nada mais. E àquela altura...

Wycoff olhou de novo o relógio.

Bem, sim, a essa altura os dois matadores estariam no apartamento de Bob em Annapolis.

Descanse em paz, Bob.

Falls Church, Virgínia

Riggins abriu a porta da frente de sua casa e ouviu um alarme — o sistema de segurança. A luz vermelha intermitente da caixa com o teclado que ficava na parede atrás da porta estava acesa.

Faltam 25 segundos...

Depositou no chão a bolsa com os pertences que tinha usado para passar a noite anterior e empurrou a porta. Havia nove teclas numeradas — sistema muito rudimentar, na verdade —, porém, por mais que se esforçasse, Riggins não conseguia lembrar-se do código. Tinha certeza de que dois dígitos eram do ano em que tinha se casado pela primeira vez. Estranho, mas não se lembrava daquele ano. Lembrava-se do bolo, da bebida, da orquestra... do redemoinho e caos do casamento na juventude. Mas não da porra do ano.

Faltam vinte segundos...

Precisava realmente lembrar-se do código. Chega de besteira.

Faltam dez segundos...

Aquilo ia ser realmente embaraçoso. Um funcionário da principal agência criminal do FBI atrapalhado com seu próprio sistema de segurança?

Faltam cinco segundos...

Riggins olhou o teclado, ainda sem saber como poderia ter esquecido uma coisa tão básica quanto o ano de seu primeiro casamento. Antigamente, aquele ano tinha sido importante.

A equipe de segurança apareceu poucos minutos depois. Riggins estava sentado no degrau da frente, com a carteira de identidade nas mãos.

Nesse momento, seu celular tocou.

Silver Spring, Maryland

Constance Brielle tinha de cuidar da alimentação.

A vizinha do lado a havia substituído por algum tempo, ou pelo menos assim afirmava. Na verdade, os pratos de comida e água estavam vazios e os gatos se enrolavam em seus pés, queixando-se.

Constance abriu quatro latas de comida e espalhou-a nos pratos que sua avó lhe dera. Deveriam ter sido um presente para os pais dela, mas por algum motivo isso não tinha dado certo. Por isso agora os gatos se deliciavam com o frango primavera servido nos pratos. Era melhor do que não haver ninguém.

Pensou em Dark e várias vezes quase pegou o telefone celular para ligar, mas não sabia o que iria dizer.

Além disso, não queria acordar o bebê.

Assim, ficou sentada no sofá em seu tranquilo apartamento na área residencial, pensando se teria feito alguma coisa de maneira diferente na semana anterior. Qualquer coisa que pudesse ter feito diferença, de uma forma ou de outra. Qualquer coisa que pudesse ter feito para evitar estar agora sentada ali, no tranquilo apartamento, sozinha.

Nesse momento, seu celular tocou.

West Hollywood, Califórnia

Dark foi até a caixa, retirou o objeto e levou-o à parede.

Já havia um prego. Ele apalpou o arame nas costas da moldura e pendurou a foto na parede.

Era Sibby, um ano antes, com o vestido amarelo, na praia de Malibu.

Às vezes ele passava muito tempo olhando as fotos e ficava pensando se isso era o que se fazia no além — habitar as fotos antigas. Isso porque você fica congelado naquele momento. Às vezes, porém, uma expressão em seu rosto mostra que você está vendo algo mais do que aquilo que está em torno. Está olhando para o presente. Está vendo o futuro, por mais alegre ou triste que possa ser. Está vendo o que já foi, o que é e o que podia ter sido...

Dark voltou à caixa e encontrou outra fotografia predileta em preto e branco de Sibby na praia, com o braços graciosamente erguidos acima da cabeça, os quadris para um lado, as sombras tão intensas que ela parecia quase uma silhueta. Estava na orla do Pacífico, que parecia estender-se até o infinito.

Ela se preparava para dançar.

Para recordar o que poderia ter sido, acesse grau26.com.br
e digite o código: pordosol

EPÍLOGO

O segundo dom

Capítulo 105

Dois dias depois
West Hollywood, Califórnia

Dark abriu com os dentes um pacote de leite em pó e derramou o conteúdo, de cor bege, em uma mamadeira. Olhou rapidamente as instruções, procurando adivinhar a quantidade de água que deveria adicionar. Deviam dar informações mais claras.

Usando a água filtrada, encheu a mamadeira exatamente até a altura da marca. Enroscou a tampa. Sacudiu. Estava pronta para a pequena Sibby e bem a tempo. Ela estava com fome.

Sua filhinha, Sibby — suave como uma flor. Grandes olhos azuis. Quando choramingava triste, quase partia o coração de Dark.

E parecia estar sempre com fome.

Dark sentou-se no sofá e deu-lhe a mamadeira, quase ofuscado pelo sol da manhã. Riggins tinha escolhido as persianas do apartamento, e Dark somente o usava durante a noite. Era a primeira vez que estava de manhã em sua nova casa. Coisa estranha, pensar naquilo. A vida com Sibby tinha sido ao sol, na praia, nas caminhadas. À noite os dois se abraçavam e tentavam esquecer tudo o mais.

Agora ele estava ali com a filha, que sugava alegremente o bico de látex.

Dark não tinha tido muito tempo para esvaziar as caixas, a não ser a foto de Sibby de vestido amarelo, na praia. Mostrou a foto à criancinha e explicou que era a mãe dela e que a mamãe sempre a amaria muito. Dark queria inculcar nela as lembranças desde cedo, e nunca deixaria de recordar. Pai e filha seriam como dois sociólogos, estudando a vida de Sibby Dark, e ele não queria esquecer nenhum detalhe.

Já bastava de esconder-se da morte. Ele tinha resolvido aproveitar a vida, para variar.

Naquele momento alguém bateu à porta.

O barulho sobressaltou a pequena Sibby. A mamadeira estava já completamente vazia. Dark a deitou cuidadosamente no instante em que soou outra batida, mais urgente. Ele ficou pensando se valeria a pena abrir a porta. Lembrou-se de uma citação de Blaise Pascal: "Todas as desgraças humanas provêm de uma coisa, que é não saber ficar tranquilo dentro de um quarto."

Mas Dark sabia que não era assim. As batidas não cessariam.

Olhou mais uma vez para a filha, no berço cor-de-rosa montado apressadamente duas noites antes, e depois tirou uma Glock 9 milímetros da gaveta da mesinha.

— Quem é? — perguntou.

— Entrega — disse uma voz feminina. — Tenho um pacote para o senhor.

Dark espreitou pelo olho mágico. Uma mulher alta e esbelta, uniformizada, com os cabelos escuros por baixo do boné, segurava uma caixa marrom onde se via o nome de um serviço de fraldas. Dark reconheceu o nome: um analista da Divisão a havia encomendado, como presente. O cartão dizia: *Só porque você nos deixou, não vai parar de mexer com merda.*

— Espere — disse Dark. Meteu a arma na cintura do jeans, atrás das costas, e em seguida abriu a porta.

— Steve Dark? — perguntou a mulher.

— Eu mesmo.

— Posso entrar? Preciso que o senhor assine o recibo.

Antes que ele pudesse responder, a entregadora tirou um papel da tampa da caixa e deu-o a Dark.

Em seguida colocou a caixa de fraldas no chão, fechou a porta com o pé e tirou o boné. Os cabelos caíram até os ombros. Tirou um celular do bolso do uniforme e depois despiu-se. Por baixo usava um *tailleur*. Em poucos segundos estava completamente transformada.

— Calma — disse ela. — Sou Brenda Condor, do Conselho Tutelar, em Washington.

— Para que as fraldas? — perguntou Dark.

— Você teria aberto a porta se eu dissesse que sou funcionária federal?

Dark concordou com a cabeça. Ela tinha razão. Se tivesse dito que era do governo, talvez ele disparasse a arma através da porta antes de abri-la.

— Daqui a sete minutos vai chegar um carro — continuou ela. — Eu cuidarei do bebê enquanto você estiver fora.

— Ora, é isso? — perguntou Dark. — E para onde vou?

Brenda Condor passou por ele, caminhando mais para dentro e aproximando-se do bebê. Tinha dado dois passos quando Dark encostou a Glock na cabeça dela e pediu a identidade e as credenciais.

— Você não precisa dessa arma.

— Você não precisa respirar mais — disse Dark.

Ele viu as pupilas dela se dilatarem e os belos olhos azuis se arregalarem, o que o distraiu por um instante, suficiente para que ela o desarmasse com um movimento que ele nunca tinha visto e muito menos era capaz de prever. Mais tarde se consolaria achando que era por causa da falta de sono. No entanto, em vez de apontar contra ele a própria arma, ela meteu a mão na bolsa e entregou a carteira de identidade junto com um telefone celular já aberto.

À primeira vista, as credenciais pareciam legítimas, mas Dark somente se acalmou quando ouviu a voz de Riggins do outro lado da linha.

— Ela é de verdade — disse Riggins. — O fodido do Wycoff me ligou há poucas horas. Também estou com a mesma merda em casa. Devia estar aproveitando uma boa ressaca, mas pelo jeito estamos sendo convocados novamente.

— Está bem.

— Vejo você mais tarde.

Dark apertou FIM e olhou para a nova babá.

— Não precisa se preocupar — disse ela, devolvendo-lhe a arma. — Cuidarei bem dela. Tenho instruções para levá-la a você onde quer que você esteja no mundo, desde que seja um lugar seguro. Empacote suas coisas. O Departamento de Defesa precisa de você.

Dark foi até a parede e retirou a foto de Sibby com o vestido amarelo.

— Esta é a mãe dela. Mostre-a ao bebê várias vezes por dia. Isso é importante para mim.

Brenda pegou a foto e olhou-a. Não demonstrou reação. Apertou o botão de um microfone escondido na blusa.

— Steve Dark, Código Quatro. Tenho a criança. Desligo.

Capítulo 106

Poucos minutos depois que Dark terminou de transferir algumas coisas de uma das caixas de papelão para uma bolsa, uma limusine preta parou diante da casa, flanqueada por duas motos da polícia de Los Angeles. Os faróis estavam apagados. Dois homens de terno, funcionários do Departamento de Defesa, saltaram do carro. Eram a escolta.

Brenda foi com ele até a porta, com a pequena Sibby nos braços. Dark não sentiu muita confiança ao vê-la segurando o bebê. Ela parecia mais à vontade disparando uma submetralhadora.

Dark pousou a bolsa no chão e pegou a criança, apertando-a contra o ombro e murmurando-lhe ao ouvido:

— Não sei se sou um bom pai, mas uma coisa eu sei. Sei que te amo muito. Sua mãe também te ama muito. Seja boazinha, OK?

Dark olhou para a agente ao entregar-lhe a menina.

— Cuide bem dela, sim?

— O carro está esperando.

A porta da limusine se abriu.

Horas mais tarde ele aterrissou em Newark, para mudar de avião. Riggins e Constance já estavam na sala de espera, cada um com uma bolsa aos pés.

— Então estamos juntos de novo — disse Riggins, apertando os olhos com o polegar. — Que merda, estou com dor de cabeça.

— Alguém sabe para onde vamos? — perguntou Dark.

Constance balançou negativamente a cabeça.

— Perguntei ao meu simpático guarda-costas o que deveria levar e ele só disse: *roupas de trabalho*.

— Vamos para Roma. E não, não sei por quê.

Capítulo 107

Aeroporto Leonardo da Vinci, Roma

Os pneus do avião fumegaram na pista ao aterrissar no aeroporto Leonardo da Vinci em Roma. Era noite. Depois de taxiar em semicírculo, Dark viu uma van quadrada, com o letreiro POLIZIA, estacionando junto à escada externa.

Nem bem tinham dado cinco passos para fora do avião quando alguém os apresentou a um homem que se identificou como general Costanza e explicou que era o comandante da Arma dei Carabinieri. Dark sabia que aquilo significava a polícia militar. Diversos oficiais o rodeavam, como uma ninhada de patinhos. Um deles tinha uma pasta de couro marrom algemada ao pulso.

— Há centenas de mortos — disse Costanza, num inglês estropiado. — Por favor, entrem.

As portas do carro da *polizia* se fecharam com estrondo e o veículo saiu do aeroporto.

Dark sentia os efeitos da diferença de fuso horário e além disso andava dormindo mal, como todo novo pai. Mas aquele homem tinha falado em *centenas*?

Em trinta minutos chegaram à maior das fontes barrocas de Roma. A obra-prima de arquitetura estava cercada por um cordão de isolamento vermelho, da polícia. Dark viu centenas de pessoas espalhadas pela rua, chorando e caminhando em torno de... lençóis?

Lençóis, sim. Cobrindo cadáveres.

Nem todos estavam cobertos, e Dark viu olhos carcomidos, veias cor de púrpura, carnes inchadas. Bocas abertas de mortos, com sangue já seco.

No banco de trás, Constance levou a mão à boca. O rosto de Riggins ficou sem expressão e em seguida ele tapou os olhos com as mãos. Já estava recuperado da ressaca.

— Que aconteceu aqui? — perguntou Dark.

Costanza pegou a pasta, ainda algemada ao pulso de seu ajudante, e abriu a fechadura. Levantou a tampa e virou-a para que Dark pudesse ver o que continha.

Ao olhar, o coração dele quase parou. Poucos momentos antes, a pasta era apenas uma pasta — um recipiente comum onde haveria papéis, arquivos, envelopes. Mas ao ver o que havia dentro, tudo assumiu uma aura de pura perversidade que o fez perder o fôlego.

— Isso não pode estar acontecendo — disse ele, finalmente.

Dark tinha achado que o grau 26 era apenas uma lembrança má.

Estava enganado.

Para viajar a Roma, acesse grau26.com.br e digite o código: ziper

Agradecimentos

Anthony E. Zuiker deseja agradecer: Primeiro, acima de tudo, a minha mulher Jennifer, minha musa. Ao elenco e equipe de *Grau 26,* agradeço o apoio à minha estreia como diretor. Diverti-me muito. Orlin Dobreff, Jennifer Cooper e Morgan Schmidt: vocês são a equipe dos meus sonhos. Agradecimento muito especial a Duane Swierczynski, Marc Ecko, Marc Fernandez, John Paine, Ben Satterfield e Robert Kondrk. Peço desculpas por escrito a Margaret Riley, Kevin Yorn e todos da Equipe Zuiker por aguentar meus distúrbios. Ha ha. E aliás, Brian Tart e Ben Sevier, isso serve também para vocês. :)

Duane Swierczynski gostaria de agradecer a David Hale Smith por apontar-lhe o caminho do covil de Sqweegel, a Anthony Zuiker, pelo emocionante e perturbador passeio por aquele lugar, e a Ben Sevier, por ajudá-lo a escapar com a alma intacta (mais ou menos). Também imensa gratidão a sua mulher, filho e filha, assim como à boa gente da Dutton e Dare to Pass, Inc., que foram um apoio incrível ao longo do trabalho de escrever este romance.

Elenco:

Dan Buran no papel de Steve Dark
Michael Ironside no papel de Tom Riggins
Glenn Morshover no papel de Norman Wycoff
Bill Duke no papel de Jack Mitchell
Kevin Weisman no papel de Josh Banner
Daniel Browning Smith no papel de Sqweegel
Tauvia Dawn no papel de Sibby Dark

Os autores

ANTHONY E. ZUIKER é o criador e produtor executivo do programa de televisão de maior audiência do mundo, *CSI — Crime Scene Investigation*, e empreendedor visionário que costuma fazer palestras sobre o futuro da indústria de entretenimento. Zuiker mora em Las Vegas e Los Angeles.

DUANE SWIERCZINSKY é autor de diversos thrillers, inclusive *Severance Package*, da qual está fazendo a adaptação para o cinema. Também escreve a série mensal *Cable* para a revista *X-Men* da Marvel Comics, e outros trabalhos com os personagens *Iron Fist, Punisher* e *Wolverine*. Ele mora na Filadélfia.

Este livro foi composto na tipografia
ClassGaramond, em corpo 11/16, e impresso em
papel off-white no Sistema Digital Instant Duplex
da Divisão Gráfica da Distribuidora Record.